**Brandschutz im Bestand – Schulen und Kindertagesstätten**

# Mehr zu diesem Titel

## ... finden Sie in der Beuth-Mediathek

Zu vielen neuen Publikationen bietet der Beuth Verlag nützliches Zusatzmaterial im Internet an, das Ihnen kostenlos bereitgestellt wird. Art und Umfang des Zusatzmaterials – seien es Checklisten, Excel-Hilfen, Audiodateien etc. – sind jeweils abgestimmt auf die individuellen Besonderheiten der Primär-Publikationen.

Die Beuth-Mediathek finden Sie im Internet unter

**www.beuth-mediathek.de**

Zum Freischalten des Zusatzmaterials für diese Publikation gilt ausschließlich der folgende **Media-Code:**

**M239435904**

Wir freuen uns auf Ihren Besuch in der Beuth-Mediathek.

Ihr Beuth Verlag

Hinweis: Der Media-Code wurde individuell für Sie als Erwerber dieser Publikation erzeugt und darf nicht an Dritte weitergegeben werden. Mit Zurückziehung dieses Buches wird auch der damit verbundene Media-Code ungültig.

**Brandschutz im Bestand**

DIN

Gerd Geburtig

# Brandschutz im Bestand

## Schulen und Kindertagesstätten

2., vollständig überarbeitete Auflage

Herausgeber:
DIN Deutsches Institut für Normung e. V.

**Fraunhofer IRB ■ Verlag**

Beuth Verlag GmbH · Berlin · Wien · Zürich

Herausgeber: DIN Deutsches Institut für Normung e. V.


**Berlin · Wien · Zürich**
Am DIN-Platz
Burggrafenstraße 6
10787 Berlin

Telefon: +49 30 2601-0
Telefax: +49 30 2601-1260
Internet: www.beuth.de
E-Mail: info@beuth.de

**Fraunhofer IRB Verlag**
Fraunhofer-Informationszentrum
Raum und Bau IRB
Nobelstraße 12
70569 Stuttgart

Telefon: +49 711 970-25 00
Telefax: +49 711 970-25 08
Internet: www.baufachinformation.de
E-Mail: irb@irb.fraunhofer.de



Satz: B & B Fachübersetzergesellschaft mbH, Berlin
Druck: AZ Druck und Datentechnik GmbH, Berlin
Gedruckt auf säurefreiem, alterungsbeständigem Papier nach DIN EN ISO 9706

ISBN 978-3-410-23943-7 (Beuth Verlag)
ISBN 978-3-8167-8984-0 (Fraunhofer IRB Verlag)

# Vorwort zur 2. Auflage

Die Verbesserung von Betreuungsangeboten für Kinder ist eine aktuelle Herausforderung für viele Kommunen. Bund und Länder fördern gemeinsam mit der KfW-Bankengruppe den Ausbau von Plätzen in Kindertagesstätten. Davon ist auch eine Vielzahl vorhandener Tageseinrichtungen betroffen, die erweitert oder umgebaut werden sollen. Aber auch die Verbesserung der Schulangebote ist eine permanent gestellte gesellschaftliche Aufgabe.

Dabei steht zugleich auch der Brandschutz in bestehenden Schulen und Kindertagesstätten auf dem Prüfstand, der sich häufig als mangelhaft herausstellt. Bereits die erste Auflage des Bandes zum Brandschutz bei Schulen und Kindertagesstätten im Bestand hat die Nachfrage nach geeigneten Brandschutzmaßnahmen dafür bestätigt. Neben etablierten Vorschlägen zur Verbesserung des Brandschutzes bei den Einrichtungen für Kinder und Jugendliche soll die Suche nach geeigneten Vorschlägen fortgesetzt und sich zusätzlich den folgenden neuen Fragestellungen gewidmet werden:

- Was sind die aktuellen juristischen Maßstäbe für den Bestandsschutz?
- Wann entsteht ein Handlungsbedarf trotz einer vorliegenden Genehmigung?
- Welche Anforderungen bestehen an die Rettung behinderter Personen?
- Wann ist eine Aula als eine Versammlungsstätte nach Sonderbauverordnung zu behandeln?
- Welches ist der richtige Umgang mit Erleichterungen?
- Wie sind vorhandene Bauteile, wie z. B. rauchdichte Türen im Bestand zu beurteilen?
- Wodurch entstehen neue Anforderungen bei geplanten Erweiterungen?

Wegen dieser Fragestellungen und weil die erste Auflage des Buches vergriffen ist, wurde es umfassend überarbeitet und erweitert. Als Stichworte seien an dieser Stelle die Auswertung aktueller juristischer Entscheidungen, die Analyse zur möglichen Überprüfung von bestehenden Türen in Schulgebäuden, an die Anforderungen hinsichtlich der Rauchdichtheit gestellt werden, die Bewertung zur Notwendigkeit von Anlagen zur Rauch- bzw. Branddetektion, erweiterte Lösungsansätze für typische brandschutztechnische Konfliktsituationen und das Vorstellen neuer Beispiele für Brandschutzkonzepte im Bestand genannt. Außerdem wurde das vormals in der Bundesrepublik Deutschland gültige Muster über Bauaufsichtliche

Richtlinien für Schulen aus dem Jahr 1976 einschließlich des Musterentwurfes eines Einführungserlasses von 1974 mit in die Anhänge aufgenommen, um bei der Sanierung von Schulgebäuden, die im Zeitraum bis 1998 errichtet wurden, die bauzeitlichen Regelungen besser nachvollziehen zu können.

Die Betrachtungen sowohl zum Bestandsschutz als auch zum bauaufsichtlichen Anpassungsverlangen wurden erweitert und neue Beispiele vorgestellt, daneben wurden andere Kapitel, soweit notwendig, ergänzt und aktualisiert.

Ergänzend wird auf die Anwendungsmöglichkeit ingenieurgemäßer Nachweise zur Entfluchtung von Schulen eingegangen, mit denen für den Einzelfall der tatsächlich notwendige Handlungsbedarf schutzzielorientiert zu ermitteln ist.

Gerd Geburtig
Ribnitz-Damgarten/Weimar, im Juli 2013

# Vorwort zur 1. Auflage

Die Sanierung einer Schule oder einer Kindertagesstätte stellt an alle Beteiligten hohe Anforderungen, insbesondere hinsichtlich des Brandschutzes. Die behütende Unterbringung von Kleinkindern und deren beinahe unmögliche Evakuierung im Brandfall sind ein schier unlösbarer Konflikt. Die Einengung von Bewegungsdrang und Kreativität im Kleinkind- oder im Schulalter ist nicht gewollt und doch sind bestimmte notwendige einschränkende bauliche Brandschutzmaßnahmen nun einmal unausweichlich. Zudem bergen häufig angestrebte Doppel- oder Dreifachnutzungen von Schulgebäuden oder Kindertagesstätten sich widersprechende Anforderungen vom alltäglichen Schulbetrieb über das Vereinshaus bis zur Versammlungsstätte; insbesondere die schmucke Aula einer Schule soll ja möglichst allen Mitgliedern des Gemeinwesens dienen, unabhängig von der bestimmungsgemäßen Schulwidmung.

Wie kann man diese Widersprüche aufheben? Ganz einfach: In Betreuungs- und Bildungsstätten für Kinder darf es einfach nie brennen. Aber das ist leider ein Wunschtraum, der unerfüllt bleiben muss. Daher gilt es, nach geeigneten Konzepten zu suchen und aus gelungenen Beispielen zu lernen.

Beides versucht dieser Band in Ansätzen. Er will zunächst zwischen den unterschiedlichen Anforderungen der Bundesländer – Bildung ist nun einmal Ländersache – inmitten des sich einigenden Europas strukturieren. Trotz mancher Alleingänge der Länder in Fragen des Brandschutzes beinhalten zumindest die jeweiligen Schulbaurichtlinien, natürlich verfasst für Neubauten – wer dachte damals schon an die vor der Tür stehenden, längst überfälligen Sanierungen – vieles Gemeinsame. Aber bei Kindertagesstätten gehen die Meinungen doch weit auseinander.

Dennoch gebe ich als Autor nicht auf und versuche mit dem Buch, die Diskussion gleichermaßen über sinnvolle und übertriebene, geeignete und überzogene Brandschutzmaßnahmen im Bestand voranzutreiben und Lösungen mit der Auswertung von Gefahrenanalysen und Praxisbeispielen anzubieten. Dazu sollen auch eher ungewöhnliche Brandschutzmaßnahmen, insbesondere des organisatorischen Brandschutzes, Gehör finden, denn: Immer noch ist der unvorsichtige Umgang des Menschen mit offenem Feuer oder Licht die häufigste Ursache für Brände, so dass es selbstverständlich sein sollte, mit den Anstrengungen zur Prävention bei der Erziehung im Kindesalter zu beginnen.

An dieser Stelle möchte ich daher insbesondere allen Ungenannten danken, die es mir ermöglichten, „hinter die Kulissen" zu schauen, die stolz Erreichtes präsentierten, aber auch offen zu Defiziten standen. Ein besonderer Dank geht dabei an meine Heimatstadt Ribnitz-Damgarten, die mit einer mutigen denkmalpflegerischen Behandlung eines historischen Schulgebäudes einen bisher noch nicht immer alltäglichen und sicher aufwändigeren Weg als mit einem Neubau beschritt.

Zu Schulen gehören Turnhallen, die auch einen großen Instandsetzungsbedarf haben. Mit den Verfassern eines derartigen, in diesem Buch ebenfalls beschriebenen brandschutztechnischen Sanierungskonzeptes verbindet mich bereits seit Längerem eine intensive und fruchtbringende Zusammenarbeit. Ich danke daher für die Möglichkeit, das Beispiel in diesem Buch aufführen zu können.

Den Beispielen wird bewusst eine bescheidene Sanierung und Erweiterung einer Kindestagesstätte in Niedergrunstedt bei Weimar zur Seite gestellt. Der Betrieb dieses Kindergartens zeugt aber von einem außerordentlichen Engagement der Mitarbeiterinnen und Mitarbeiter und beweist im Detail, dass brennbare Materialien, offene Gänge ganz ohne notwendige Flure und im Einzelfall auch Kerzen ebenso wie der stets ernsthafte Umgang mit der Fürsorgepflicht zum Alltag in einer Betreuungseinrichtung für Kinder gehören können.

Das sollte uns bei den gegenwärtig überall anstehenden Sanierungsaufgaben bei Schulen und Kindertagesstätten bewusst bleiben und zu angemessenen Brandschutzmaßnahmen führen.

Gerd Geburtig
Ribnitz-Damgarten/Weimar, im September 2009

# Autorenporträt

Gerd Geburtig, Jahrgang 1967.

1986–1991 Architekturstudium an der Hochschule für Architektur Bauwesen Weimar.

1991–1995 Wissenschaftlicher Mitarbeiter an der HAB Weimar.

Seit 1993 Inhaber der Planungsgruppe Geburtig, Architekten & Ingenieure.

Gastvorlesungen an der Bauhaus-Universität; Dozent EIPOS e.V., Bauhaus Akademie Schloss Ettersburg gGmbH, Deutsche Stiftung Denkmalschutz, Architekten- und Ingenieurkammer Mecklenburg-Vorpommern u.a.

Fachbuchautor. Zahlreiche Veröffentlichungen in Fachzeitschriften.

Seit 2001 Referatsleiter Fachwerk in der Wissenschaftlich-Technischen Arbeitsgemeinschaft für Bauwerkserhaltung und Denkmalpflege e.V. (WTA) und seit 2006 1. Vorsitzender der regionalen Gruppe der WTA in Deutschland.

Seit 2003 Mitglied im Deutschen Nationalkomitee von ICOMOS.

Seit 2006 Nachweisberechtigter für vorbeugenden Brandschutz in Thüringen und Hessen, Brandschutzplaner Mecklenburg-Vorpommern und Sachverständiger für Energieeffizienz von Gebäuden (EIPOS Dresden).

Seit 2007 Mitglied im NA 005-52-21 AA (Arbeitsausschuss Brandschutzingenieurverfahren) beim DIN.

2008 Promotion zum Dr.-Ing.

2008 Prüfingenieur für Brandschutz.

# Inhalt

Seite

# Einleitung 1

Schulen werden generell und Kindertagesstätten in den meisten Fällen auf der Grundlage der Landesbauordnungen, unabhängig von ihrer Gebäudeklasse, wegen ihrer Funktion als Sonderbauten eingestuft.

Erstmals regelte die Fachkommission „Bauaufsicht" der ARGEBAU im Jahre 1976 mit einer Muster-Richtlinie die bauaufsichtlichen Anforderungen an Schulen (BASchulR, [1]). Diese Richtlinie wurde später im Jahre 1998 von der Muster-Richtlinie über bauaufsichtliche Anforderungen an Schulen (MSchulbauR) [2] abgelöst. Damit entstand die erste gesamtdeutsche Regelung für die Errichtung von Schulgebäuden, denn die meisten der Bundesländer, auch die neuen, machten diese Richtlinie für den Brandschutz bei Schulbauten bekannt, ohne Unterscheidung, ob ausschließlich für den Neubau oder die Sanierung bzw. die denkmalpflegerische Behandlung. Eine Ausnahme bildet das Saarland [3]. Unabhängig davon sind in vielen Fällen von Schulbauinstandsetzungen die jeweiligen Denkmalschutzgesetze der Länder gleichermaßen zu beachten.

Für den Bau von Kindertagesstätten mangelt es an einer grundlegenden praktikablen bauaufsichtlichen Regelung, unabhängig ob für Neubauen, Sanierungsfälle oder die Baudenkmalpflege.

Um pädagogische und brandschutztechnische Anforderungen miteinander vereinbaren zu können, ist es wichtig, sich mit beiden intensiv zu beschäftigen. Wer dem folgt, stößt schnell auf viele Fragen wie folgende:

- Wann endet der Bestandsschutz für die seit über 100 Jahren erfolgte ununterbrochene Schulnutzung?
- Welchen Beitrag leistet die Aufklärung über den Brandschutz an Kindertagesstätten tatsächlich?
- Können die erwiesenermaßen notwendigen Brandschutzmaßnahmen wegen leerer öffentlicher Kassen „gestreckt" und zwischenzeitlich organisatorisch kompensiert werden?
- Benötigen auch Kindergärten und Hortgebäude stets zwei bauliche Rettungswege?
- Können alternative Rettungswegsysteme wie Evakuierungsrutschen oder Personenrettungsschläuche zugelassen werden?

Die Fachleute geben auf die vorgenannten Fragen durchaus stark divergierende, unterschiedliche Antworten, z. T. auch geprägt durch eigene positive wie negative Erlebnisse; davon kann sich niemand wirklich lösen, auch wenn er es nicht zugibt. Dadurch nimmt die Unsicherheit bei Planern und Betreibern weiter zu, die angebrachte, aber auch oft unbegründete Angst um das Leben „unserer Kinder" verstärkt sich und führt zu unangemessenen Lösungen in der Praxis.

Dieser Band widmet sich daher, ausgehend von brandschutztechnischen Belangen für Kindertagesstätten sowohl in der Bundesrepublik als auch der ehemaligen DDR und deren z. T. auch politischen Konsequenzen, insbesondere angemessenen brandschutztechnischen Planungen bzw. Maßnahmen, die der Bewahrung der vorhandenen Bausubstanz dienen mögen. Nicht zuletzt ist eine nicht unerhebliche Anzahl von Schulgebäuden Baudenkmale, weil diese Gebäude seit jeher für Schulzwecke in der zweiten Hälfte des 19. und der ersten Hälfte des 20. Jahrhunderts errichtet wurden.

Während beim alltäglichen Sanierungsfall das Urteil über den Sinn brandschutztechnischer Maßnahmen selbst und das Beseitigen konkreter Gefahrenquellen im Vordergrund zu stehen haben, gesellt sich beim Baudenkmal generell die Erörterung praktischer Maßnahmen beim Umgang mit dem Brandschutz und die **„Frage danach, wie weit konkrete Eingriffe in die wertvolle Substanz gehen dürfen, damit ein Denkmal ein Denkmal bleibe, d. h. dieses seine Identität behalte"** [4], hinzu.

Sowohl Instandhaltung als auch Instandsetzung und Modernisierung verleiten jedoch dazu, einen Altbau wegen der heutigen Ansprüche an einen Neubau derart weit anzugleichen, bis er vollständig den

**Abbildung 1:** Nachgerüstete Tür zu einem bestehenden Treppenraum, die hölzerne Treppe konnte verbleiben.

**Abbildung 2:** Historisches Schulgebäude verrichtet nach angemessener brandschutztechnischer Ertüchtigung weiterhin seinen Dienst.

aktuellen Brandschutzvorschriften entspricht. Dieses Bemühen ist zwar im Sinne einer Optimierung der Gefahrenabwehr und der Schadensverhütung zu befürworten, ist aber zum einen juristisch nicht haltbar und überfordert zum anderen die öffentlichen Haushalte. Maßgeblich ist deshalb der gesetzlich vorgeschriebene Mindestschutz unter Berücksichtigung der Grenzen des gegebenen Bestandsschutzes.

Nützlich sind gültige Rechtsvorschriften zum Brandschutz einerseits, indem sie einen gewissen Sicherheitsstandard festlegen, andererseits sollen diese ernsten Belange der Gefahrenabwehr nicht zur Zerstörung von Bestandsgebäuden oder gar Kulturdenkmalen führen. Eine absolute Sicherheit vor Bränden ist ohnehin undenkbar; sie würde die Freiheit des Menschen einengen und wäre wirtschaftlich untragbar. [5]

Bereits in der zweiten Hälfte des 19. Jahrhunderts wurde über die richtige Bauart von Schulgebäuden auch hinsichtlich des Brandschutzes von Schulgebäuden diskutiert, wie z.B. durch Wilhelm Zwez: **„Ist dem massiven Baue der Vorzug größerer Wärme, längerer Dauer und größerer Sicherheit in Beziehung der Feuersgefahr nicht abzusprechen, so werden diese Vorteile, abgesehen von dem größeren Aufwande, welcher mit einem massiven Bau an sich meistens verbunden und daran, dass der Holzbau oft trockener ist als der Steinbau, sehr häufig darum den Ausschlag nicht geben, weil es an gutem Baumateriale fehlt, oder die größere Schwere des Gebäu-**

**Abbildung 3:** Guter Brandschutz hat Räume für eine kreative Erziehung unserer Kinder zu ermöglichen.

**des besonders kostspielige Substructionen nöthig macht, oder die Gewohnheit der einzelnen Gegend derselben im Widerspruch stehenden Zwang der guten Sache mehr schaden als nutzen würde.“** [6]

Aus der Vergangenheit gibt es auch Vorschläge für wirkungsvolle Maßnahmen über geeignete Verhaltensregeln für durch Feuer gefährdete Bauwerke. Dem Leichtsinn und dem fahrlässigen Umgang mit dem Element Feuer sind insbesondere schon während der Erziehung der Kinder und Jugendlichen Einhalt zu gebieten. Wie sinnvoll diese Maßnahmen sind, beweisen mittlerweile aktuelle Statistiken; wir unterschätzen in dieser Hinsicht vielleicht „unsere Kinder“, auch wenn tragische Ereignisse wie Amokläufe das zeitweise überschatten und den Ruf nach 100%iger Sicherheit temporär unüberhörbar laut werden lassen. Ein hochgerüstetes, noch so sicheres Gebäude ist mit Sicherheit der falsche Weg. Mancher gut gemeinter Euro – auch für Brandschutzmaßnahmen – wäre sinnvoller für mehr Unterrichts- oder Betreuungszeit für Kinder oder Jugendliche angelegt.

# Bauordnungsrecht, Bestandsschutz und reale Gefahren 2

## Regelungen der Musterbauordnung 2013 2.1

Die Regelungen zum Brandschutz wurden in der Musterbauordnung im Jahr 2013 neu formuliert. [7] In der Musterbauordnung (MBO) wurde zum Schutzziel und den grundlegenden Anforderungen des Brandschutzes im § 14 Folgendes formuliert: **„Bauliche Anlagen sind so anzuordnen, zu errichten, zu ändern und instand zu halten, dass der Entstehung eines Brandes und der Ausbreitung von Feuer und Rauch (Brandausbreitung) vorgebeugt wird und bei einem Brand die Rettung von Menschen und Tieren sowie wirksame Löscharbeiten möglich sind.“** Bauteile werden nach der Dauer ihrer Feuerwiderstandsfähigkeit unterschieden in: feuerbeständig, hochfeuerhemmend und feuerhemmend. Die Verwendung brennbarer Baustoffe ist zulässig, **„soweit in diesem Gesetz oder in Vorschriften aufgrund dieses Gesetzes nichts anderes bestimmt ist“**. [8] Hier ist jedoch zu beachten, dass gemäß § 26 Abs. 2 Bauteile, deren tragende und aussteifende Teile aus brennbaren Baustoffen bestehen, eine allseitig brandschutztechnisch wirksame Bekleidung aus nichtbrennbaren Baustoffen haben müssen.

**„Die Bauaufsichtsbehörde kann Abweichungen von bauaufsichtlichen Anforderungen dieses Gesetzes und aufgrund dieses Gesetzes erlassener Vorschriften zulassen, wenn sie unter Berücksichtigung des Zwecks der jeweiligen Anforderung unter Würdigung der öffentlich-rechtlichen geschützten nachbarlichen Belange mit den öffentlichen Belangen, insbesondere mit den Anforderungen des § 3 Abs. 1 vereinbar sind.“** [9]

Ausnahmen und Befreiungen hinsichtlich des Brandschutzes sind in der Musterbauordnung nicht mehr vorgesehen; aber es besteht ein Rechtsanspruch auf das Zulassen einer Abweichung oder einer Erleichterung bei gleichwertigem Erreichen der Schutzziele. Diese Regelung ist vorwiegend für das Bauen im Bestand von Bedeutung, da anstatt einer starren Bauteilbeurteilung die Schutzerreichung im Vordergrund steht und somit mit einem gebäudeorientierten Brandschutzkonzept gleichsam der Grundstein für die Durchsetzung der erforderlichen Abweichung oder Erleichterung gelegt werden kann.

## 2.2 Grundlagen des Bestandsschutzes

Bei der Sanierung eines Schulgebäudes kann man im Regelfall davon ausgehen, dass zunächst ein Bestandsschutz gegeben ist. Daher ist die Schwelle für ein Anpassungsverlangen der Bauaufsichtsbehörden relativ hoch, obwohl das „Schutzgut" Kind bzw. Jugendlicher innerhalb unserer Gesellschaft als besonders wertvoll gilt. Zumeist handelt es sich bei der Sanierung eines Schulgebäudes oder einer Kindertagesstätte nicht um eine Umnutzung, höchstens in Teilbereichen, oder es wird angebaut. Bestandsschutz bedeutet, dass ein vorhandenes Gebäude, das zwar nach früher gültigem Recht rechtmäßig errichtet wurde, aber dem heute gültigen Baurecht nicht mehr entspricht, erhalten und weiter genutzt werden darf. Das gilt auch für Schulgebäude: Wenn demnach eine Schule oder ein Kindergarten nach den zur Errichtungszeit gültigen Regelungen errichtet wurde, sogar wenn diese nur einen Treppenraum hat. Der Grundrechtsschutz umfasst in diesem Zusammenhang den Schutz einer Bebauung, die nach aktueller Gesetzeslage scheinbar illegal ist. Nach einem Beschluss des Bundesverfassungsgerichtes (1 BvR 151/99) liegt ein durch Artikel 14 Abs. 1 des Grundgesetzes bewirkter Bestandsschutz aber nur dann vor, wenn das Bauvorhaben zu irgendeinem Zeitpunkt genehmigt wurde oder jedenfalls genehmigungsfähig gewesen wäre. Davon kann man in aller Regel aber ausgehen, wenn das Gebäude entsprechend der jeweiligen Baugenehmigung errichtet worden ist.

Obwohl bei der Frage nach einem Bestandsschutz grundlegend beide Faktoren, der Baukörper und die Nutzung, zu betrachten sind, dürfte im Allgemeinen dies nach der Nutzung nur eine untergeordnete Rolle spielen, jedoch nicht immer. Zum Beispiel die zusätzliche Unterbringung von Kleinkindern im Alter unter drei Jahren in einer Kindertagesstätte kann auch diese Frage erneut aufwerfen. Somit kann der Bestandsschutz nur dazu dienen, das Gebäude in seinem bisherigen substanziellen Status zu erhalten. Eine bauliche Erweiterung und eine Funktionsänderung fallen daher nicht vordergründig unter den Bestandsschutz und bedürfen zumeist der Erteilung einer Baugenehmigung oder der Genehmigung einer Nutzungsänderung.

Ein Bestandsschutz endet aber nicht schon mit der faktischen Beendigung der Nutzung, der Gesetzgeber „räumt dem Berechtigten vielmehr zum Schutz des Vertrauens in den Fortbestand einer bisherigen Rechtsposition je nach konkreten Einzelumständen eine gewisse Zeitspanne ein, innerhalb derer der Bestandsschutz nachwirkt und noch Gelegenheit besteht, an den früheren Rechtszustand anzuknüpfen" [10] mit dem Artikel 14 des Grundgesetzes ein. Erst wenn der Berechtigte erkennbar vom Bestandsschutz keinen Gebrauch mehr machen will, erlischt dieser. [11] Dieses Argument sollten sich vor allem Kommunen zu eigen machen, die nach sozusagen „kinderarmen“ Tagen kommunale Einrichtungen wieder nutzen wollen oder nach einer gewissen Zeitspanne diese auf private Betreiber übertragen; ein Betreiberwechsel beeinträchtigt ohnehin den Bestandsschutz nicht, auch wenn Behörden das immer wieder glauben machen wollen.

Man unterscheidet den passiven und den aktiven Bestandsschutz. Bei ersterem bleibt die in der Vergangenheit legal begründete Nutzung von Grundstücken und Gebäuden schutzwürdig, auch wenn sich die Rechtslage derart ändern sollte, dass eine bestehende Nutzung nicht mehr genehmigungsfähig sein sollte. Das dürfte überwiegend bei Schulen und Kindertagesstätten im Bestand der Fall sein. Werden Änderungen an Gebäuden im Zusammenhang mit Sanierung, Modernisierung oder denkmalpflegerischer Behandlung vorgenommen, dann kann sich der Bauherr auf den aktiven Bestandsschutz berufen, wenn die Änderung und Erweiterung nur begrenzter und geringfügiger Art sind und die Identität des ursprünglichen Bauwerks gewahrt bleibt. Letzteres dürfte in der Regel der Fall sein. Es ist zu berücksichtigen, dass eine wesentliche Änderung immer dann vorliegt, „wenn es sich um eine eingreifende, das Bauwerk umgestaltende Bauausführung handelt“. [12]

Neben dem Genannten existiert auch der Begriff „erweiterter Bestandsschutz“. Dieser wurde jedoch vom Bundesverwaltungsgericht mit der Begründung abgewiesen, dass der Artikel 14 Abs. 1 des Grundgesetzes, aus dem der Bestandsschutz hergeleitet werde, ausschließlich ein verfassungsrechtlicher Prüfungsmaßstab sei, an dem das einfache Recht zu messen wäre, nicht aber eine „eigenständige Anspruchsgrundlage, die sich als Mittel dafür nutzen lässt, die Inhalts- und Schrankenbestimmungen des Gesetzgebers fachgerichtlich anzureichern“. [13] Damit ist der Bestandsschutz als Instrument zur Durchsetzung erweiternder Nutzungsänderungen weggefallen. Erweiterungen sind jetzt nur noch dann zulässig, wenn es die aktuelle Rechtslage, z. B. in Form eines Bebauungsplanes, hergibt. Das bedeutet, dass eine rechtmäßig errichtete Schule oder ein nach den genehmigten Bauplänen errichteter Kindergarten zwar Bestandsschutz genießt, aber zugleich, dass bei einer geplanten Umnutzung sehr frühzeitig mit den genehmigenden Behörden abgestimmt werden sollte, welche Interpretation des Bestandsschutzes bauordnungsrechtlich (noch) akzeptiert wird.

Es ist demnach immer eine Gratwanderung zwischen Brandsicherheit und Pädagogik, die im planerischen Sanierungsalltag bewältigt werden will.

**Abbildung 4:** Raum mit besonderer Brandgefährdung ohne brandschutztechnische Abschottung

**Abbildung 5:** Spielflur in einer Kindertagesstätte

## 2.3 Reale und potenzielle Gefahren

Erschwerend für die brandschutztechnische Beurteilung von Schulen und Kindertagesstätten sind zunächst vielfältige allgemeine Umstände. Weder Bewegungsdrang noch Kreativität der Kinder und Jugendlichen sollen beeinträchtigt werden, so dass offene Grundrisse und Elemente wie Spielflure oder flexible Raumformen für wechselnde Unterrichtskonzepte wesentliche Entwurfsprämissen sind. Es muss gleichermaßen auf die sich häufiger ändernden Geburtenzahlen und die freie Auswahl der jeweiligen Betreuungseinrichtung oder die Schule durch die Eltern reagiert werden, die ständig sich ändernde Belegungszahlen der Einrichtungen nach sich ziehen.

Die Brand- oder Rauchabschnittsbildung in Kindertagesstätten und Schulen ist oft erschwert. Die Bauteile und Türen bzw. deren Schließmechanismen sollen möglichst wenig abschotten. Notwendige Flure sind aus der Sicht der Architektur oftmals hinderlich und beherbergen zudem nicht selten die Garderoben, die sich in der Nähe der Ausgänge, aber eben nicht in den Gruppen- oder Klassenräumen befinden sollen. Die brandlastarme Gestaltung von Eingangsbereichen, Fluren und Treppenräumen stellt die Pädagogen täglich vor die Herausforderung, eine ausreichende Brandsicherheit gewährleisten zu müssen und gleichzeitig ihre Kindertagesstätten oder Schulen nicht zu kahlen, kühlen und abstoßenden Räumlichkeiten werden zu lassen. [14]

In einem Schulgebäude befindet sich zumeist eine Aula, die neben der eigentlichen Hauptfunktion einer Aula auch kulturellen Zwecken einer Kommune dienen muss, damit, zumindest zeitweise, zur Versammlungsstätte wird und zwangsläufig höheren brandschutztechnischen Anforderungen zu genügen hat. Auch andere Doppel- oder Mehrfachnutzungen durch Vereine oder Sportgruppen führen nicht selten zu Konflikten auf der einen Seite mit dem Sicherheitskonzept für das Gebäude und auf der anderen mit dem Brandschutz, wenn dann Türen verschlossen gehalten werden, die für die Rettungswegführung aber unbedingt offen gehalten werde müssten.

Die Rettung der Kinder und Jugendlichen kann im Regelfall nicht über die Rettungsgeräte erfolgen und muss unbedingt einzelnen Ausnahmefällen vorbehalten bleiben. Der Frage, ob deshalb im jeweiligen Einzelfall – insbesondere bei Baudenkmalen – beide Rettungswege „stationär“ baulich bzw. immer Treppen sein müssen, wird im Kap. 5.5 weiter erörtert.

**Abbildung 6:** Garderobe im Flurbereich, Rettungsweg teilweise verstellt

Darüber hinaus kommen beim Sanierungsfall oder einer denkmalpflegerischen Behandlung zudem noch folgende Problemstellungen hinzu:

- Veraltete technische Anlagen
- Durch Vandalismus beschädigte sicherheitsrelevante Bauteile oder Anlagen (z.B. Rauchabzüge)
- Unwirksame Rauch- oder Brandabschnittsbildungen
- Galerieartige Erschließungssysteme mit direkt angeschlossenen Unterrichtsräumen
- Rettungswegführungen durch Pausen- bzw. Veranstaltungshallen
- Nachträglich Umnutzungen z.B. für Kleinkindgruppen (Kinder unter drei Jahren: „U3“), für die die Evakuierung nicht geklärt ist
- Möblierte Spielflure in Fluren, die in der ursprünglichen Baugenehmigung als notwendige Flure bezeichnet waren
- Schließmechanismen bzw. Feststellanlagen der Türen beschädigt, funktionslos oder überhaupt nicht vorhanden
- Fehlende oder nicht aktuelle Brandschutzordnung
- Keine Flucht- und Rettungswegbeschilderung und -pläne vorhanden
- Historische Gebäude, die aktuellen Vorschriften widersprechen
- Mangelhafter Feuerwiderstand von bestehenden Bauwerksteilen

**Abbildung 7:** Offener Treppenraum eines historischen Schulgebäudes

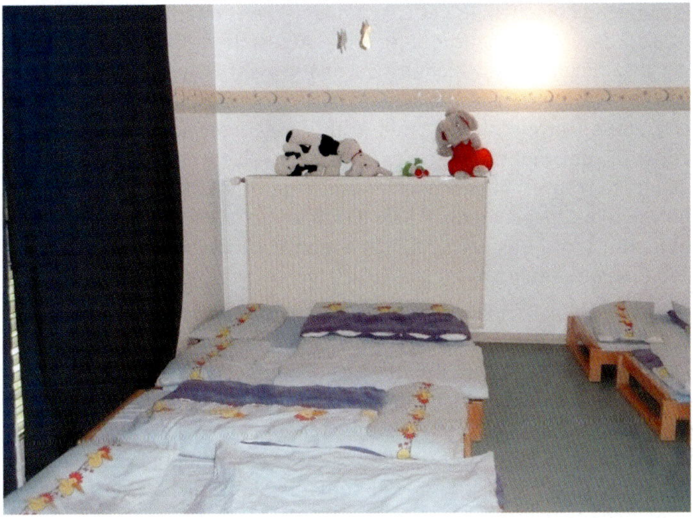

**Abbildung 8:** Schlafraum für Kleinkinder ohne zweiten Rettungsweg

- Prüfzeugnisse für bauzeitliche Verglasungen, Brand- oder Rauchschutztüren nicht vorhanden bzw. fehlende Kennzeichnung
- Verschlissener Gebäudebestand
- Temporäre Umnutzungen mit Gefahrenquellen (z.B. Versammlungsstätten)
- Mangelhafte oder fehlende Wartung sicherheitsrelevanter Anlagen.

Außerdem sind die Rettungswege für behinderte Nutzer oder Besucher oftmals erschwert oder gar nicht vorhanden, da Aufzüge dafür allgemein nicht zugelassen werden.

Eine Vielzahl, zum großen Teil miteinander verwobener Nutzungsanforderungen, Bestandssituationen und Gefahren gilt es daher in die Entwurfsüberlegungen bei einer Sanierung einzubeziehen.

In diesem Zusammenhang ist der Begriff der Gefahr noch etwas genauer zu präzisieren. Zu unterscheiden ist zwischen den juristischen Begriffen einer „konkreten“, damit wird die reale bezeichnet, und einer „abstrakten“ Gefahr, die mit der potenziellen identisch ist. Die Letztere entsteht aus der Rechtsverletzung, einer Nichtübereinstimmung mit dem geltenden Recht. Zur Vermeidung einer solchen Gefahrenlage „hat der Gesetzgeber Vorschriften erlassen oder technische Regeln (Normen, Richtlinien) eingeführt“. [15]

Zu den technischen Regeln ist anzumerken, dass z.B. gemäß § 3 Abs. 3 der Musterbauordnung eine Abweichung von ihnen zulässig und nicht als Abweichung zu beantragen ist und entsprechend genehmigt werden muss, wenn das Schutzziel anderweitig gleichermaßen erreicht wird. Hier trifft jedoch die Beweislastumkehr zu, d.h., der Planer muss das beispielsweise mittels eines Brandschutzkonzeptes nachweisen. Andererseits gilt bei der Befolgung der „Eingeführten Technischen Baubestimmungen“ sowie von nicht eingeführten, aber dennoch als allgemein anerkannten Regeln der Technik, dass keine potenzielle Gefahr vorliegt. [16]

Eine konkrete (reale) Gefahr besteht aus juristischer Sicht immer dann, wenn mit der Schädigung von Leben und Gesundheit zu rechnen ist und diese mit hoher Wahrscheinlichkeit erwartet werden muss [17], sie liegt jedoch nicht schon vor, wenn ein „Abweichen von Vorschriften, die der Sicherheit dienen“ [18] festgestellt wird. Nach aktueller Auffassung der Gerichte ist die „fachkundige Feststellung, dass nach den örtlichen Gegebenheiten der Eintritt eines erheblichen Schadens nicht unwahrscheinlich ist“ [19], erforderlich.

Die Einzelfallentscheidung über das Vorliegen einer ernsthaften Gefahr bedarf demnach immer einer konkreten Gefährdungsanalyse, um festzustellen, ob im vorliegenden Fall eine erhebliche Gefahrensituation vorliegt. Nur so sind die tatsächlich vorhandenen realen Gefahren zu ermitteln, die entweder ein bauordnungsrechtliches Anpassungsverlangen begründen oder den Bestandsschutz zu Fall bringen. Die Grundlage für die notwendigen Entscheidungen kann eine Gefahrenverhütungsschau bilden. Es geht also bei einem bestehenden Gebäude nicht darum, jede Einzelanforderung im Brandschutz entsprechend den gültigen Rechtsvorschriften und Eingeführten Technischen Baubestimmungen zu erfüllen, was einem Abwehren potenzieller Gefahren entspräche, sondern durch das Beseitigen realer Gefährdungen ein Sicherheitsniveau zu schaffen, das den Grundsatzforderungen zum Schutz von Leben und Gesundheit gerecht wird. Die zentrale Frage in diesem Zusammenhang ist bei Schulen und Kindertagesstätten die nach den Rettungswegen. Auch in bestehenden Schulen und Kindertagesstätten müssen für jede Nutzungseinheit zwei Rettungswege – vorzugsweise bauliche – zur Verfügung stehen, anderenfalls liegt immer eine reale Gefahr vor.

## 2.4 Bauordnungsrechtliches Anpassungsverlangen

Auf der Grundlage des jeweiligen Brand- und Katastrophenschutzgesetzes eines Bundeslandes sind Schulen regelmäßig durch sogenannte Gefahren- oder Brandverhütungsschauen zu kontrollieren. Als Beispiel sei an dieser Stelle das Bundesland Hessen angeführt.

Dort wurden im Jahre 2005 dazu eindeutige Regelungen mit der Gefahrenverhütungsschauverordnung [20] erlassen, deren Geltung zunächst im Jahr 2010 auslief, dann aber im Jahre 2011 erneut verordnet wurde. Nach dieser unterliegen alle in der zu dieser Verordnung gehörigen Anlage genannten Sonderbauten der Gefahrenverhütungsschau, die alle fünf Jahre durchgeführt werden soll. Zu den Objekten, die einer solchen Besichtigungspflicht unterliegen, zählen auch Schulen bzw. Kindergärten und -tagesstätten ab 40 Plätzen oder mit Aufenthaltsräumen für Kinder außerhalb des Erdgeschosses. [21] Wenn Gefahr im Verzug sein sollte, kann eine Gefahrenverhütungsschau jederzeit anberaumt werden, üblich ist jedoch eine Anmeldefrist von mindestens 10 Arbeitstagen. Die Schau ist wiederkehrend alle fünf Jahre durchzuführen. Auch davon kann abgewichen werden, sollte sich der begründete Verdacht der Gefahr im Verzug einstellen. Die während einer Gefahrenverhütungsschau ermittelten Mängel hinsichtlich des Brandschutzes sind darauf folgend innerhalb einer angemessenen Frist durch den Eigentümer bzw. den Betreiber oder gemeinsam zu beheben.

Nicht selten entbrennt aber über das Ergebnis einer durchgeführten Gefahrenverhütungsschau, über das, was unbedingt notwendig und was übertriebene, optimierende Maßnahmen seien, im Nachgang ein Streit, besonders dann, wenn sich die eine oder andere Forderung nach genauerer Analyse als entweder nicht durchführbar oder zu kostspielig erweist. Dazu ist die Beachtung eines grundlegenden Urteils über die Grenzen eines bauordnungsrechtlichen Anpassungsverlangens von besonderem Interesse. Die Leitsätze eines Gerichtsurteils zum baulichen Brandschutz des Oberverwaltungsgerichtes Hamburg lauten demnach:

**„1. Eine Anpassung bestehender baulicher Anlagen an die Anforderungen der geltenden HBauO [gültige Bauordnung] setzt voraus, daß dies zur Abwehr einer konkreten Gefahr notwendig ist. Auch bei Maßnahmen, die dem Brandschutz dienen, reicht es nicht aus, daß dieser im Sinne einer Gefahrenvorsorge nur optimiert wird.**

**2. Da durch die Anpassung entschädigungslos in den legalen Bestand eingegriffen wird, sind an die Notwendigkeit der Maßnahmen hohe Anforderungen zu stellen.“** [22]

Damit ist klar, es kann nicht alles und jedes, was in aktuellen Regelungen für Neubauten gilt, nachträglich gefordert werden; der Beurteilungsmaßstab ist der einer vorhandenen realen Gefahr. Es ist daher allen unkundigen Bauherrn zu empfehlen, sich bei der Durchführung einer Gefahrenverhütungsschau eines geeigneten Brandschutzsachverständigen zu bedienen, der für ihn an dieser teilnimmt und das fachliche Gespräch führt. Nicht selten sind es insbesondere unkundige Bauherrn oder Bauherrenvertreter, die das fachliche Gespräch während der Gefahrenverhütungsschau nicht führen können, und das Ergebnis zum Schluss sogar übertriebene Anforderungen sein können.

Gleichzeitig gilt, unabhängig davon, ob eine Umnutzung, ob neue Anforderungen an bereits bestehende Nutzungen oder ein Anpassungsverlangen vorliegen, dass durch die Analyse realer Gefahren bestätigt oder suggeriert wird, dass sich dadurch brandschutztechnische Maßnahmen ergeben, die zum Erreichen der Schutzziele durchzusetzen sind.

Aus der Brandgefährdungsanalyse – Bestandteil und Grundlage des gebäude- und schutzzielorientierten Brandschutzkonzeptes zugleich – sind die geeigneten Brandschutzmaßnahmen herzuleiten und durchzusetzen. Die jeweilige Eignung derselben lässt sich durch die gewonnenen Kenntnisse über die Brandentstehungs- und die Brandausbreitungsmöglichkeiten, über die erforderlichen Vorkehrungen für die Brandbekämpfung sowie den Schutz vor den von Bränden ausgehenden Gefahren einschätzen. [23] Vorrangig werden durch behördliche Vorgaben Maßnahmen angestrebt, die Bauteile oder Materialien, welche eine Brandgefährdung befördern, durch Bekleiden in ihrer brennbaren Wirkung mindern. Der bauliche Brandschutz dient der Sicherstellung der Standsicherheit im Brandfall in einem in der Landesbauordnung festgelegten Zeitraum: Die tragenden und aussteifenden Wände sollen zumindest befristet ihre Standsicherheit behalten, um durch Evakuierung oder Rettung den Personenschutz zu gewährleisten und wirksame Löscharbeiten zu ermöglichen. Der bauliche Brandschutz regelt die Eigenschaften der Bauprodukte, die aus brandschutztechnischer Hinsicht nachzuweisen sind. Im Teil 4 der DIN 4102 sind geprüfte Baustoffe zu finden, für die der Nachweis als erbracht gilt. Allerdings treffen die dort enthaltenen Regelungen nur selten für Bauteile in Baudenkmalen zu, so dass im Regelfall abweichende Tatbestände von den geltenden Vorschriften festzustellen sind.

Durch die in Deutschland prinzipiell „verordnete“ Fokussierung auf die in den Landesbauordnungen oder Sonderbauvorschriften geforderten Materialeigenschaften und Feuerwiderstände auf der Basis derzeit gültiger Normungen für Neubauten, ohne Rücksicht auf die für den Einzelfall zutreffenden konkreten Nutzungsrandbedingungen, entsteht häufig für den Planenden des Brandschutzes bereits in der frühen Konzeptionsphase in vielerlei Hinsicht eine schwer lösbare Konfliktsituation. Bei stringentem Einhalten der Vorschriften ist das Konzept in den brandschutztechnischen Belangen zügig konfliktfrei erstellt, aber das Bauwerk leidet; bei extremen Abweichungen drohen erhöhte zeitliche Aufwendungen, die selten finanziert werden, und zudem zivilrechtliche, oft erst in der Zukunft auftretende Ärgernisse. Die konkreten Betrachtungen von alternativen, besonders in zivilrechtlicher Hinsicht nicht immer sicheren Bauteilbeurteilungen, die Anwendung ingenieurgemäßer Berechnungsmethoden, z.B. für Entrauchungsmöglichkeiten, sowie die Diskussion über Rettungswegkonzeptionen und anlagentechnische Kompensationsmaßnahmen sind in der Regel aber mehr geeignet als voreilig angeordnete und beeinträchtigende bauliche Nachrüstungen. Diese sollten wohl dosiert und nur in unvermeidbaren Gefahrensituationen den Brandschutz bestimmen.

## Brand- oder Gefahrenverhütungsschau 2.5

Mit den Brand- und Katastrophenschutzgesetzen oder gesonderten Verordnungen über die Organisation und Durchführung von Gefahrenverhütungsschauen der Länder wird das jeweilige Prozedere der von den Brandschutzdienststellen vorzunehmenden sogenannten Brand- oder Gefahrenverhütungsschauen geregelt. Zur näheren Erläuterung soll die o.g. Verordnung des Landes Hessens herangezogen werden. In der Verordnung über die Organisation und Durchführung der Gefahrenverhütungsschau (Gefahrenverhütungsschauverordnung – GVSVO) [24] ist geregelt, dass in Schulen und Tageseinrichtungen für Kinder mit dem Aufenthalt von Kindern dienenden Räumen außerhalb des Erdgeschosses oder mit mehr als 40 Plätzen mindestens alle fünf Jahre eine Gefahrenverhütungsschau durchzuführen ist. Zuständig dafür und für das Führen einer entsprechenden Objektliste sind

- in Gemeinden mit Berufsfeuerwehr deren Leiterin oder Leiter,
- in Gemeinden ohne Berufsfeuerwehr, soweit sie ein eigenes Bauaufsichtsamt haben, die Stadtbrandinspektorin oder der Stadtbrandinspektor oder die Leiterin oder der Leiter der Feuerwehr und
- in den Landkreisen die Kreisbrandinspektorin oder der Kreisbrandinspektor.

Außerhalb der turnusmäßigen Fünfjahresfrist besteht auch die Möglichkeit, bei Gefahr im Verzug eine dementsprechende Besichtigung vorzunehmen.

Während der Gefahrenverhütungsschau sollen Mängel, die Gefahren verursachen, festgestellt werden. Deren Behebung ist anzuordnen und zu überwachen. Zur Beseitigung der festgestellten Mängel ist eine Frist zu setzen. Den Verpflichteten und den an der Gefahrenverhütungsschau Beteiligten oder den nach dem Ergebnis betroffenen

Stellen ist unverzüglich nach der durchgeführten Gefahrenverhütungsschau eine Ausfertigung der entsprechenden Anordnung zu übergeben.

Sollte im Ergebnis einer solchen Überprüfung ein zu weit gehendes Nachrüstungsverlangen festgeschrieben werden, ist diesem – je nach Ausfertigung eines entsprechenden rechtsmittelfähigen Bescheides – begründet fristgemäß zu widersprechen, ansonsten werden diese Anforderungen ein nachträglicher Bestand der Baugenehmigung und sind zu erfüllen.

## 2.6 Belange des Denkmalschutzes

Da ein erheblicher Anteil von Schulgebäuden in Deutschland Baudenkmale sind, gilt es entsprechend auch denkmalrechtliche Belange ausreichend zu berücksichtigen. Die jeweiligen Interessen bzw. Schutzziele des Denkmalschutzes sind bei einer Verwaltungsentscheidung gleichermaßen zu berücksichtigen, was für eine zuständige Bauordnungsbehörde nicht immer leicht ist, zumal der Schutz des „jüngeren Lebens" nicht selten als bevorzugt schützenswert gilt. Trotz allem: Es ist ausgewogen und ermessensgebunden ein Einvernehmen herzustellen, was häufig einfacher möglich ist, als zunächst angenommen. Dass Schulgebäude bereits über einen längeren Zeit-

**Abbildung 9:** Bewegungsraum in einem denkmalgeschützten Schulgebäude

raum ihre Tauglichkeit erwiesen haben, ist zumeist eben kein Glücks- oder Zufall, sondern eine auf langfristige Nutzung ausgerichtete Planung, die heute nur zu gern mit dem Modewort der Nachhaltigkeit umschrieben wird, aber letztendlich in heutiger Zeit seltener gelingt.

Bei öffentlichen Schulbauplanungen sind die Belange des Denkmalschutzes und der Denkmalpflege auf Grundlage der Denkmalschutzgesetze der Länder angemessen zu berücksichtigen. Die für den Denkmalschutz und die Denkmalpflege zuständigen Behörden sind so frühzeitig zu beteiligen, dass die Erhaltung und Nutzung von Kulturdenkmalen sowie eine angemessene Gestaltung ihrer Umgebung möglich sind. Die Frühzeitigkeit ist ein wesentliches Merkmal der benannten Pflichten, damit entsprechend rechtzeitig die gewollten Planungen in die für ein Denkmal so wichtige richtige Spur geleitet werden können. Gravierende Fehler wie auf der einen Seite die temporäre Umwidmung der schulinternen Aulanutzung in eine Versammlungsstätte für das städtische Theater oder auf der anderen Seite ein unangemessener, lediglich optimierender und nicht am Maßstab der realen Gefahr entwickelter Brandschutz sind damit in aller Regel zu vermeiden.

# Funktionen, Konflikte und brandschutztechnische Anforderungen in bestehenden Kindertagesstätten 3

## Funktionelle Anforderungen und daraus resultierende Konflikte 3.1

Insbesondere der ungestüme Bewegungsdrang der kleineren Kinder erfordert offene Gebäude, die auch mal als „Rennbahnen" zu dienen haben. Außerdem ist der Kindertagesstätte das Bemühen um ein behütetes Aufwachsen eigen, was bedeutet, dass sich Kinder ohne Betreuung nicht ohne weiteres aus dem Gebäude entfernen können und aufgepasst werden muss, dass nicht unberechtigte Personen unkontrolliert Zutritt erhalten. Dem widerspricht z.B. das Grunderfordernis des Brandschutzes, im Gefahrenfall ein ungehindertes Verlassen des Gebäudes zu ermöglichen. Allein diese ganz normalen Selbstverständlichkeiten in einer Kindertagesstätte bringen daher Konflikte mit dem Brandschutz mit sich. Da vor allem kleinere Kinder das Treppensteigen noch nicht selbstständig oder nur langsam bewältigen können, ist daher selbst dieser „klassische" bauliche Rettungsweg nicht frei von Problemen. Somit kann als grundlegende Regel gelten, dass für kleine zu betreuenden Kinder (unter drei Jahren) entweder nur eingeschossige Gebäude in Frage kommen oder zweigeschossigen Gebäuden mit alternativen Rettungswegen wie Rettungsbalkonen, auf denen man sich längere Zeit gefahrfrei aufhalten kann, oder geeigneten Rettungsrutschen der Vorzug gegeben werden sollte.

Außerdem ist zu beachten, dass Feuer für fast alle Kinder einen geradezu magischen Reiz ausübt, wobei sie sich vor allem nicht „erwischen" lassen wollen und kleine Kinder im Gefahrenfall irrational reagieren und ggf. nicht vor dem Feuer fliehen, sondern beim Feuer „verharren", welches sie im jeweiligen Fall sogar ohne Absicht selbst in Gang gesetzt haben.

Als Vorteile sind wiederum zu benennen, dass sich in einer Kindertagesstätte ein Personenkreis aufhält, der sich auskennt, aufhält, regelmäßig Schulungen und Übungen stattfinden und zumindest bei erdgeschossigen Betreuungseinrichtungen häufig direkte Ausgänge aus den Gruppenräumen vorhanden sind.

Aufgrund der Personalstruktur vieler freiwilliger Feuerwehren und der Schwierigkeit, Kinder über Rettungsgeräte der Feuerwehr evakuieren zu können, ist ohnehin grundsätzlich davon auszugehen, dass die Eigenrettung aller Nutzer vor dem Eintreffen der Rettungskräfte erfolgt sein muss und deshalb der Sicherheit der Rettungswege die größte Bedeutung zukommt. Um sofort nach der erfolgten Evakuierung einer Kindertagesstätte den vollkommenen Überblick über die Vollständigkeit aller Anwesenden zu haben, ist ein Sammelplatz von großer Wichtigkeit.

**Abbildung 10:** Origineller Hinweis auf den Sammelplatz „für die Kleinen" ...

**Abbildung 11:** ... im Hintergrund die Ausweisung des Platzes „für die Großen" ...

## Typische reale Gefahrensituationen bei bestehenden Kindertagesstätten 3.2

Welche der üblichen Konfliktsituationen bzw. Gefahrenquellen sind als reale Gefahren einzustufen und dementsprechend unbedingt zu beseitigen? Zur Unterstützung des Erkennens typischer realer Gefahren bei Kindertagesstätten wurde in Tabelle 1 eine Zusammenstellung erarbeitet, die derartige Gefahren beispielhaft aufführt und beschreibt.

**Tabelle 1:** Beispiele für typische reale Gefahren in Kindertagesstätten

| Lfd. Nr. | Beispiel | Reale Gefahr |
|---|---|---|
| | | **Kurzbeschreibung der Wirkung** |
| 1 |  | Verschlossene Ausgangstüren ohne Notausgangsverschlüsse |
| | | • Im Gefahrenfall werden Schlüssel nicht gefunden, Evakuierung deutlich erschwert |
| 2 |  | Unnötige Brandlasten im Treppenraum |
| | | • Evakuierung über den Flurbereich im Gefahrenfall nicht mehr möglich |

**Tabelle 1** *(fortgesetzt)*

<table>
<tr><th rowspan="2">Lfd. Nr.</th><th rowspan="2">Beispiel</th><th>Reale Gefahr</th></tr>
<tr><th>Kurzbeschreibung der Wirkung</th></tr>
<tr><td rowspan="2">3</td><td rowspan="2">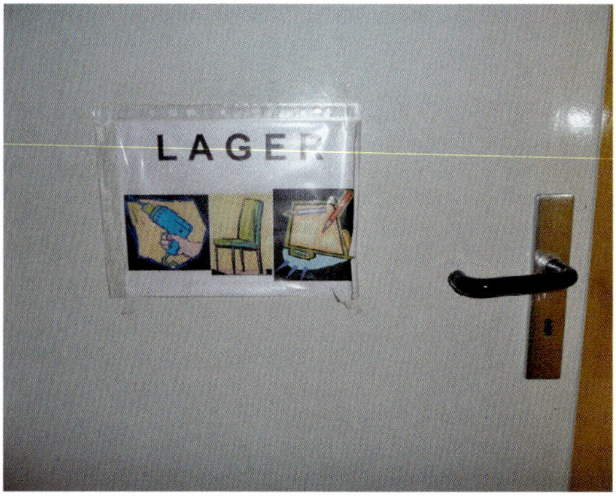
</td><td>Mangelhafte Türqualitäten</td></tr>
<tr><td>• Brandlasten z. B. aus elektrischen Anlagen gefährden die Rettungswege</td></tr>
<tr><td rowspan="2">4</td><td rowspan="2">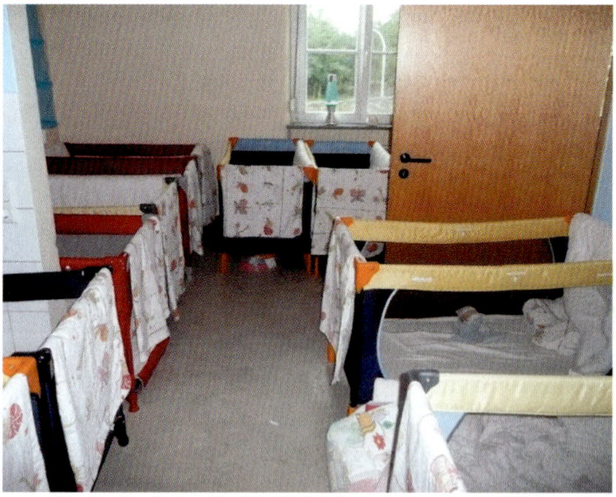</td><td>Unterbringung von Kleinkindgruppen im Obergeschoss</td></tr>
<tr><td>• Evakuierung für Betreuungspersonal in der Rettungszeit < 10 Minuten nicht möglich</td></tr>
</table>

**Tabelle 1** *(fortgesetzt)*

| Lfd. Nr. | Beispiel | Reale Gefahr |
|---|---|---|
| | | **Kurzbeschreibung der Wirkung** |
| 5 |  | Unzulässige „Feststellanlagen“ |
| | | • Gefährdung des baulichen Rettungsweges |
| 6 |  | Verschlossene Türen als Rettungsweg ausgeschildert |
| | | • Rettung im Ernstfall durch Verrauchung nicht mehr möglich |

**Tabelle 1** *(fortgesetzt)*

| Lfd. Nr. | Beispiel | Reale Gefahr<br>Kurzbeschreibung der Wirkung |
|---|---|---|
| 7 |  | Offenes Licht oder Kerzen in der Nähe von brennbaren Materialien oder Dekorationen |
| | | • Schnelles Übergreifen von Flammen, Brandausbreitung |
| 8 |  | Fehlender 2. Rettungsweg |
| | | • Bei Ausfall des 1. Rettungsweges ist Evakuierung unmöglich |

**Tabelle 1** *(fortgesetzt)*

| Lfd. Nr. | Beispiel | Reale Gefahr |
|---|---|---|
| | | **Kurzbeschreibung der Wirkung** |
| 9 |  | Einsatz ungeeigneter elektrischer Geräte |
| | | • Hohe Gefahr der Brandentstehung |
| 10 |  | Unzulässige Leitungsführung während der Nutzung |
| | | • Hohe Brandentstehungsgefahr |

**Tabelle 1** *(fortgesetzt)*

| Lfd. Nr. | Beispiel | Reale Gefahr / Kurzbeschreibung der Wirkung |
|---|---|---|
| 11 |  | Stufen im Verlauf von Rettungswegen<br>• Stolpergefahr für Kinder, Verlangsamung der Evakuierung |
| 12 |  | Schlafräume im Obergeschoss ohne 2. baulichen Rettungsweg<br>• Zu lang andauernde Evakuierung im Gefahrenfall |

# Grundlagen der Brandschutzplanung bei bestehenden Kindertagesstätten 3.3

## Bauordnungsrechtliche Anforderungen

Die gesetzlichen Vorschriften für den vorbeugenden baulichen Brandschutz befinden sich in Deutschland ausschließlich in den Landesbauordnungen und in den vom zuständigen Landesministerium veröffentlichten „Eingeführten Technischen Baubestimmungen".

Zuständig und verantwortlich ist demzufolge immer die zuständige Bauaufsichts- bzw. Bauordnungsbehörde. Aber auch Eigentümer, Betreiber und Planer stehen in einer großen Verantwortung: Es darf nicht ohne Rücksicht auf die ggf. vorhandenen konkreten Gefahren von einem Bestandsschutz ausgegangen werden und die weitere Nutzung des Gebäudes ohne weiteres erfolgen.

Gemäß den mittlerweile in der überwiegenden Anzahl der Bundesländer geltenden Einstufungen der Gebäude in Gebäudeklassen ist zunächst die jeweilige Gebäudeklasse einer Kindertagesstätte zu bestimmen. Daraus ergeben sich alle grundlegenden brandschutztechnischen Erfordernisse, die an die Baustoffe und Bauteile des betreffenden Gebäudes aus bauordnungsrechtlicher Sicht gestellt werden. Außerdem wird der Begriff des „Sonderbaus" in der jeweiligen Landesbauordnung definiert, ob es sich bei der betreffenden Kindertagesstätte um einen Sonderbau handelt.

In den einzelnen Bundesländern gibt es dazu unterschiedliche Regelungen. Während in den Ländern Bayern, Berlin, Brandenburg, Hamburg, Mecklenburg-Vorpommern, Rheinland-Pfalz, Saarland, Sachsen, Sachsen-Anhalt und Schleswig-Holstein sämtliche Kindertagesstätten (i. d. R. sogenannte „Tageseinrichtungen für Kinder") als Sonderbauten anzusehen sind, wird in Hessen eine Unterscheidung in Sonderbauten (= „Kindergärten und -horte mit dem Aufenthalt von Kindern dienenden Räumen außerhalb des Erdgeschosses") und erdgeschossige Kindertagesstätten vorgenommen, die nicht als Sonderbauten eingestuft werden. In den Ländern Baden-Württemberg, Bremen, Niedersachsen und Nordrhein-Westfalen werden die Tageseinrichtungen für Kinder derzeit nicht bei den Sonderbauparagrafen der jeweiligen Landesbauordnung aufgeführt.

## Sonderbauvorschriften

Obwohl, wie oben ersichtlich, in den meisten Bundesländern die Kindertagesstätten als Sonderbauten einzustufen und dementsprechend zu behandeln sind, gibt es keine allgemein gültige Sonderbauvorschrift bzw. -verordnung. Hinweise zur Planung von Kindertagesstätten, die durchaus hilfreich bei der Sanierungsplanung hinsichtlich des Brandschutzes sind, können u. a. folgenden Schriften entnommen werden:

- Hilfestellungen zum Gestalten von sicheren Kindertagesstätten [25]
- Brandschutz- und Notfallkonzepte in Kindertageseinrichtungen [26]
- Handlungsempfehlungen zum Vorbeugenden Brandschutz für den Bau und Betrieb von Tageseinrichtungen für Kinder [27]
- Hinweise zu Brandschutzanforderungen an Tagesstätten für Kinder [28]

Die in Hessen herausgegebenen Handlungsempfehlungen für Kitas können als ganzheitliche Sonderbaurichtlinie i. S. der Muster-Schulbau-Richtlinie angesehen werden und bilden mit der Verknüpfung aller brandschutztechnischer Komponenten ein geeignetes Grundgerüst für die brandschutztechnische Behandlung von neu zu errichtenden Kindertagesstätten im Blickwinkel möglicher unterschiedlicher Räumungskonzepte. Diese Handlungsempfehlungen können aus der Sicht des Autors auch für die Sanierung von Kindertagesstätten herangezogen werden (s. Anhang 7.1), wobei die Möglichkeit weitergehender Erleichterungen im Einzelfall durchaus möglich ist. Das betrifft insbesondere die restriktiven Regelungen hinsichtlich der zulässigen Größe von Nutzungsabschnitten mit einer Größe von maximal 200 m$^2$ Brutto-Grundfläche innerhalb einer Nutzungseinheit ohne notwendigen Flur, die vor allem unter Würdigung der jeweils konkreten Rettungswegsituation und vorhandenen Grundrisskonfigurationen im Bestand durchaus freier gehandhabt werden können.

► s. Anhang 7.1: Handlungsempfehlungen zum Vorbeugenden Brandschutz für den Bau und Betrieb von Tageseinrichtungen für Kinder, Stand Mai 2012

## 3.4 Typische Konflikte in Kindertagesstätten und Lösungsansätze

### Abgeschlossene Eingangstüren

*Konfliktsituation*

An die Haupteingangstüren in Tageseinrichtungen für Kinder bestehen unterschiedliche Anforderungen, wobei sich verschiedene Rechtsgrundlagen scheinbar kontrovers gegenüberstehen:

Zum einen gelten die Anforderungen an Flucht- und Rettungswege im Rahmen des Brandschutzes, zum anderen ist die Wahrung der

Aufsichtspflicht nach dem Kinder- und Jugendhilfegesetz und dem Gesetz für Tageseinrichtungen für Kinder zu beachten. Die Träger von Kindertagesstätten und deren Personal stehen somit vor der Aufgabe, die Aufsicht zu gewährleisten, ohne den Brandschutz zu vernachlässigen.

Die Arbeitsstättenverordnung fordert in Ziffer 2.3 Absatz 2: **„Türen im Verlauf von Fluchtwegen oder Türen von Notausgängen müssen sich von innen ohne besondere Hilfsmittel jederzeit leicht öffnen lassen, solange sich Beschäftigte in der Arbeitsstätte befinden."** [29] Zur besonderen Problemstellung bei der Betreuung von Kindern in Tageseinrichtungen wird dort explizit nichts ausgeführt. Die Forderung benennt ausschließlich die Beschäftigten als Zielgruppe. In der Musterbauordnung heißt es: **„Bauliche Anlagen sowie andere Anlagen und Einrichtungen im Sinne von § 1 Abs. 1 Satz 2 sind so anzuordnen, zu errichten, zu ändern und instand zu halten, dass die öffentliche Sicherheit oder Ordnung, insbesondere Leben, Gesundheit oder die natürlichen Lebensgrundlagen, nicht gefährdet wird."** [30] Die genannte Anforderung der Bauordnung ist eine globale Anforderung, die nicht näher konkretisiert wird, aber fälschlicherweise oft derart interpretiert wird, dass Eingangstüren in Tageseinrichtungen für Kinder jederzeit auch von Kindern zu öffnen sein müssen.

Da die Kinder in einem besonderen Betreuungsverhältnis zum Träger der Einrichtung stehen, dürfen sie sich nicht unbeaufsichtigt aus der Kindertagesstätte entfernen: Im Gegenteil, ähnlich wie andere hilfsbedürftige (Kinder in altersgemischten Gruppen unter 3 Jahren oder geistig behinderte Menschen) bedürfen sie im Notfall in der Regel einer besonderen Anleitung durch das betreuende Personal. Kleinkinder neigen in Notsituationen außerdem zu scheinbar nicht nachzuvollziehende Handlungen. Dazu gehören Verhaltensweisen wie das Verkriechen, apathische Reaktionen oder das unerklärliche Verweilen am Ort der Gefahr, anstatt den Weg aus einer Gefahrensituation zu suchen.

### *Gefährdungseinschätzung*

Selbstständig von Kindern zu öffnende Haupteingangstüren gefährden erheblich die Sicherheit der Kinder in Tageseinrichtungen, da die Kinder unbemerkt die Einrichtung verlassen und z.B. in den öffentlichen Straßenverkehr gelangen können. Die Kinder könnten angefahren werden, sich verlaufen oder in Situationen geraten, denen sie nicht gewachsen sind. Tore zu Grundstücken werden von Eltern zudem oft gedankenlos offen gelassen. Die beschriebenen Risikosituationen sind realistischerweise in der Praxis sehr viel wahrscheinlicher, als dass Kinder im Brandfall ohne Betreuung aus eigener Kraft die Einrichtung verlassen müssen. Aufgrund dieser vorgenannten Gefährdungen durch offene Haupteingangstüren werden diese deshalb in vielen Einrichtungen verschlossen. Das Schließen von Türen in Rettungswegen ist jedoch nicht zulässig. Es ist auch keine geeignete Methode, den Schlüssel stecken zu lassen oder wenig daneben aufzuhängen.

Häufig wird deshalb seitens der Betreuerinnen und Betreuer zum Mittel des Abschließens der Eingangs- bzw. Ausgangstüren gegriffen; die Schlüssel werden neben die jeweilige Tür in für die Kinder unerreichbarer Höhe gehängt.

Die vorgenannten Verhaltensmuster bergen die Gefahr einer nicht zu verantwortenden Verzögerung für die Evakuierung. Außerdem ist für vergleichbare Stresssituationen dieser Art durchaus bekannt, dass einfache Handlungen, z. B. den Schlüssel einzustecken, plötzlich schwer fallen oder Schlüssel herunterfallen, womit im Gefahrfall wertvolle Zeit verloren geht. Deshalb ist es notwendig, Sicherungen vorzunehmen, die das unbemerkte Entfernen der Kinder aus der Einrichtung zumindest erschweren und dennoch ausreichende Rettungsmöglichkeiten im Brandfall ermöglichen.

**Abbildung 13:** Dieser Schlüssel wird im Ernstfall nicht schnell genug gefunden.

◂ **Abbildung 12:** Verschlossene Ausgangstür

*Lösungsvorschläge*

Es können z. B. Türdrücker in Erwachsenenhöhe angeordnet werden; dadurch wird gewährleistet, dass die Tür unverschlossen bleibt und dennoch ein unbefugtes Verlassen der Einrichtung durch die Kinder erschwert wird. Mit größerem Aufwand sind andere Alternativen verbunden. Beispielsweise kann auch ein durch einen Schalter zu bedienender Elektromechanismus verwendet werden. Solche Systeme müssen der Richtlinie über elektrische Verriegelungssysteme von Türen in Rettungswegen entsprechen (EltVTR) [31]. Diese technische Lösung erfordert, dass im Gebäudeinneren ein Bedienelement neben der Tür auf der Höhe 1,20 m angebracht ist, welches die Tür auf Knopfdruck freischaltet. Zur Vermeidung einer versehentlichen Betätigung darf die Nottaste mit einer durchsichtigen Abdeckung ausgestattet sein.

Abweichend von der EltVTR kann der Taster auf einer Höhe angebracht werden, die nur von den Erzieherinnen und Erziehern erreicht werden kann (max. 1,80 m), wenn dies wegen der Nutzung des Gebäudes (z. B. ausschließlich Kinder im Vorschulalter) erforderlich ist und alle Aufsichtspersonen den Taster tatsächlich erreichen können. In diesem Fall ist eine zusätzliche, deutlich als solche gekennzeichnete Nottaste in Kinderhöhe notwendig, die mit einem Signalgeber verbunden ist und so auf einen eventuellen unerwünschten „Freiheitsdrang" der Kinder aufmerksam gemacht wird. Ein elektrisches Freigabesystem muss zudem so gesteuert sein, dass bei Stromausfall oder Spannungsabfall die elektrische Verriegelung unwirksam und die Tür freigegeben wird. Derartige Systeme sind jedoch aufwändig und die Wartungspflichten sind zu beachten.

Auch durch das Anbringen von Panikschlössern nach dem Türwächterprinzip (mit Signalgebern) können die beiderseitigen Anforderungen erfüllt werden. Es dürfen nur zugelassene Systeme mit Prüfung aller Komponenten (Schloss, Drücker, Signalgeber) verwendet werden, die Wartungspflichten sind zu beachten. Alle Elemente müssen technisch einfach und für jedermann leicht handhabbar sein und bleiben und dürfen in ihrer Bedienung keinesfalls durch Plombendrähte, Kunststoffhauben etc. eingeschränkt werden. Der Einsatz von Schlüsselkästen als Sicherungsmaßnahme ist nicht zulässig. Als Türgriffe sollten Drückergarnituren in U-Form verwendet werden, um die Verletzungsgefahr gering zu halten.

Weiterhin ist denkbar, dass Türen offen bleiben, wenn die Kinder nach Verlassen des Gebäudes zunächst einen gesicherten Bereich erreichen und nicht ungehindert auf die Straße laufen können. Die Tür zum Grundstücksausgang sollte dann selbstschließend ausgeführt werden, um ein „gedankenloses" Offenlassen zu vermeiden. Zudem ist dafür zu sorgen, dass dieser gesicherte Bereich von seiner Anordnung her räumlich nicht den Löschangriff der Feuerwehr behindert.

## Auflösung des notwendigen Flures

*Konfliktsituation*

Im Allgemeinen ist ein notwendiger Flur aus funktionellen Gründen in Kindertagesstätten nicht gewollt. Die Erschließungsflure innerhalb der Gruppenbereiche, die häufig größer als 200 $m^2$ sind, bilden mit Garderoben, Möblierungen, Dekorationen und Spielbereichen den Mittelpunkt derselben. Damit entsteht regelmäßig eine Abweichung von der bauordnungsrechtlichen Anforderung, in Nutzungseinheiten größer als 200 $m^2$ einen notwendigen Flur einzurichten.

*Gefährdungseinschätzung*

Es ist realitätsfern, Flure in Kindertagesstätten brandlastenfrei zu halten. Dennoch kann durch die zugelassenen Brandlasten in den Erschließungsbereichen eine potenzielle Gefahr entstehen, mit der bewusst umgegangen werden muss.

*Lösungsvorschläge*

In Anlehnung an die Musterbauordnung [32] und die mittlerweile in Hessen und Mecklenburg-Vorpommern verfügbaren Handlungsanweisungen für Einrichtungen der Altenpflege können Nutzungsein-

**Abbildung 14:** Spielflur anstelle eines notwendigen Flures

heiten mit wohnungsähnlicher Möblierung durchaus Größen von maximal 400 $m^2$ bis 500 $m^2$ haben; das kann aus der Sicht des Autors durchaus auf Kindertagesstätten übertragen werden. Im Einzelfall ist diese Zulässigkeit jedoch in Abhängigkeit von dem Vorhandensein einer Branddetektion und von Rauchabzügen, der konkreten Führung und Breite der Rettungswege und vorhandenen direkten Ausgängen aus den Grupperäumen abzuklären und vorab einer konkreten Gefahrenbeurteilung zu unterziehen.

## Evakuierung von Kleinkindern bei Zweigeschossigkeit, fehlender zweiter baulicher Rettungsweg

*Konfliktsituationen*

Die Zweigeschossigkeit einer Kindertagesstätte bringt für die Evakuierung von Kleinkindern, insbesondere von unter dreijährigen Kindern, besondere Probleme mit sich. Prinzipiell birgt daher eine zweigeschossige Konzeption von Tageseinrichtungen für Kinder von vornherein brandschutztechnische Spannungen. Häufig fehlt zudem im Bestand ein zweiter baulicher Rettungsweg.

*Gefährdungseinschätzung*

Eine sichere Evakuierung von Kleinkindern aus dem oberen Geschoss kann in aller Regel nur durch Tragen der Kinder erfolgen, wobei max. 2 Kinder pro Betreuungsperson angesetzt werden können.

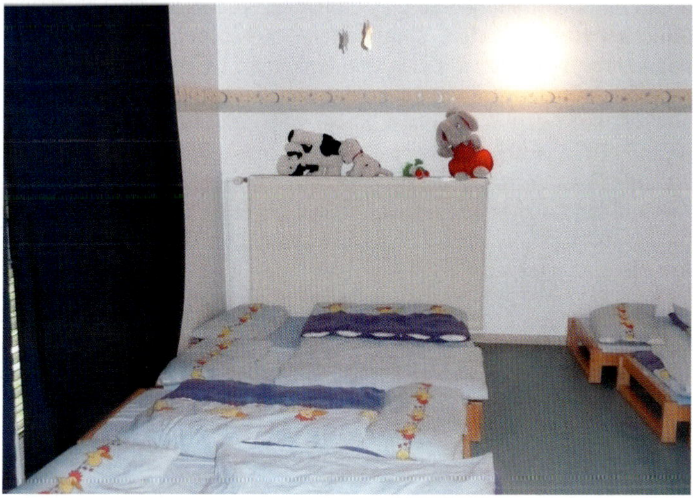

**Abbildung 15:** Schlafraum für Kleinkinder im 1. Obergeschoss

Die Anzahl der Kinder und deren Fähigkeiten (Treppensteigen) sind entscheidend für die Dauer der Evakuierung, so dass der Personalschlüssel in Abhängigkeit der Kinderanzahl und Geschoss zu beachten ist, häufig fehlt aber entsprechend ausreichendes Personal. Die Folge wäre, dass die Kleinkinder, auch bei Vorhandensein eines 2. baulichen Rettungsweges, das Gebäude ggf. nicht rechtzeitig verlassen könnten. Fehlt der 2. bauliche Rettungsweg ohnehin, liegt im Regelfall eine reale Gefahr vor.

*Lösungsvorschläge*

Grundsätzlich muss die Unterbringung entsprechend den Fähigkeiten der Kinder erfolgen und der Personaleinsatz für den Evakuierungsfall geregelt werden (s. nachfolgende Erläuterungen zur Brandschutzordnung). Es kann das Schaffen von „sicheren Bereichen" sinnvoll sein, deren Planung äußerst sensibel ist. Die Kinder dürfen durch einen Aufenthalt in derartigen Bereichen nicht zu großen psychologischen Belastungen ausgesetzt werden, damit die Evakuierung ausreichend lange gefahrlos erfolgen kann. Im Einzelfall ist der Anbau einer Rettungstreppe die beste Lösung; das gilt aber überwiegend nur für Kinder, die älter sind als vier Jahre. Geeignete bauliche Alternativen zur zweiten Treppe sind hinreichend große Balkonanlagen für den temporären Aufenthalt als Rettungspodeste, von denen aus die Kinder über Rettungsrutschen oder Treppen sicher das Gebäude verlassen können. Eine Rettungsrutsche kann zudem als alltägliches Spielgerät verwendet werden und hat den Vorteil, in Gefahrensituationen daher keine befremdliche, unbekannte Situation hervorzurufen. Eine weitere interessante Alternative für bestimmte Gebäude, wie z. B. Baudenkmale, an die sich ein Anbau einer zusätzlichen Treppe oder einer Rutsche verbietet, oder für einzelne Gruppenbereiche, die nur mit sehr großem Aufwand an das Rettungswegesystem des zweiten Rettungsweges angeschlossen werden könnten, stellen Personenrettungsschläuche dar. Bei der Anwendung solcher alternativen Rettungsgeräte ist jedoch stets zu beachten, dass diese nicht als Angriffsweg für die Feuerwehr dienen können und dies somit für den jeweiligen Einzelfall, z. B. mittels einer möglichen Anleiterung bei einer zweigeschossigen Kindertagesstätte, gesondert abzuklären ist.

Leider werden derartige sinnvolle Alternativen wegen Unkenntnis der jeweiligen Leistungsfähigkeiten derzeit immer noch zu häufig unter- bzw. geringgeschätzt und deswegen nicht zugelassen. Dieser Zustand sollte sich unbedingt ändern. Es wird auf Kap. 5.5 verwiesen.

**Abbildung 16:** Rettungsrutsche als zweiter Rettungsweg für das 1. Obergeschoss

## Umgang mit Brand- und Rauchschutzschutztüren, Lagerräume

*Konfliktsituation*

Die in den Tageseinrichtungen für Kinder angeordneten Brand- oder Rauchschutztüren werden häufig nicht regelmäßig gewartet, außerdem wirken diese Türen mit selbstschließendem Obertürschließer ohne Freilauf zumeist als „Barrieren" und sind bei Anordnung innerhalb der Räumlichkeiten des täglichen Gebrauchs unzweckmäßig. Daher werden diese von den Nutzern oft unzulässig unterkeilt und damit außer Funktion gesetzt. Lagerbereiche werden häufig brandschutztechnisch von Gang- oder Flurbereichen nicht ausreichend abgetrennt.

*Gefährdungseinschätzung*

Wenn Räume mit besonderen Brandgefahren nicht ausreichend von anderen Bereichen wie Spielfluren brandschutztechnisch wirksam abgetrennt sind, besteht eine außerordentliche Gefährdung, da über diesen Flur eine besonders schnelle Brand- oder Rauchausbreitung möglich ist. Ein Unterkeilen setzt die gewollte brandschutztechnische Wirkung der entsprechenden Tür außer Kraft.

**Abbildung 17:** Ungesicherte Aufbewahrung von Brandlasten.

*Lösungsvorschläge*

Zunächst sind die vorgenannten unzulässigen Handlungen organisatorisch zu regeln. Diese sind schwer zu unterbinden, da der tägliche Ablauf erheblich gestört wird und Kinder meist nicht in der Lage sind, diese Türen eigenständig zu öffnen. Dann sollte in derartig betroffenen Kindertagesstätten eine Analyse erfolgen, welche der beschriebenen Türen die Tagesabläufe tatsächlich erheblich beeinträchtigen. Diese Türen sollten entweder mit zugelassenen Feststelleinrichtungen oder mit Freilaufschließern nachgerüstet werden, um eine ständige Offenhaltung zu gewährleisten und die brandschutztechnische Funktion zu sichern.

Lagerbereiche, elektrische Betriebsräume, Heizungsräume und sonstige Räume mit besonderen Brandgefahren sind brandschutztechnisch wirksam mit zugelassenen Türen abzutrennen und ggf. mit Rauchwarnmeldern auszustatten.

Die Mitarbeiter müssen im Rahmen der jeweiligen Brandschutzordnung mit diesen baulichen Gegebenheiten vertraut gemacht werden. Die regelmäßige Wartung und aktenkundige Prüfung der Schließmechanismen sind im Rahmen des Gebäudemanagements als fester Bestandteil zu gewährleisten.

## Freihalten und Kennzeichnung von Rettungswegen

*Konfliktsituation*

Die Anhäufung von Materialien, Spielsachen, Möbeln führt in einigen Einrichtungen zu einer Unübersichtlichkeit und Verteilung der Gegenstände und erschwert das Erreichen der gekennzeichneten Rettungswegausgänge erheblich. Durch (nachträglich) angebrachte Sonnenschutzsysteme werden die direkten Ausgänge ins Freie wie Terrassentüren (1. Rettungsweg) oder Fensterbereiche (2. Rettungsweg) unbenutzbar verhängt und das sogar dann, wenn im Einzelfall die Evakuierung kleinerer Personenzahlen mit der Feuerwehr derart abgestimmt wurde, dass eine Rettung über die Rettungsgeräte der Feuerwehr erfolgen kann.

*Gefährdungseinschätzung*

Die Gegenstände können wegen ihrer Kleinteiligkeit bei Personenströmen umfallen und behindern dadurch zusätzlich den zur Verfügung stehenden Durchgang, führen zum Hinfallen oder gar zu Verletzungen und damit zum Verzögern der Räumung. Die Sonnenschutzsysteme versperren im Einzelfall sowohl den ersten als auch den zweiten Rettungsweg, machen diese unpassierbar und verzögern die Evakuierung erheblich. Beides führt zu realen Gefahren.

**Abbildung 18:** Bewegliche Brandlasten können im Ernstfall die Rettungswege versperren.

*Lösungsvorschläge*

Durch die Schaffung von Durchgangsbreiten von 1,20 m und die Überprüfung der vorhandenen Gegenstände sind die notwendigen Rettungswege freizuhalten. Denkbar ist auch, dass der im Gruppenraum vorhandene Ausgang direkt genutzt und als Notausgang ertüchtigt wird, so dass der Haupteingang nicht den ersten baulichen Rettungsweg darstellt. Die vorhandenen Außenjalousien an den Gebäuden im Verlauf von Rettungswegen sind als nicht verschließbar abzuändern. Die konkrete Gebäudesituation ist zu beachten.

## Verschattungssysteme im Verlauf von Rettungswegen

*Konfliktsituation*

Häufig wurden aus Gründen des sommerlichen Wärmeschutzes die Glasflächen von Kindertagesstätten mit äußeren Verschattungsschutzsystemen versehen. Schwierig kann das in Bezug auf den Brandschutz dann sein, wenn davon auch die freizuhaltenden Rettungswege betroffen sind.

*Gefährdungseinschätzung*

Durch Verschattungselemente, insbesondere bei dem Einsatz eines elektromotorischen Antriebes, kann es möglich sein, dass die sichere Evakuierung der Kinder im Gefahrenfall behindert wird, weil ein zügiges Öffnen bei einem Stromausfall nicht erfolgen kann.

**Abbildung 19:** Verschattungselemente im Verlauf eines Rettungsweges

*Lösungsvorschläge*

Um eine ständige Sicherung der Rettungswege trotz der Verschattungselemente gewährleisten zu können, ist es möglich, entweder Systeme mit einer Sicherheitsstromversorgung einzusetzen (z. B. [33]) oder einen zusätzlichen Handbetrieb anzuordnen. Sollte das nicht möglich sein, sind die Rettungswege von Verschattungselementen freizuhalten, übergangsweise ggf. auch durch entsprechende organisatorische Regelungen bis zur Erneuerung des betreffenden Verschattungssystems.

## Umgang mit elektrischen Betriebsmitteln und Geräten

*Konfliktsituation*

In vielen Einrichtungen ist die Freude groß, wenn die eine oder andere schöne Leuchte oder andere elektrische Geräte kostenfrei zur Verfügung gestellt werden, wenn deren Anschaffung über das zur Verfügung stehende Kostenbudget nicht gesichert werden kann. Leider entsprechen diese Geräte nur selten den Anforderungen an einen sicheren Betrieb und bergen große Gefahren einer Brandentstehung.

*Gefährdungseinschätzung*

Die Prüfung der Leuchtmittel in Verbindung mit dem Überhängen von Stoffen muss grundsätzlich erfolgen, denn es gibt die Gefahr von Hitzestaus und der nachfolgenden Entzündung. Immer wieder anzutreffende Stehleuchten (Deckenfluter) mit enormer Hitzeentwicklung der Leuchtmittel sind gänzlich ungeeignet. Beim Umfallen und

**Abbildung 20:** Gefährliche „Lichtdecke“

der Berührung von leicht brennbaren Gegenständen bzw. durch das Werfen mit leicht entzündlichen Gegenständen können unbemerkt Brände entstehen.

*Lösungsvorschläge*

Hochgelegene Geräte und Leuchten, die mit Verlängerungskabeln angeschlossen und für die Kinder leicht erreichbar sind, müssen entfernt werden. Steckdosenleisten und elektrische Leistungen von Geräten sind abzustimmen, um eine Überlastung der Kabel zu vermeiden; daher Klärung und Information über die Brandschutzordnung aktenkundig durchführen und Gebäudemanagement sicherstellen. Der Umgang mit den elektrischen Betriebsmitteln muss außerdem durch die Brandschutzordnung geregelt werden, die elektrischen Anlagen/Geräte müssen aktenkundig, turnusmäßig geprüft werden.

## Brennbare Dekorationen

*Konfliktsituation*

Besonders kleinere Kinder wollen ihre Welt spielerisch entdecken, so dass Malen, Falten, Dekorieren, Basteln und Kleben sowie jede Art von ständig begleitenden Kuscheltieren zum Alltag gehören. Daher „wimmelt" es in Tageseinrichtungen für Kinder nur so an brennbaren Dingen: Papier und Pappe, Dekorationsstoffe, Klebstoffe, unverzichtbare Kuscheltiere usw. gehören einfach zum Alltag.

*Gefährdungseinschätzung*

Im Umgang mit offenem Feuer oder Licht bergen die vorgenannten Utensilien eine große Brandentstehungsgefahr.

*Lösungsvorschläge*

Der organisatorische Brandschutz steht in dieser Hinsicht an vorderster Stelle. Es muss zum Alltag gehören, brennbare Stoffe gesondert und vor allem in ausreichendem Abstand zu Zündquellen aufzubewahren. Geburtstagskerzen haben in der Nähe der Bastelutensilien und auf brennbaren Untersätzen einfach nichts zu suchen. Das müssen Kinder so früh wie möglich lernen, es kann nicht oft genug wiederholt werden. Ein Feuerlöscher sollte in der Nähe einer jeden Bastelwerkstatt nicht fehlen.

**Abbildung 21:** „Stillleben" in einer Kindertagesstätte

## Umgang mit offenem Feuer und Licht

*Konfliktsituation*

Offenes Feuer ruft bei Kindern sowohl Angst bzw. Respekt als auch eine gewisse Anziehung hervor. Da sich in den Kindertagesstätten zudem nutzungsbedingt viele Brandlasten befinden, ist man dazu geneigt, den Umgang mit offenem Feuer oder Licht dort zu untersagen. Gleichzeit ist es aber besonders wichtig, dass die Kinder frühzeitig den richtigen Umgang mit offenem Feuer oder Licht erlernen.

*Gefährdungseinschätzung*

Kinder können die Folgen einer Brandentstehung nicht einschätzen und müssen daher rechtzeitig erlernen, mit offenem Feuer umzugehen. Es wäre falsch, den Umgang mit offenem Feuer gänzlich aus Tageseinrichtungen für Kinder zu verbannen. Es ist aber besondere Vorsicht beim Umgang mit offenem Feuer walten zu lassen.

*Lösungsvorschläge*

Das Anzünden einer Kerze bei einem Kindergeburtstag oder in der Adventszeit zum Beispiel kann ein guter Anlass sein, den Umgang mit dem offenen Licht zu trainieren. Auch das Grillen unter Aufsicht

**Abbildung 22:** Diese Kerze wird im Bereich der Erzieherinnen nur unter Aufsicht angezündet.

oder ein gemeinsam vorbereitetes Lagerfeuer fördern den richtigen Umgang mit Zündmitteln und das erforderliche Beaufsichtigen eines offenen Feuers.

Unbeaufsichtigte Kerzen oder Adventsgestecke ohne nichtbrennbare Untersätze und Tannenbäume, die schneller trocknen, als die meisten annehmen, haben in Kindertagesstätten nichts zu suchen. Wenn mit offenem Feuer oder Licht umgegangen wird, hat ein Feuerlöscher in der Nähe zu sein.

Gern stellen sich auch die Vertreter von örtlichen Feuerwehren für entsprechend gestaltete „Brandschutztage" zur Verfügung und üben den sachgerechten Umgang mit offenem Feuer und Feuerlöschern.

## Unsachgemäßes Anbringen von Feuerlöschern, Ausstattung nach BGR 133

*Konfliktsituation*

Die Höhen für das Aufhängen von Feuerlöschern sind vorgegeben (max. 1,2 m) und begründen sich aus den körperlichen Fähigkeiten des durchschnittlichen erwachsenen Menschen. Die BGR 133 sagt dazu im Punkt 4.5.9 aus: **„Feuerlöscher müssen an gut sichtbaren und im Brandfall leicht zugänglichen Stellen angebracht sein, an**

**denen sie vor Beschädigungen und Witterungseinflüssen geschützt sind. Die Stellen, an denen sich Feuerlöscher befinden, müssen durch das Brandschutzzeichen F05 ‚Feuerlöscher' gekennzeichnet sein. Das Zeichen muss der Unfallverhütungsvorschrift ‚Sicherheits- und Gesundheitsschutzkennzeichnung am Arbeitsplatz' (BGV A8) entsprechen."** [34]

Häufig werden die erforderlichen Feuerlöscher aber höher angebracht, mit der Begründung, dass diese von Kindern und Jugendlichen beschädigt würden. Außerdem wird die Bestimmung über die notwendige Anzahl der Feuerlöscher zu oft den Betreibern ohne Beratung durch einen entsprechend Sachkundigen mit der Konsequenz überlassen, dass im Einzelfall zu wenige Feuerlöscher oder unbrauchbare vorhanden sind.

*Gefährdungseinschätzung*

Im Gefahrenfall ist es sehr wahrscheinlich, dass eine größere Anzahl von Personen, die einen entdeckten Kleinbrand unter Zuhilfenahme eines Feuerlöschers ablöschen könnte, diesen zu hoch angebrachten gar nicht benutzen könnte. Es ginge damit äußerst wertvolle Zeit für die Behinderung der Brand- oder Rauchausbreitung verloren, weil der Feuerlöscher im Prinzip nicht nutzbar ist. Außerdem sind Feuerlöscher oft nicht an den Stellen verfügbar, an denen sie im Ernstfall benötigt würden.

**Abbildung 23:**
Zu hoch angebrachter Feuerlöscher

*Lösungsvorschläge*

Feuerlöscher sollten nur so hoch über dem Fußboden angeordnet sein, dass auch kleinere Personen diese ohne Schwierigkeiten aus der Halterung entnehmen können. Als zweckmäßig hat sich eine Griffhöhe von 80 bis 120 cm erwiesen. Ist das Feuerlöschgerät gut sichtbar angebracht, kann auf eine zusätzliche Kennzeichnung verzichtet werden. Die Festlegung über die erforderliche Anzahl, die richtigen Standorte und die Auswahl der geeigneten Feuerlöscher sollte nur in Zusammenarbeit mit einem Sachkundigen erfolgen. Die Bestimmung der notwendigen Anzahl von Feuerlöschern richtet sich nach der Brandgefährdung, die für Kindertagesstätten in der Regel als „mittel" einzustufen ist. Das Gewicht der Feuerlöscher ist zu berücksichtigen. Eine Grundregel lautet, dass es besser ist, mehrere kleinere, leicht handhabbare, als wenige große und schwere Feuerlöscher bereitzuhalten. Die damit einhergehende Erleichterung für die Mitarbeiter erhöht die Bereitschaft zur Benutzung und den Erfolg der Löschmaßnahme. Die turnusmäßigen Kontrollen der Kindergärten, einschließlich der erforderlichen Kennzeichnung, haben unbedingt zu erfolgen.

## Fehlende oder unvollständige Brandschutzordnung

*Konfliktsituation*

In vielen Tageseinrichtungen für Kinder werden zwar laut eigener Angabe turnusmäßig Evakuierungsübungen durchgeführt, das bestätigen durchgeführte Gefahrenverhütungsschauen oder vom Autor vorgenommene Brandrisikoanalysen. Allen Mitarbeitern gleichermaßen bekannte organisatorische Rahmenbedingungen des Brandschutzes, insbesondere nach Reihe DIN 14096 [35], sind in der Realität aber noch zu selten anzutreffen. So werden auch die zeitlichen Abstände für Brandschutzübungen hinreichend willkürlich gewählt und ausschließlich von den jeweilig Handelnden bestimmt. Es gibt Unterschiede, die von monatlich (selten), jährlich (häufig) oder überhaupt nicht (sehr selten) reichen.

*Gefährdungseinschätzung*

So löblich die in der Regel durchgeführten organisatorischen Bemühungen um den Brandschutz in Kindertagesstätten auch sind, eine ganzheitlich erstellte Brandschutzordnung, die auch für Kindertagesstätten zumindest in Anlehnung an die Maßstäbe nach DIN 14096 erstellt werden sollte, ist nicht zu ersetzen. Diese Norm beschreibt in den drei Teilen A, B und C den regelmäßigen Aufbau einer Brandschutzordnung. In den meisten Fällen dürfte eine Brandschutzord-

**Abbildung 24:** Bei einer turnusmäßigen Begehung war diese Tür trotz des Hinweises verschlossen ...

nung, bestehend aus den Teilen A und B, für eine Kindertagesstätte ausreichen. Häufig führen die Fragen während der Erstellung einer solchen Brandschutzordnung auch zu intensiveren Diskussionen, als von den Betroffenen zuvor gedacht. Es werden Lücken in den individuell getroffenen Regelungen erkannt und offengelegt, verbindliche Regelungen auch beim Personalwechsel getroffen und der Arbeits- und Gesundheitsschutz gestärkt. [36]

*Lösungsvorschläge*

Die Sicherstellung der Handlungen und Abläufe im täglichen Betrieb mit konkreter Benennung der Zuständigkeit im Rahmen einer Brandschutzordnung gibt Rechtssicherheit bei den handelnden Personen. Daher ist entweder die vorhandene Brandschutzordnung regelmäßig zu aktualisieren oder eine neue Brandschutzordnung zu erstellen, die sowohl das Verhalten im Gefahrenfall rechtlich eindeutig regelt, als auch der wirksamen Prävention dient. Diese erhöht zudem die Sicherheit beim Betrieb von Kindertagesstätten erheblich. Es sollte bereits für kleinere Einrichtungen ein Brandschutzbeauftragter bestimmt werden, der auch die Fortschreibung bzw. Aktualisierung der Brandschutzordnung übernimmt und die regelmäßigen Evakuierungsübungen leitet, die unbedingt kindgerecht zu gestalten sind.

# Funktionelle Beziehungen und brandschutztechnische Anforderungen in bestehenden Schulen 4

## Funktionen und brandschutztechnische Problemstellungen 4.1

Auch Schulgebäude wollen offen gestaltet werden bzw. nach einer Sanierung bleiben und sollen die Kommunikation und die Bewegung der Kinder und Jugendlichen untereinander und bei Veranstaltungen fördern. Außerdem sind auch die Lehrerinnen und Lehrer für die Sicherheit der ihnen anvertrauten Kinder und Jugendlichen verantwortlich und müssen gewährleisten, dass keiner das Schulgelände unberechtigt verlässt oder betritt. Dem widerspricht mitunter auch in Schulen das Grunderfordernis des Brandschutzes, im Gefahrenfall ein ungehindertes Verlassen des Gebäudes zu ermöglichen. Das zwar nicht in so krasser Form wie bei einer Kindertagesstätte, dennoch sind aber auch in Schulen brandschutztechnische Schottungen nicht gern gesehen und Garderoben befanden sich jahrzehntelang in den notwendigen Fluren, weil diese aus hygienischen Gründen aus den Klassenräumen verbannt worden waren. So wurde z. B. in der Fachliteratur des Jahres 1955 dazu ausgesagt: **„In Schulgebäuden, die bereits vor 50 bis 80 Jahren gebaut wurden, wird die Schülergarderobe vielfach noch heute in den Klassenräumen aufbewahrt. Die Ausdünstungen feuchter Bekleidungsstücke wirken sich dort nachteilig auf die Luft und damit auf die Leistungsfähigkeit der Schüler (Ermüdung) aus, so dass aufgefordert werden muß, die Schülergarderobe in keinem Falle im Unterrichtsraum aufzubewahren. Für die Garderobenaufbewahrung in den Korridoren sind in vielen Schulneubauten bereits gute Lösungen gefunden worden. Die Garderobenschränke sind in die Korridorwände zwischen den Klassentüren eingebaut, haben luftdurchlässige Türen (Stäbe oder Geflecht) und sind räumlich so zu beschaffen, dass die Bekleidungsstücke frei hängen und gut durchlüftet werden. Alle Direktoren sind verpflichtet, Maßnahmen zu treffen, die das unkontrollierte Betreten des Schulgebäudes durch schulfremde Personen während der Unterrichtszeit unmöglich machen, so dass bei gewissenhafter Befolgung dieses Grundsatzes Diebstähle durch Außerstehende vermieden werden können."** [37]

Heute gesellt sich die zunehmende Befürchtung vieler hinzu, dass die Anzahl von Brandstiftungen zunimmt; es wird daher zusätzlich mit einer erstrebenswerten Brandlastenfreiheit oder -armut argumentiert. Das trifft aber nicht tatsächlich zu, vielmehr bestätigen

**Abbildung 25:** Offene Garderobenschränke (Bauzeit 1960er Jahre) in einem notwendigen Flur

Statistiken, dass die Anzahl von Brandstiftungen durch Kinder im Alter bis 14 Jahre an Schulen, z. B. in Bayern und der Pfalz, konstant rückläufig ist. [38] So nahmen dort die Anzahl von Brandstiftungen zwischen 1990 und 2005 von 245 auf 39 und die dadurch entstandenen Schäden von 4 990 000 EUR auf 1 707 000 EUR ab. Die Verteilung auf die jeweiligen Altersstufen der Kinder zeigt auf, dass mehrheitlich Brandstiftungen von älteren Kindern (77 %) im Alter von 6 bis 14 Jahren vorgenommen werden.

Die Konflikte mit dem Brandschutz äußern sich bei bestehenden Schulen, insbesondere in nicht vorhandenen zweiten baulichen Rettungswegen, in offenen Treppenräumen, die mit den notwendigen Fluren oder auch Klassenräumen in einem direkten Zusammenhang stehen, und in gegenüber aktuellen Vorschriften mangelhaften brennbaren Feuerwiderständen von tragenden Bauwerksteilen bei historischen Schulgebäuden. Demgegenüber sind in sogenannten Altneubauten häufig zu geringe Treppenbreiten, Pausenhallen, die ohne brandschutztechnische Schottung in Verbindung mit den Klassenräumen stehen, und zu schlanke Stahlbetonkonstruktionen mit nicht ausreichenden Feuerwiderständen festzustellen. Mangelhafte Türklassifikationen, das unzulässige Feststellen von Türen, unvollständige oder fehlende Brandschutzordnungen und gefährdende Leitungsführungen in notwenigen Fluren sind unabhängig vom Baualter der Schulen beinahe überall im Bestand anzutreffen.

Als Vorteile können ähnliche Argumente wie für Kindertagesstätten auch für Schulen benannt werden: Es hält sich während der „Normalnutzung" in der Schule tagsüber ein Personenkreis auf, der sich auskennt, es wird turnusmäßig je Schulhalbjahr jeweils eine Alarmübungen durchgeführt und die Evakuierung läuft im Allgemeinen sehr schnell ab. Trotz der zuvor beschriebenen Defizite sind Evakuierungszeiten unterhalb drei bis fünf Minuten für gesamte Schulgebäude in der Regel üblich und werden nur in Einzelfällen überschritten, was auch den im historischen Bestand vorhandenen überbemessenen Treppen- und Ausgangstürbreiten bzw. der ausreichenden Anzahl der Treppenräume in „Altneubauten" zu verdanken ist.

Aufgrund der Personalstruktur vieler freiwilliger Feuerwehren und der Schwierigkeit, auch größere Kinder und Jugendliche in der in Schulen anzutreffenden Anzahl über Rettungsgeräte der Feuerwehr evakuieren zu können, ist ohnehin grundsätzlich davon auszugehen, dass die Eigenrettung aller Nutzer vor dem Eintreffen der Rettungskräfte erfolgt sein muss und deshalb der Sicherheit der Rettungswege die größte Bedeutung zukommt. Um sofort nach der erfolgten Evakuierung einer Schule den vollkommenen Überblick über die Vollständigkeit aller Anwesenden zu haben, ist ein Sammelplatz notwendig.

Die Wichtigkeit einer geeigneten Schulbaukonzeption unterstreicht auch der bereits eingangs zitierte Autor W. Zwez: **„Umso mehr ist es Pflicht, ... noch einmal und zwar ausdrücklich darauf hinzuweisen, dass man es hier nicht mit einem offenen Feinde zu thun hat, welcher plötzlich in das Schulhaus eindringt, und jederzeit in zornigem Muthe ebenso rasch wieder verjagt werden könnte. Im Gegentheile ist es ein heimlicher Feind, welcher mit einem unzweckmäßigen Baue, mit einer unzweckmäßigen Einrichtung der Schule sich sofort einschleicht, und darin Wohnung nimmt auf alle Zeiten. Er weicht nicht, bis man seine ganze Stätte zustört, denn er ist an diese wie ein böser Hausgeist gebannt. Es giebt, regelmäßig für lange Zeit, in jeder Gemeinde nur einen Augenblick, nur ein Mittel, ihm den Zutritt zu verwehren: es ist der Augenblick, wo ein neuer Bau, eine neu Einrichtung [Sanierung] beginnt, das einzige Mittel ist, zweckmäßig zu bauen, zweckmäßig Einrichtung zu treffen. Mögen daher Alle, welche Verantwortung dafür zu tragen haben, diesen einzigen Augenblick wahrnehmen, dieses einzige Mittel zu ergreifen."** [39]

## 4.2 Reale Gefahrensituationen

Um die beschriebenen Konfliktsituationen bzw. Gefahrenquellen als reale identifizieren und einstufen zu können, wurde zur Unterstützung des Erkennens typischer realer Gefahren bei Schulen die folgende Zusammenstellung erarbeitet, die derartige Gefahren beispielhaft aufführt und beschreibt.

**Tabelle 2:** Beispiele für reale Gefahren und deren mögliche Wirkungen

| Lfd. Nr. | Beispiel | Reale Gefahr |
|---|---|---|
| | | **Kurzbeschreibung der Wirkung** |
| 1 |  | Mangelhafte Trennung zwischen notwendigem Flur und Treppenraum |
| | | • Gefahr der Ausbreitung von Feuer und Rauch auf die Rettungswege |
| 2 |  | Geringere Treppenbreite als in der MSchulbauR vorgesehen |
| | | • Verlangsamung der Evakuierung |

**Tabelle 2** *(fortgesetzt)*

| Lfd. Nr. | Beispiel | Reale Gefahr / Kurzbeschreibung der Wirkung |
|---|---|---|
| 3 |  | Historische Bauwerksteile<br>• Mangelhafter Feuerwiderstand für wirksame Löscharbeiten |
| 4 | 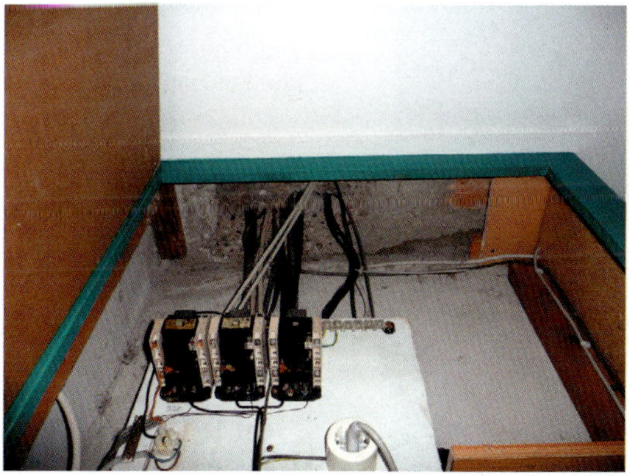 | Veraltete Installationen<br>• Beeinträchtigung von Rettungswegen, notwendigen Fluren |

**Tabelle 2** *(fortgesetzt)*

| Lfd. Nr. | Beispiel | Reale Gefahr / Kurzbeschreibung der Wirkung |
|---|---|---|
| 5 |  | Unzureichende bauzeitliche Entrauchungsvorrichtung<br>• Aula wird zur Versammlungsstätte |
| 6 |  | Pendeltüren im Verlauf von Rettungswegen<br>• Behinderung der Evakuierung |

**Tabelle 2** *(fortgesetzt)*

| Lfd. Nr. | Beispiel | **Reale Gefahr**<br>**Kurzbeschreibung der Wirkung** |
|---|---|---|
| 7 |  | Einsatz veralteter elektrischer Geräte<br><br>• Hohe Brandentstehungsgefahr |
| 8 |  | Brennbare Dekorationen in Rettungswegen<br><br>• Beeinträchtigung von Rettungswegen |

**Tabelle 2** *(fortgesetzt)*

| Lfd. Nr. | Beispiel | Reale Gefahr | Kurzbeschreibung der Wirkung |
|---|---|---|---|
| 9 |  | Unsachgemäßer nachträglicher Einbau von Leitungen | • Brandweiterleitung, Gefährdung von Rettungswegen |
| 10 |  | Zweckentfremdung oder Beschädigung von Feuerlöscheinrichtungen | • Feuerlöscher stehen im Gefahrenfall nicht zur Verfügung |

**Tabelle 2** *(fortgesetzt)*

| Lfd. Nr. | Beispiel | Reale Gefahr |
|---|---|---|
| | | **Kurzbeschreibung der Wirkung** |
| 11 |  | Fehlender 2. baulicher Rettungsweg |
| | | • Evakuierung im Brandfall ungesichert |
| 12 |  | Verglasungen zu notwendigen Fluren ohne Feuerwiderstand |
| | | • Mögliche Brand- oder Rauchausbreitung auf Rettungswege |

## 4.3 Grundlagen der Brandschutzplanung bei bestehenden Schulen

### Bauordnungsrechtliche Anforderungen

Die grundlegenden gesetzlichen Vorschriften für den vorbeugenden baulichen Brandschutz befinden sich in Deutschland auch für Schulen zunächst in den Landesbauordnungen und in den vom zuständigen Landesministerium veröffentlichten „Eingeführten Technischen Baubestimmungen".

Zuständig und verantwortlich ist demzufolge auch hier immer die zuständige Bauaufsichts- bzw. Bauordnungsbehörde. Aber auch Eigentümer, Betreiber und Planer stehen in einer großen Verantwortung: Es darf nicht ohne Rücksicht auf die ggf. vorhandenen konkreten Gefahren von einem Bestandsschutz ausgegangen werden und die Nutzung eines Schulgebäudes ohne weiteres erfolgen.

Gemäß den mittlerweile in der überwiegenden Anzahl der Bundesländer geltenden Einstufungen der Gebäude in Gebäudeklassen ist zunächst die jeweilige Gebäudeklasse einer Schule, bei mehreren Gebäuden ggf. für jedes einzeln stehende Gebäude eines Schulkomplexes mit einem eigenen Rettungswegsystem und wirksamer brandschutztechnischer Abtrennung (Brandwand oder Wand in der Bauart einer Brandwand), zu bestimmen. Daraus ergeben sich alle grundlegenden brandschutztechnischen Erfordernisse, die an die Baustoffe und Bauteile des betreffenden Gebäudes aus bauordnungsrechtlicher Sicht gestellt werden. Zudem wird wiederum über den Begriff des „Sonderbaus" in der jeweiligen Landesbauordnung definiert, dass es sich bei Schulen stets um Sonderbauten handelt. Die Regelungen dazu gelten, anders als bei den Tageseinrichtungen für Kinder, in allen Bundesländern gleichermaßen.

### Sonderbauvorschriften

*Muster-Schulbau-Richtlinie*

Die ersten bauaufsichtlichen Richtlinien für Schulen in der Bundesrepublik Deutschland stammten aus dem Juni 1976 und wurden von der Fachkommission „Bauaufsicht" der Arbeitsgemeinschaft der für das Bau-, Wohnungs- und Siedlungswesen zuständigen Minister der Länder (ARGEBAU) erarbeitet, **„um für die Beurteilung von Schulen eine einheitliche Grundlage zu schaffen"**, wie aus dem Musterentwurf eines Einführungserlasses hervorgeht. [40]

► s. Anhang 7.2: Muster über Bauaufsichtliche Richtlinien für Schulen (BASchulR), Fassung Juni 1976 einschl. Musterentwurf eines Einführungserlasses

Bereits im Jahre 1976 hat man dabei u. a. auf den Zusammenhang zu der zum Jahre 1969 erstellten Muster-Versammlungsstättenverordnung abgestellt und geklärt, dass Sporthallen im Allgemeinen nicht als Versammlungsstätten zählen, es sei denn, dass außerhalb der Sportflächen mehr als 200 Besucher untergebracht werden können sowie, dass für Mensen erst bei mehr als 400 Besucher die Versammlungsstättenverordnung anzuwenden ist.

Zum Jahre 1998 erfolgte die weitere Entwicklung der vorgenannten bauaufsichtlichen Richtlinien hin zu einer Muster-Richtlinie über bauaufsichtliche Anforderungen an Schulen. [41]

► s. Anhang 7.3: Muster-Schulbau-Richtlinie 1998

Die aktuelle Muster-Richtlinie der Fachkommission „Bauaufsicht" der ARGEBAU über bauaufsichtliche Anforderungen an Schulen aus dem Jahre 2009 gibt auch für die Sanierungspraxis wertvolle Hinweise für den Umgang mit dem Brandschutz in Schulen und ist in den meisten Bundesländern als Richtlinie bekannt gegeben worden. Sie kann somit nicht nur als Leitfaden für den Schulneubau dienen, sondern gibt auch Anregungen für die Sanierungsplanung oder die denkmalpflegerische Behandlung. Es wird mit dieser Muster-Richtlinie insbesondere klargestellt, dass mit ihrer Anwendung gemäß § 51 Abs. 1 Musterbauordnung beim Schulbau nicht über Abweichungen, sondern über Erleichterungen zu sprechen ist; damit ist der Umgang mit diesen bei der Erarbeitung eines gebäude- und schutzzielorientierten Brandschutzkonzeptes einfacher und kann während der Prüfphase des Brandschutzkonzeptes bereits einvernehmlich mit der zuständigen Brandschutzdienststelle bzw. dem Prüfingenieur für Brandschutz durch den Verfasser des Brandschutznachweises abgeklärt werden, ohne dass im Nachhinein ein gesonderter Bescheid über Abweichungen notwendig wird.

Für alle Schulgebäude ist die Vergrößerung des Abstandes zwischen zwei Brandwänden auf 60 m mit der Muster-Schulbau-Richtlinie möglich, eine wesentliche Erleichterung, insbesondere beim Umgang mit denkmalgeschützten Schulgebäuden. Außerdem sind in diesen Brandwänden feuerhemmende, rauchdichte und selbstschließende Türen anstelle von feuerbeständigen Öffnungsabschlüssen zulässig, wenn die angrenzenden Flurwände im beidseitigen Bereich von 2,50 m keine Öffnungen haben.

Ebenso wurde die Zulässigkeit von über mehrere Geschosse reichenden Hallen geregelt.

Als grundlegendes Element der Brandschutzplanung für Schulen wird mit der Muster-Schulbau-Richtlinie für jeden Unterrichtsraum in demselben Geschoss gefordert, dass **„mindestens zwei von einander**

**unabhängige Rettungswege zu Ausgängen ins Freie oder zu notwendigen Treppenräumen"** vorhanden sind. Dabei darf einer dieser beiden Rettungswege **„über Außentreppen ohne Treppenräume, Rettungsbalkone, Terrassen und begehbare Dächer auf das Grundstück führen, wenn dieser Rettungsweg im Brandfall nicht gefährdet ist".** [42]; das bedeutet, es sind für jeden Unterrichtsraum zwei bauliche Rettungswege vonnöten. Auch wenn diese Forderung grundsätzlich nicht in Frage gestellt werden kann, führt dieser Punkt bei Sanierungen zu erheblichen Spannungen bei der Auslegung des Bestandsschutzes und der Möglichkeit, den zweiten Rettungsweg in alternativer Art und Weise zu schaffen (s. Kap. 5.5).

► s. Anhang 7.4: Muster-Schulbau-Richtlinie 2009 mit Begründung

*Gemeinsamer Erlaß Saarland*

Eine Besonderheit stellt dieser Erlaß des Saarlandes vom 21. Dezember 1992 dar. Mit diesem Dokument wird dem Sachverhalt Rechnung getragen, dass es sich bei den meisten Schulbauprojekten tatsächlich um „Umbauprojekte" handelt und in Zukunft zunehmend auch handeln wird. Es werden sowohl der Begriff des Bestandsschutzes als Grundlage als auch der der „konkreten Gefahr für die öffentliche Sicherheit" als alleiniger Maßstab für ein bauaufsichtliches Einschreiten gemäß § 71 Abs. 1 LBO beschrieben. Darauf aufbauend folgen im Teil A Bauliche Maßnahmen zur Verhinderung der Entstehung eines Brandes und der Ausbreitung von Feuer und Rauch sowie zur Sicherstellung der Personenrettung und Betriebliche Maßnahmen zur Verhinderung der Entstehung eines Brandes, der Ausbreitung von Feuer und Rauch, zur Sicherstellung der Personenrettung sowie zur Sicherstellung wirksamer Löscharbeiten. Außerdem werden im Teil B Maßnahmen nach § 71 Abs. 1 der LBO und die Grenzen deren möglicher Anordnung geregelt.

► s. Anhang 7.5: Gemeinsamer Erlaß der Ministerien der Finanzen, des Innern, für Bildung und Sport und für Umwelt über den Brandschutz in bestehenden Schulen 1992

## 4.4 Problemstellungen des Brandschutzes in Schulen und Lösungvorschläge

### Fehlender zweiter baulicher Rettungsweg

*Konfliktsituationen*

Für Unterrichtsräume in demselben Geschoss sind zwei voneinander unabhängige bauliche Rettungswege erforderlich. Das ist insbesondere dem Umstand geschuldet, dass sich in Schulen immer eine große Anzahl von Personen befindet und diese im Gefahrenfall gleichzeitig selbst retten müssen. Kleinere historische Schulgebäude, i. d. R. für ein- oder zweizügige Schulen errichtet, haben oftmals nur einen Treppenraum, der zudem zur Bauzeit oftmals nicht brandschutztechnisch wirksam abgeschlossen worden ist (s. Abbildung 26).

*Gefährdungseinschätzung*

Eine sichere und zügige Evakuierung von allen in einer Schule befindlichen Personen kann nur über bauliche Rettungswege erfolgen. Fehlt der 2. bauliche Rettungsweg ohnehin, liegt im Regelfall eine reale Gefahr vor.

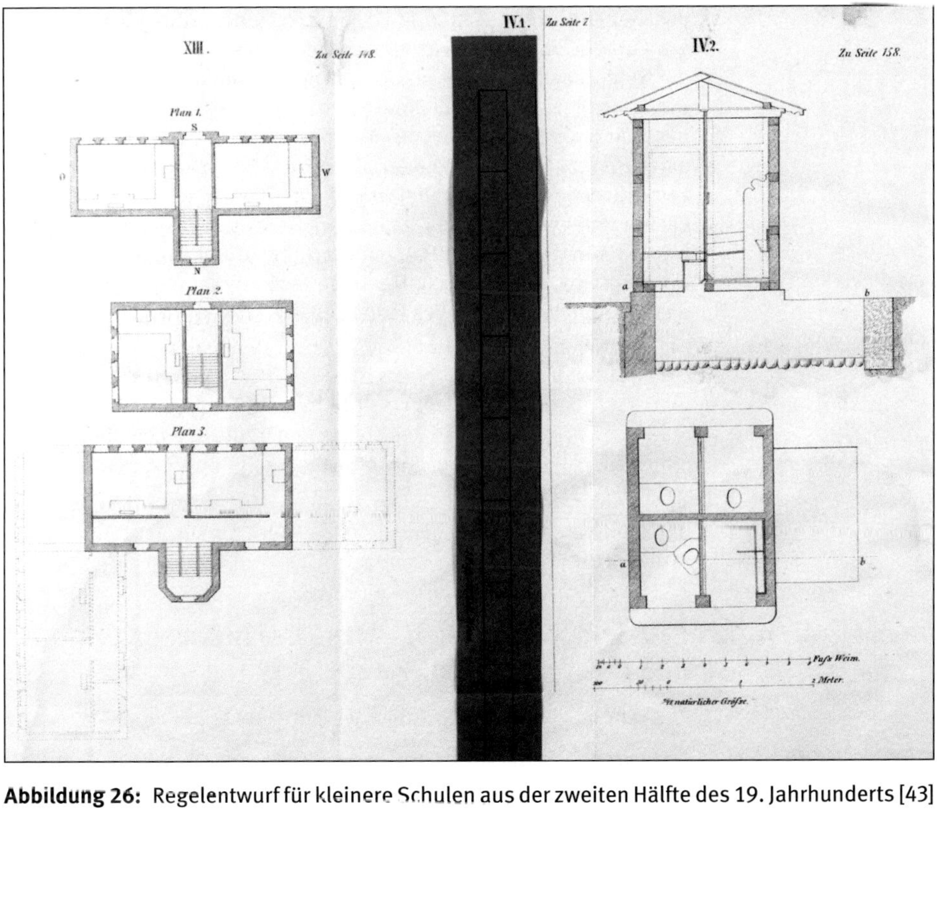


**Abbildung 26:** Regelentwurf für kleinere Schulen aus der zweiten Hälfte des 19. Jahrhunderts [43]

*Lösungsvorschläge*

Grundsätzlich muss die Unterbringung entsprechend den Fähigkeiten der Kinder erfolgen und der Personaleinsatz für den Evakuierungsfall geregelt werden (s. nachfolgend Erläuterungen zur Brandschutzordnung). Es kann das Schaffen von „sicheren Bereichen", deren Planung äußerst sensibel ist – die Kinder dürfen durch einen Aufenthalt in derartigen Bereichen nicht zu großen psychologischen Belastungen ausgesetzt werden – sinnvoll sein, damit die Evakuierung ausreichend lange gefahrlos erfolgen kann. Im Einzelfall ist der Anbau einer Rettungstreppe die beste Lösung; das gilt aber überwiegend nur für Kinder, die älter sind als vier Jahre. Geeignete bauliche Alternativen zur zweiten Treppe sind hinreichend große Balkonanlagen für den temporären Aufenthalt als Rettungspodeste, von denen aus die Kinder über Rettungsrutschen oder Treppen sicher das Gebäude verlassen können. Eine Rettungsrutsche kann zudem als alltägliches Spielgerät verwendet werden und hat den Vorteil, in Gefahrensituationen daher keine befremdliche, unbekannte Situation hervorzurufen. Eine weitere interessante Alternative für bestimmte Gebäude, wie z.B. Baudenkmale, an die sich ein Anbau einer zusätzlichen Treppe oder einer Rutsche verbietet, oder für einzelne Gruppenbereiche, die nur mit sehr großem Aufwand an das Rettungswegesystem des zweiten Rettungsweges angeschlossen werden könnten, stellen Personenrettungsschläuche dar. Im Einzelfall empfiehlt sich das Schaffen eines sog. Bypasses zum Erreichen des zweiten Rettungsweges (s. Abbildung 27).

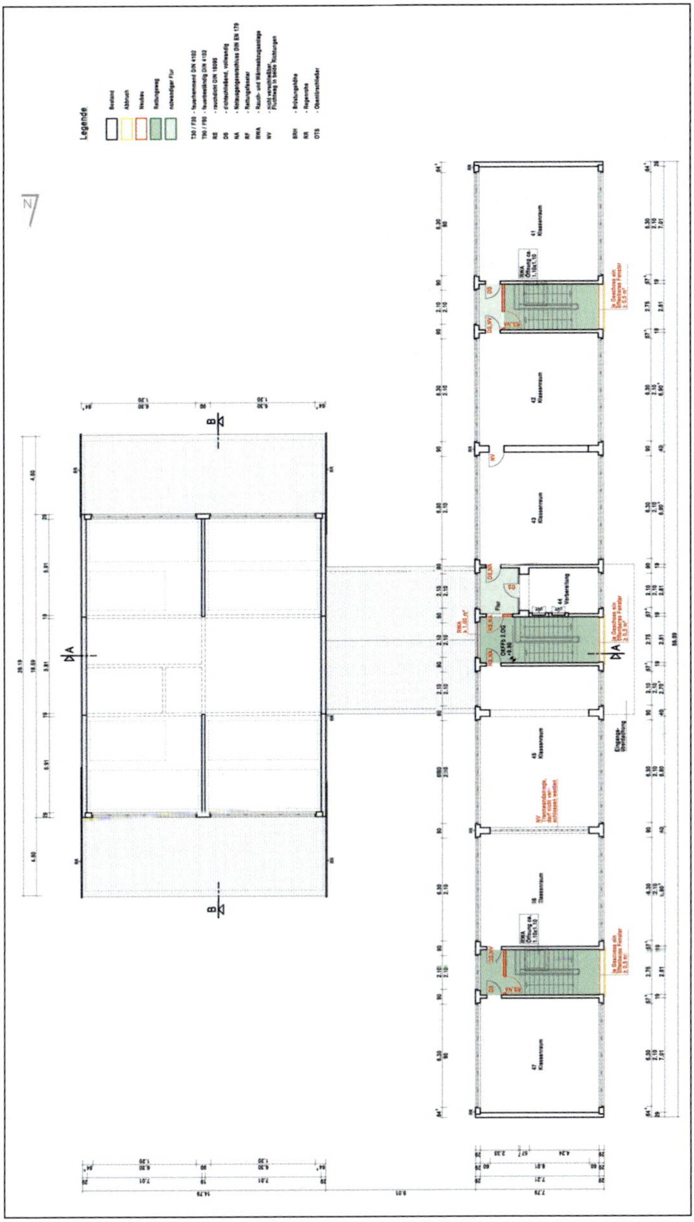

**Abbildung 27:** Bypasslösung zur Sicherung eines zweiten baulichen Rettungsweges

## Kein unabhängiger zweiter baulicher Rettungsweg vorhanden

*Konfliktsituationen*

Die Forderung nach der Unabhängigkeit der beiden baulichen Rettungswege für Unterrichtsräume kann im Bestand mitunter nicht oder nur mit einem unverhältnismäßig großen Aufwand gewährleistet werden.

*Gefährdungseinschätzung*

Eine sichere und zügige Evakuierung von allen in einer Schule befindlichen Personen ist nur über bauliche Rettungswege möglich. Der im Einzelfall nicht zu gewährleistenden Unabhängigkeit der baulichen Rettungswege kann jedoch mit besonderen Maßnahmen begegnet werden.

*Lösungsvorschläge*

Im Einzelfall ist es möglich, die Erreichbarkeit des zweiten baulichen Rettungsweges über den ersten zuzulassen. Die Voraussetzung ist dafür, dass der Weg durch den Treppenraum, der im Gefahrenfall ausfällt, nicht länger als ein zulässiger horizontaler notwendiger Stichflur wäre, der gemäß MSchulbauRL mit maximal 10 m begrenzt wird. Zudem sollte der betreffende Treppenraum, über den der Weg

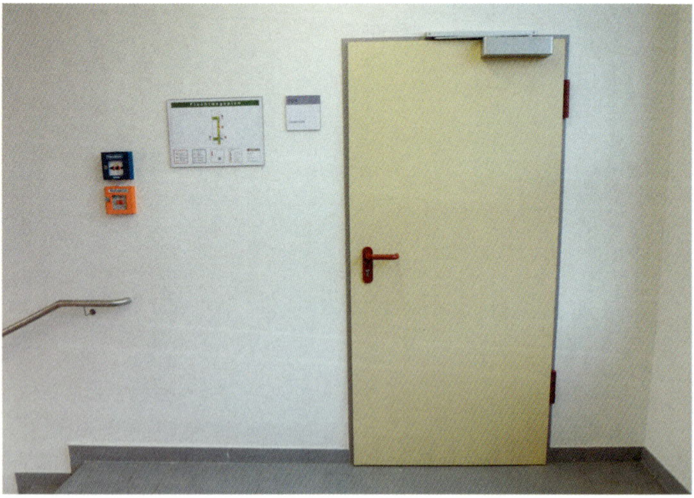

**Abbildung 28:** Zweiter baulicher Rettungsweg führt über den ersten ...

zum zweiten baulichen Rettungsweg geführt wird, mit einem automatischen Rauchabzug ausgestattet und alle Türen, die an diesen Treppenraum angrenzen, mindestens vollwandig sowie dicht- und selbstschließend ausgeführt werden (s. Abbildung 28). Die Türen, über die der zweite Rettungsweg zu erreichen ist, sind mit Notausgangsverschlüssen zu versehen.

## Fehlende Brand- oder Rauchabschnittsbildung

*Konfliktsituationen*

Bei bestehenden Schulgebäuden wurden unabhängig vom Baualter des Öfteren zur Errichtungszeit keine Brand- oder Rauchabschnitte gebildet. Sogar Treppenräume wurden häufig nicht vom sonstigen Erschließungssystem brandschutztechnisch wirksam abgetrennt.

*Gefährdungseinschätzung*

Während eine mangelhafte Brandabschnittsbildung i. d. R. in Form einer alternativen „Brandzellenbildung" akzeptiert werden kann, ist das bei einer fehlenden Rauchabschnittsbildung nicht der Fall. Wenn für die Rettungswege eine Verrauchungsgefahr über die normal zulässige für einen notwendigen Flur zu befürchten ist, liegt eine reale Gefahr vor.

**Abbildung 29:** Gänzlich brandschutztechnisch nicht gegliedertes Schulgebäude der 1960iger Jahre

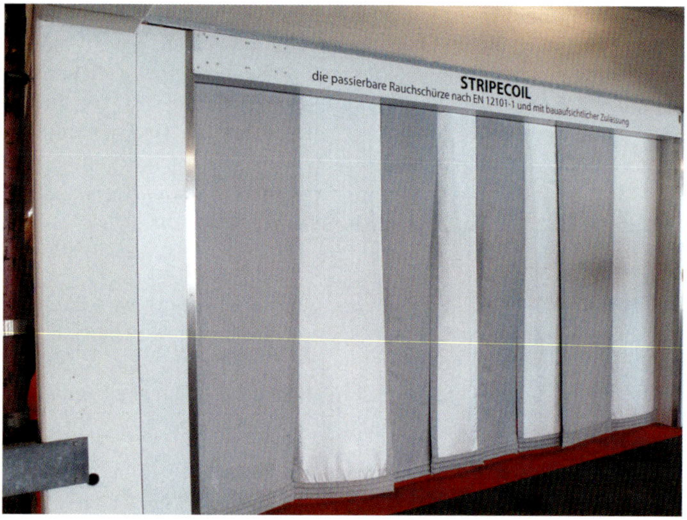


**Abbildung 30:** Begehbare Rauchschürze

*Lösungsvorschläge*

Das vorhandene Rettungswegsystem ist zu analysieren und in verträglich große Rauchabschnitte zu unterteilen, damit im Gefahrenfall eine sichere Evakuierung möglich ist. Diese Rauchabschnittsbildung kann sowohl durch den Einbau von rauchdichten Türen als auch mittels begehbarer Rauchschürzen erfolgen, die nur im Bedarfsfall herunterfahren und eine Rauchausbreitung hinreichend behindern (s. Abbildung 30).

## Evakuierung von Personen mit Handicap

*Konfliktsituation*

Viele bestehende Schulbauten haben kein geeignetes Erschließungssystem für Menschen mit Handicap. Daher steht häufig weder ein erster noch ein zweiter baulicher Rettungsweg, zumindest aus den Obergeschossen, für diesen Personenkreis zur Verfügung.

*Gefährdungseinschätzung*

Oftmals werden für die Evakuierung von Behinderten sogenannte sichere Bereiche geschaffen, von denen aus durch die Feuerwehr die Rettung erfolgen kann. Dabei wird jedoch unterschätzt, dass auch Behinderte einen Anspruch auf die Selbstrettung und damit zumindest auf einen baulichen Rettungsweg haben. Der zwangsweise Aufenthalt in den vorgenannten Evakuierungsbereichen kann außerdem zu psychologischen Spätschäden führen.

*Lösungsvorschläge*

Seit Juli 2012 gelten in allen Bundesländern die eingeführten Regelungen von DIN 18040-1 [44] als Technische Baubestimmungen und sind entsprechend zu beachten. Öffentlich zugängliche Gebäude sind derart auszuführen, dass die Selbstrettung von Menschen mit Handicap gleichsam ermöglicht wird bzw. geeignete betriebliche Vorkehrungen für die Rettung vorgesehen sind.

Es kann ein erster Rettungsweg für Rollstuhlfahrer und Behinderte auf allen Geschossebenen, der entsprechend auszuweisen ist, durch das Modifizieren eines Standardaufzuges mittels der Nachrüstung des Funktionserhaltes im Brandfall geschaffen werden. Mit folgenden relativ einfachen Maßnahmen kann damit der Rettungsweg sichergestellt werden:

- Abzweig der Stromversorgung des Aufzuges vor dem Hauptschalter des Gebäudes,
- Funktionserhaltung (I 30) der Stromversorgung des Aufzuges und
- Manuelle Türschließung der Aufzugstüren in der Kabine, wenn bei Rauchentwicklung durch eine Lichtschranke das Schließen der Kabinentür verhindert würde (Vorraum mit rauchdichten Türen) [45]

**Abbildung 31:** Die Evakuierung von Behinderten ist oft ungeklärt.

Die Voraussetzung für diese Lösung ist, dass für den ersten Rettungsweg für Rollstuhlfahrer oder anderweitig Behinderte eine ausreichende Rettungswegmarkierung nach dem „Zwei-Sinne-Prinzip“ entsprechend DIN 18040-1 [46] vorgenommen wird.

Auch ein gesonderter unabhängiger Außenaufzug oder besondere Arten von Personenrettungsschläuchen sind für die Evakuierung von Behinderten denkbar, die jedoch für den jeweiligen Einzelfall bemessen werden müssten. [47]

Alternativ ist auch der Einsatz von sogenannten Rettungsstühlen für die Rettung von mobilitätseingeschränkten Personen denkbar, wenn entsprechend geeignete und ausgebildete Evakuierungshelfer zur Verfügung stehen. Mit derartigen Evakuierungsstühlen kann ein kontrollierter Abstieg ohne schweres Heben oder Tragen ermöglicht werden (s. u. a. [48]).

## Mangelhafte Brand- und Rauchschutztüren, fehlende Feststellanlagen

*Konfliktsituation*

Auch in Schulen werden die vorhandenen selbstschließenden Brand- oder Rauchschutztüren ohne Freilaufschließer als Hindernisse angesehen und sind bei Anordnung innerhalb der Räumlichkeiten des täglichen Gebrauchs unzweckmäßig. Feststellanlagen fehlen oder sind im Laufe der Jahre wegen der mangelhaften Wartung außer Betrieb genommen worden. Außerdem werden häufig frequentierte Türen mit brandschutztechnischen Klassifikationen ohne Feststellanlagen von den Nutzern oft unzulässig unterkeilt und damit außer Funktion gesetzt.

*Gefährdungseinschätzung*

Durch die vorgenannten Handlungsweisen werden wirksame Rauch- oder Brandabschnittsbildungen außer Kraft gesetzt und der schnellen Brand- bzw. Rauchausbreitung Vorschub geleistet.

*Lösungsvorschläge*

Zunächst sind die vorgenannten unzulässigen Handlungen organisatorisch zu regeln. Sie sind außerdem schwer zu unterbinden, da der tägliche Ablauf durchaus erheblich gestört wird. Daher sollte in den Schulen eine Analyse erfolgen, welche der beschriebenen Türen die Tagesabläufe tatsächlich erheblich beeinträchtigen. Diese Türen sollten entweder mit zugelassenen Feststelleinrichtungen oder mit

**Abbildung 32:** Feststellanlage defekt

Freilaufschließern nachgerüstet werden, um eine ständige Offenhaltung zu gewährleisten und die brandschutztechnische Funktion zu sichern.

Lagerbereiche, elektrische Betriebsräume, Heizungsräume und sonstige Räume mit besonderen Brandgefahren sind brandschutztechnisch wirksam mit zugelassenen Türen abzutrennen und ggf. mit Rauchwarnmeldern auszustatten.

Die Mitarbeiter müssen im Rahmen der jeweiligen Brandschutzordnung mit diesen baulichen Gegebenheiten vertraut gemacht werden. Die regelmäßige Wartung und aktenkundige Prüfung der Schließmechanismen sind im Rahmen des Gebäudemanagements als fester Bestandteil zu gewährleisten.

## Notausgangsverschlüsse

*Konfliktsituation*

Für stark frequentierte Türen, die während einer Evakuierung im Gefahrenfall benötigt werden, sind oftmals keine aktuell zugelassenen Notausgangsverschlüsse angeordnet.

*Gefährdungseinschätzung*

Im Fall einer Evakuierung oder gar einer Panik kann das Fehlen geeigneter Notausgangsverschlüsse zu einem verheerenden Schadensfall führen.

**Abbildung 33:** Untauglicher Beschlag im Verlauf eines Rettungsweges

*Lösungsvorschläge*

Zur Festlegung der entsprechend benötigten Klassifikation von Notausgangsverschlüssen ist eine konkrete Gefahrenanalyse für den jeweiligen Einzelfall erforderlich. Die entsprechend benötigten Notausgangs- bzw. Paniktürverschlüsse sind in Anlehnung der aktuell gültigen Normen DIN EN 179 [49] und DIN EN 1125 [50] nachzurüsten, mit Ausnahme denkmalgeschützter Türen, für die im Einzelfall eine geeignete Nachrüstungsvariante oder eine organisatorische Regelung zu finden ist, was i. d. R. problemlos möglich ist.

## Mangelhafte Leitungsanlagen

*Konfliktsituation*

In vielen Fällen erfolgte die Verlegung von haustechnischen Versorgungsleitungen entweder nicht gemäß den jeweiligen bauzeitlichen Regeln oder es wurde im Laufe der Nutzung unsachgemäß erweitert.

*Gefährdungseinschätzung*

Durch die offene oder verdeckte Verlegung von Versorgungsleitungen jeglicher Art in Rettungswegen oder die mangelhaften bzw. fehlenden Leitungsschottungen bestehen oftmals konkrete Gefahrensituationen, die wesentlich schwerer wiegen als z. B. ein mangelhafter Feuerwiderstand raumabschließender Bauteile wie Decken.

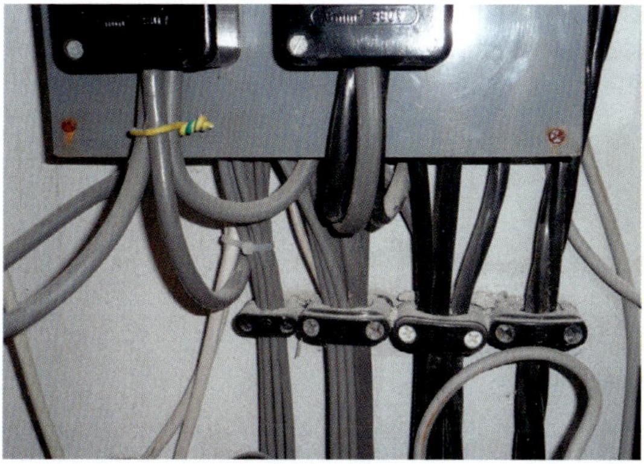

**Abbildung 34:** Unsachgerechte Leitungsverlegung

*Lösungsvorschläge*

Zunächst ist i. d. R. eine Überprüfung der Leitungsanlagen in den notwendigen Fluren und Treppenräumen erforderlich. Daran anschließend sind die Durchführungen durch brandschutztechnisch klassifizierte Bauteile zu inspizieren. Bei anzutreffenden Mängeln ist eine Behebung gemäß der jeweils gültigen Leitungsanlagen- bzw. Lüftungsanlagenrichtlinie vordringlich vor anderen Maßnahmen durchzuführen. Im Bestand sind häufig nicht die exakten Randbedingungen der aktuell gültigen Richtlinien einzuhalten, daher ist eine sinngemäße Anwendung anzuraten, der das vordringliche Ziel der Gefahrenbeseitigung zu Grunde zu legen ist.

## Abweichungen von notwendigen Bauteilklassifikationen

*Konfliktsituation*

Schulen im Bestand erfüllen zumeist nicht mehr die aktuellen brandschutztechnischen Anforderungen an die Baustoffe oder Bauteile. Werden an diesen Bauteilen Änderungen vorgenommen, kann das zu einem zunächst berechtigten bauordnungsrechtlichen Anpassungsverlangen führen.

*Gefährdungseinschätzung*

Im Allgemeinen zieht eine Abweichung von aktuellen bauordnungsrechtlichen Bauteilklassifizierungen nicht sofort eine konkrete Gefahrensituation nach sich. Dennoch sind die Abweichungstatbestände aufzulisten und mit der unteren Brandschutzdienststelle abzuklären, da von einem mangelhaften Feuerwiderstand u. U. die Löscharbeiten betroffen sein können.

**Abbildung 35:** Feuerwiderstand der Decken nicht gemäß MSchulbauR

*Lösungsvorschläge*

Im Vorfeld der Festlegung von baulichen Brandschutzmaßnahmen ist es empfehlenswert, die Feuerwiderstände der bestehenden Bauteile gemäß den zur Errichtungszeit geltenden Regeln zu ermitteln (z. B. gemäß TGL 10685). Diese können unter dem Aspekt des Bestandsschutzes in die weitere Nachweisführung einbezogen werden.

Im Allgemeinen ist ohnehin oftmals ein Feuerwiderstand von 30 bis 60 Minuten ausreichend, auch wenn aus bauordnungsrechtlicher Sicht beispielsweise bei der Gebäudeklasse 5 einer Schule 90 Minuten verlangt werden. Diese Zeitspanne reicht zum einen für eine sichere Evakuierung aller Personen, die sich in einer Schule aufhalten, und zum anderen für das Einleiten wirksamer Löscharbeiten aus. In Einzelfällen kann durch ein nachträgliches Verputzen, z. B. von betroffenen Deckenbereichen, eine angemessenen Erhöhung der Feuerwiderstandsdauer erreicht werden, wobei auch in derartigen Fällen zumeist ein Feuerwiderstand von 60 Minuten vollkommen ausreichend ist. Stahlträger in Kellergeschossen können ebenfalls verputzt oder mit einem dämmschichtbildenden Anstrich versehen werden. Eine sinnvolle Kompensationsmaßnahme ist im Einzelfall das Anordnen von Rauchwarnmeldern in gefährdeten Bereichen, damit eine schnelle Branddetektion einen Zeitgewinn ermöglicht.

## „Fremdartige Nutzungen", Versammlungsstätten in Schulen

*Konfliktsituation*

Größe Räume wie Aulen, Mehrzweckräume oder Sporthallen in Schulgebäuden werden i.d.R. auch für andere Zwecke als für die reguläre Schulnutzung zur Verfügung gestellt. Dadurch entstehen u.U. höhere brandschutztechnische Anforderungen an Schulgebäude durch andere Sonderbauvorschriften.

Gemäß einer Einschätzung des zuständigen Bayrischen Staatsministeriums für Unterricht und Kultus gelten die Vorschriften der Versammlungsstättenverordnung grundsätzlich auch für Versammlungsräume in Schulen, wenn diese mehr als 200 Personen fassen. Davon ausgenommen sind aber die Unterrichtsräume in allgemeinbildenden Schulen (nicht jedoch Aulen und Hallen), sofern diese als Veranstaltungsräume genutzt werden sollen. Der „Betreiber" oder ein geeigneter Beauftragter muss unter anderem während des Betriebs einer Versammlungsstätte anwesend sein und ist für die Einhaltung der Betriebsvorschriften verantwortlich. Darüber hinaus wird ausgeführt **„Nach § 47 VStättV besteht eine Anzeigepflicht bei der zuständigen Bauaufsichtsbehörde für Veranstaltungen, die vor mehr als 200 Besuchern in Räumen durchgeführt werden sollen, die nicht als Versammlungsräume genehmigt sind. Das in § 47 VStättV vorgeschriebene Verfahren gilt jedoch nicht für Veranstaltungen, die mit zum Wesen der spezifischen Nutzung eines Gebäudes gehören. Hierzu zählen bei einem Schulgebäude Veranstaltungen, die einem Schulbetrieb immanent sind wie Schuleinschreibungen, Abschlussfeiern, Elternabende, Schulaufführungen von Schülern vor ihren Eltern und Lehrern sowie Schulfeste, Weihnachtsfeiern, etc. Eine Anzeige bei der unteren Bauaufsichtsbehörde i.S.d. § 47 VStättV ist dann erforderlich, wenn in einem Raum eines Schulgebäudes, der kein Versammlungsraum ist, eine Veranstaltung durchgeführt werden soll, die ihrem Wesen nach nicht zum Schulbetrieb gehört und die von der genehmigten Nutzung des Gebäudes nicht umfasst und abgesichert ist (z.B. Vereinsfest, Faschingsfeier eines außerschulischen Veranstalters etc.). Der Betreiber i. S. der VStättV ist bei öffentlichen Schulen in der Regel der Sachaufwandsträger bzw. bei privaten Schulen der Schulträger. Wer im konkreten Einzelfall die Aufgaben bei Veranstaltungen wahrzunehmen hat, ergibt sich aus der Organisationsverantwortung des Sachaufwandsträgers bzw. des privaten Schulträgers."** [51]

**Abbildung 36:** Eine Aula wird oft auch als Versammlungsstätte genutzt.

*Gefährdungseinschätzung*

Fremdartige Nutzungen können an bestehende Schulen, insbesondere hinsichtlich der brandschutztechnischen Eigenschaften an Bauteile, überfordert werden und unangemessene Brandschutzmaßnahmen wie den Anbau zusätzlicher baulicher Rettungswege nach sich ziehen.

*Lösungsvorschläge*

Dem Festlegen ausgewählter erweiterter Nutzungen wie der einer Versammlungsstätte hat eine entsprechende Gefährdungsanalyse vorauszugehen, um zu vermeiden, dass verständliche Nachforderungen des Brandschutzes entstehen. Darüber hinaus ist zu analysieren, ob die geplante Nutzung tatsächlich der einer Versammlungsstätte i. S. der Versammlungsstättenverordnung entspricht (s. „Konfliktsituation"), die nicht dem Wesen nach einer spezifischen Schulnutzung gleichkommt. Danach ist abzuwägen, ob es sich lohnt, den Aufwand einer Nachrüstung zu betreiben, oder anstelle dessen eine andere Räumlichkeit eher als Versammlungsstätte geeignet ist. Wenn das nicht der Fall sein sollte, ist entweder ein zweiter unabhängiger Rettungsweg zu schaffen oder zumindest über einen sogenannten Bypass ein temporär nutzbarer zweiter baulicher Rettungsweg zur Verfügung zu stellen.

## Freihalten von Rettungswegen und Nutzung von Fluren

*Konfliktsituation*

Notwendige Flure oder Treppenräume werden in Schulen gern zur Unterbringung von Garderoben und zur Präsentation von aktuellen Leistungen der Schüler genutzt und machen so das Leben in einer Schule „bunter". Eine Vielzahl von Infotafeln, Aufstellern, Dekorationen während besonderer Veranstaltungen, Bildern und Zeichnungen, aber auch Garderoben erhöhen z.T. jedoch die Brandlast in den Rettungswegen.

*Gefährdungseinschätzung*

Die Gegenstände können bei dichteren Personenströmen umfallen und dadurch die Rettungswege beeinträchtigen. Garderoben bergen ein erhebliches Gefährdungspotenzial wegen ihrer Brandlasten.

*Lösungsvorschläge*

Durch die Schaffung von Durchgangsbreiten von 1,20 m und die Überprüfung der vorhandenen Gegenstände sind die notwendigen Rettungswege freizuhalten. In den Rettungswegen sollte verschließbaren Infotafeln unter Glas und verschließbaren Garderobenschränken aus Stahl oder Hartholz (B1 – schwerentflammbar) der Vorzug

**Abbildung 37:** Brandlasten dürfen Rettungswege nicht beeinträchtigen.

gegeben werden. In Hortbereichen ist es ähnlich wie bei Kindertagesstätten zu vertreten, Nutzungsabschnitte bis etwa 400 $m^2$ ohne notwendigen Flur auszuweisen, innerhalb derer der Kreativität – selbstverständlich unter Einhaltung der erforderlichen Mindestbreiten von Rettungswegen – keine Grenzen gesetzt werden.

## Fehlende Sicherheitsbeleuchtung

*Konfliktsituation*

Gemäß den aktuellen Regelungen der Muster-Schulbau-Richtlinie müssen in allen notwendigen Fluren, notwendigen Treppenräumen und fensterlosen Aufenthaltsräumen Sicherheitsbeleuchtungen vorhanden sein. Diese sind im Bestand oftmals nicht gewährleistet und können nur mit erhöhtem Aufwand nachträglich eingebaut werden.

*Gefährdungseinschätzung*

Während in fensterlosen Aufenthaltsräumen die Notwendigkeit einer Sicherheitsbeleuchtung nicht zu bestreiten ist, kann wegen des Fehlens einer Sicherheitsbeleuchtung in Treppenräumen und notwendigen Fluren mit Fenstern nicht automatisch eine konkrete Gefahr unterstellt werden.

**Abbildung 38:** Rettungswegbeleuchtung dient gleichsam als Sicherheitsbeleuchtung.

*Lösungsvorschläge*

In den betroffenen Bereichen kann im Einzelfall die Rettungswegausweisung, bei einem Lichtaustritt nach unten, mit als Sicherheitsbeleuchtung herangezogen werden. Außerdem sind arbeitsschutzrechtliche Belange in diesem Zusammenhang mit zu berücksichtigen.

## Unvollständige Brandschutzordnung

*Konfliktsituation*

In Schulen für Kinder werden auf gesetzlicher Grundlage turnusmäßig (i. d. R. halbjährlich) Evakuierungsübungen durchgeführt. Es gibt zumeist auch zusammengefasste Ausführungen zum organisatorischen Brandschutz, die zumindest der Schulleitung vorliegen. Eine allen Mitarbeitern gleichermaßen bekannte Brandschutzordnung, gemäß DIN 14096 [52], ist jedoch in der Realität noch selten anzutreffen.

*Gefährdungseinschätzung*

In zunehmend komplexen Nutzungsbereichen wie Schulen ist die Nutzung durch fehlenden oder mangelhaften organisatorischen Brandschutz erheblich gefährdet. Statistiken belegen, wie sinnvoll insbesondere der organisatorische Brandschutz für Schulen ist. [53]

**Abbildung 39:** Zuständigkeiten für den Brandschutz müssen verbindlich geklärt sein.

*Lösungsvorschläge*

Die Sicherstellung der Handlungen und Abläufe im täglichen Betrieb mit konkreter Benennung der Zuständigkeit im Rahmen einer Brandschutzordnung gibt Rechtssicherheit bei allen handelnden Personen. Daher ist entweder die vorhandene Brandschutzordnung regelmäßig zu aktualisieren oder eine neue Brandschutzordnung nach DIN 14096 [54] zu erstellen, die sowohl das Verhalten im Gefahrenfall rechtlich eindeutig regelt als auch der wirksamen Prävention dient. Diese erhöht die Sicherheit beim Betrieb von Schulen erheblich. Es werden Lücken in den individuell getroffenen Regelungen erkannt und offengelegt, verbindliche Regelungen auch beim Personalwechsel getroffen und der Arbeits- und Gesundheitsschutz gestärkt.

# Vorschläge für Brandschutzmaßnahmen bei Schulen und Kindertagesstätten im Bestand 5

## Bestandsanalyse bestehender Bauteile 5.1

Für die brandschutztechnische Beurteilung von vorhandenen Gebäuden sind im Vorfeld einer brandschutztechnischen Sanierungsplanung die Bauwerksteile zu analysieren. Die vorhandene bauliche Situation entspricht nur selten den abstrakten Forderungen des aktuellen Brandschutzes. Häufig kann zudem die bauliche Bestandssituation den zunächst erforderlichen Brandschutzmaßnahmen nicht angepasst werden, sondern vielmehr ist zu fordern, dass die Brandschutzmaßnahmen Rücksicht auf den Bestand nehmen müssen. Aus Angst vor Fehleinschätzungen wegen fehlender (nicht finanzierter) Analyseschritte oder aus Unkenntnis werden historische Konstruktionen unzutreffend eingeschätzt, was entweder zu unnötigen, unwirtschaftlichen und sogar komplizierten Maßnahmen oder zu einer mangelhaften Risikobeurteilung führt. Die Konsequenzen sind erschwerte Verwirklichungen und Qualitätsprobleme. Es entstehen zudem Vorschläge, die insbesondere bei denkmalgeschützten Konstruktionen im Widerspruch zur denkmalpflegerischen Zielstellung stehen und sich in der Praxis als nicht durchführbar erweisen.

In der Praxis stellt sich die Beurteilung des Bestehenden erfahrungsgemäß als schwierig dar. Immer noch fehlen konstruktives Wissen um historische Bauweisen und anwendbare Kriterien für die Instandsetzung. Gleichzeitig werden bauzeitliche Konstruktionsregeln infolge moderner Normungen für Neubauten von den genehmigenden Behörden oder von Planern unsinnigerweise nicht mehr akzeptiert. Rückgriffe auf historische Aussagen, Regelwerke der Errichtungszeit und Veröffentlichungen abseits Eingeführter Technischer Baubestimmungen (für Neubauten) finden noch zu wenig Akzeptanz oder werden durch das derzeitige Prüfwesen ver- oder zumindest behindert.

Trotz der allgemein bekannten Tatsache, dass aufgrund der Vielzahl konstruktiver Details nicht immer eine Vereinheitlichung von Konstruktionsarten erfolgen kann, ist zumindest für viele Fälle eine verallgemeinernde Aussage zum Feuerwiderstandsverhalten möglich. Ein konkreter Bezug auf DIN 4102-4 ist oft nicht gegeben, aber auch nicht zwingend. Für die Beurteilung einer Bestandskonstruktion empfiehlt es sich, Beschreibungen wie „adäquat“ oder „in Anlehnung an“ zu verwenden.

Bei der Einschätzung des Feuerwiderstandes von bestehenden Bauteilen sind folgende Kriterien, unabhängig von der materialtechnischen Beschaffenheit, von grundlegender Bedeutung:

- Materialbestandteile und -qualitäten
- Einbausituationen (freiliegend, vollständig oder teilweise bekleidet)
- tatsächliche statische Auslastung einer vorhandenen Tragkonstruktion
- vorhandene Auflagerungen und Einspannungen
- Verbindungsmittel
- Überdeckungen und Beschichtungen, z. B. von Beton- oder Stahlkonstruktionen.

Teil 4 der DIN 4102 enthält auf der Grundlage von Brandprüfungen Aussagen zum Brandverhalten von Baustoffen und Bauteilen. Dort werden die klassifizierten Baustoffe, Bauteile und Sonderbauteile zusammengestellt und deren Anwendung geregelt. Die enthaltenen Bauteile oder Baustoffe können demnach ohne weitere Prüfung gemäß dieser Norm klassifiziert und angewendet werden. Da nur wenige Bauteile von Bestandsbauwerken nach DIN 4102-4 für den Umgang mit historischem Gebäudebestand ausreichend klassifiziert sind, hat der Planende nur eine teilweise abgesicherte Basis. Außerdem erschienen und erscheinen harmonisierte europäischer Normen mit der Konsequenz, dass Teile der DIN 4102-4 in der vorliegenden Form nicht mehr anwendbar sein werden. [55] Demzufolge gilt es Ausschau zu halten nach Alternativen, nach gelungenen Beispielen und nach Ansätzen außerhalb der geschaffenen Normung für Neubauten.

Auf bestehende Gebäude sind aus diesem Teil 4 z. B. hinsichtlich historischer hölzerner Bauteile nur einige Festlegungen zu Feuerwiderstandsklassen von Fachwerkwänden mit ausgefüllten Gefachen, zu Holzbalkendecken und zu Dächern aus Holz übertragbar. Einerseits können die in der Norm benannten Rahmenbedingungen durch bestehende Bauteile jedoch nicht als erfüllt angesehen werden, so dass eine exakte Klassifikation nach DIN 4102-4, vor allem ohne beeinträchtigende Eingriffe in das Bestehende, selten gelingen dürfte. Andererseits ist es auch nicht erschöpfend möglich oder sinnvoll, eine vollständige Normung für Bestandsbauteile vorzunehmen. Zur Systematisierung wesentlicher Gebäudeteile können u. a. die Untersuchungen von H.-P. Leimer [56], P. Nause [57] oder B. Barrois [58] herangezogen werden.

Um ein bestehendes bauliches Gefüge und sein Tragwerk einschließlich seiner Qualitäten wirklichkeitsnah einschätzen zu können, ist ein Rückgriff auf die zu seiner Bauzeit gültig gewesenen Regeln oder Normen empfehlenswert. Dadurch kann das zur Errichtungszeit vereinbarte Sicherheitsniveau und -konzept verstanden und nachempfunden werden. Zugleich treten Quellen zu Tage, die Auskunft über die mögliche Leistungsfähigkeit und die zu berücksichtigenden Schwächen im Brandfall geben. Umfangreiche Aussagen dazu sind u.a. bei R. Ahnert [59], K. Erler [60], W. Mönck und W. Rug [61], in historischen Vorschriften [62] und Erlassen [63] sowie in klassischer Fachliteratur wie bei Metz [64] zu finden.

Ausführliche Informationen und Zusammenstellungen zur geeigneten Beurteilung bestehender Bausubstanz sind in der Veröffentlichung „Baulicher Brandschutz im Bestand, Brandschutztechnische Beurteilung vorhandener Bausubstanz“ – auch unter Verweis auf bauzeitliche Regelungen zum Brandschutz – zu finden. [65]

## Rückgriff auf bauzeitliche Sonderbauvorschriften 5.2

Historische organisatorische Brandschutzmaßnahmen allein sind nicht mehr als ausreichende Garantie der Schutzziele gemäß Musterbauordnung, Landesbauordnungen oder Sonderbauvorschriften anzusehen. Trotzdem können die historischen bauzeitlichen Regelwerke durchaus wertvolle Hinweise für die Sanierungsplanung beisteuern. Bereits im 19. Jahrhundert wurde versucht, vereinheitlichende Regelungen für Schulbauten aufzustellen. So sind z.B. von dem Autor W. Zwez Hinweise für die Er- und die Einrichtung von Schulhäusern zusammengetragen worden. [66] Der Brandschutz wurde von Zwez nur dahingehend thematisiert, dass erörtert wurde, dass ein steinerner Bau hinsichtlich des Brandschutzes einem Holzbau wohl vorzuziehen sei, ohne diese Bauart ausschließen zu wollen.

In der DDR wurden in den 1960er Jahren unterschiedliche Typenprojekte im Rahmen eines Schulbauprogramms entwickelt (sogenannte „Wiederverwendungsprojekte“), die als standardisierte Entwürfe den jeweiligen konkreten Schulstandorten anzupassen waren. Eine Zusammenfassung der gewollten Entwicklung, die grundlegenden Projekttypen und deren Nutzungsstrukturen einschließlich einer Beschreibung der dazugehörigen Außenanlagen ist in „Schulbau in der DDR“ zu finden. [67]

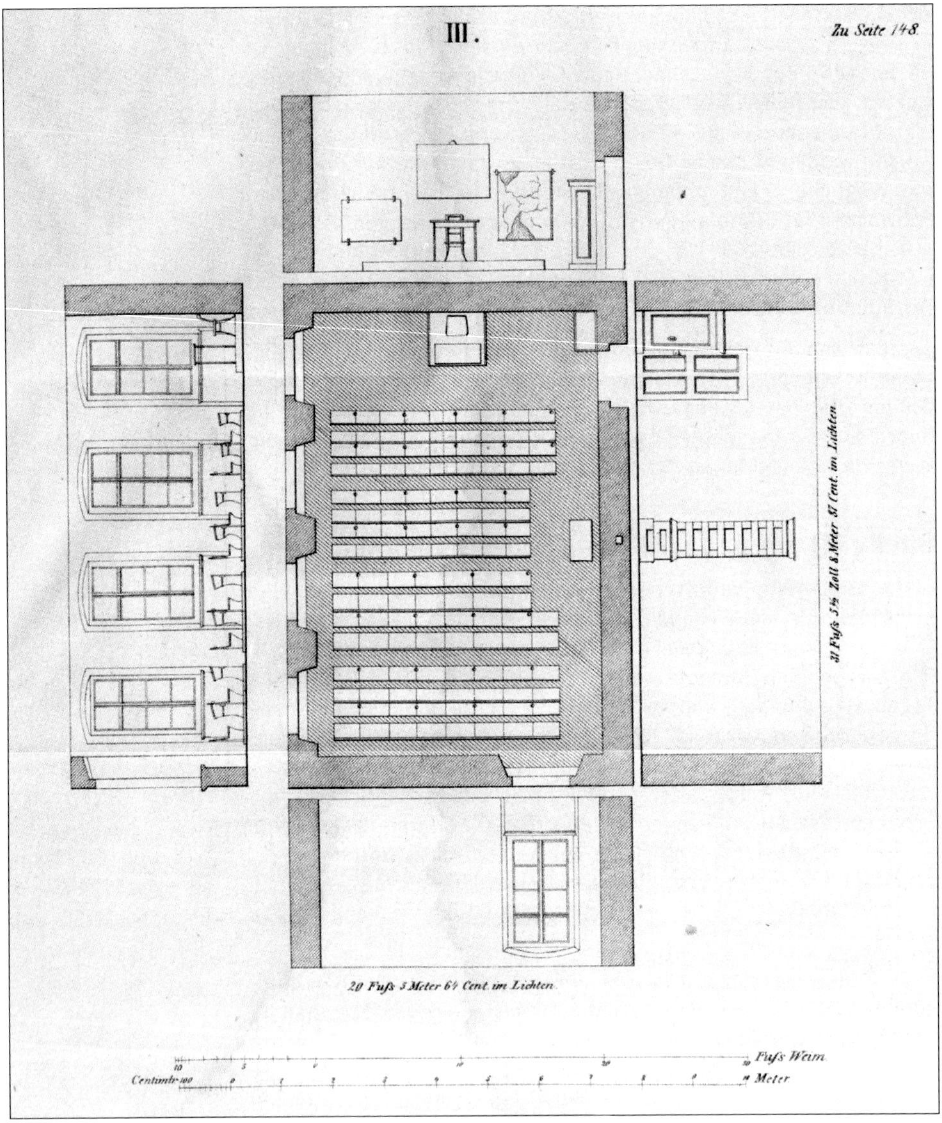


**Abbildung 40:** Vorschlag für die Einrichtung eines Klassenzimmers, aus [68]

Typenprojekte gab es ebenfalls für Kinderkrippen und Kindergärten. Für den Brandschutz von Schulgebäuden wurde im Jahre 1968 der DDR-Standard TGL 10734 [69] geschaffen.

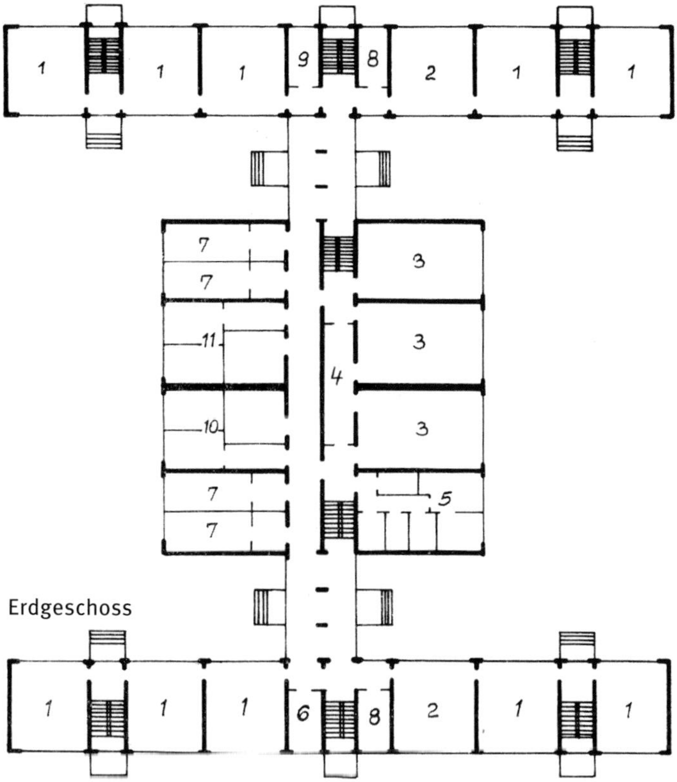


1 = Normalklasse
2 = Reserveklasse
3 = Werken
4 = Nebenraum
5 = Hausmeisterwohnung
6 = Hausmeister Arbeitsraum
7 = WC
8 = Teeküche
9 = Gesellsch. Org.
10 = Techn. Personal
11 = Arztraum

**Abbildung 41:** Erdgeschossgrundriss der Typenserie 66 für eine vierzügige polytechnische Oberschule in der DDR

Für den Brandschutz von Schulen und von Vorschuleinrichtungen für Kinder, so lautete der brandschutztechnische Sammelbegriff für Kinderkrippen und -gärten in der TGL 10685, war jeweils ein brandschutztechnisches Projekt zu erarbeiten (s. [70]). Gemäß TGL 10685/06 waren Schulen, Schulhorte und Kindergärten in die Brandgefahrenklasse D und Kinderkrippen in die Brandgefahrenklasse C einzuordnen, was bei der weiterführenden Bestimmung der erforderlichen brandschutztechnischen Eigenschaften der Baustoffe oder Bauwerksteile wie der tragenden- und aussteifenden Bauteile, der Treppenkonstruktion und der Treppenraumtüren, der Ausbaukonstruktionen und der Wand- und Deckendurchführungen bei der Verwendung von Plasterohren zu berücksichtigen war. Der organisatorische Brandschutz nahm an Schulen in der DDR einen sehr hohen Stellenwert ein.

In der Bundesrepublik regelte man erstmals im Jahre 1976 mit dem „Muster über Bauaufsichtliche Richtlinien für Schulen" ganzheitlich die grundlegenden Anforderungen an Schulen einschließlich des Brandschutzes (s. Kap. 4.3 und Anhang 7.2). Hier wurden neben den Anforderungen durch den Brandschutz sämtliche Verweise auf DIN-Normen, VDE-Bestimmungen, Unfallverhütungsvorschriften, andere bauaufsichtliche Richtlinien, Eingeführte Technische Baubestimmungen und die als autonomes Recht erlassenen Unfallverhütungsvorschriften der Unfallversicherungsträger aufgeführt.

Insbesondere zur Beurteilung der vorhandenen Feuerwiderstände von tragenden und aussteifenden Bauteilen, dem Brandverhalten von zur Errichtungszeit eingesetzten Baustoffen und zur gedachten brandschutztechnischen Gliederung eines bestehenden Gebäudes sollten die bauzeitlichen Regelwerke herangezogen werden, um feststellen zu können, in welchem Grade ein Bestandsschutz angemessen berücksichtigt werden kann.

## 5.3 Detaillösungen für bestehende Kindertagesstätten

In den Tabellen 3 bis 5 wurden für Kindertagesstätten im Einzelfall geeignete bauliche, anlagentechnische und organisatorische brandschutztechnische Maßnahmen zusammengestellt und deren Wirkungsweise erläutert.

**Tabelle 3:** Bauliche Brandschutzmaßnahmen für bestehende Kindertagesstätten

<table>
<tr><th rowspan="2">Lfd. Nr.</th><th rowspan="2">Beispiel</th><th>Brandschutztechnische Maßnahme</th></tr>
<tr><th>Bauliche Brandschutzmaßnahme für ...</th></tr>
<tr><td rowspan="2">1</td><td rowspan="2"></td><td>Anbau einer zusätzlichen Treppe (2. Rettungsweg)</td></tr>
<tr><td>• Erfüllen der bauordnungsrechtlichen Anforderung an den 2. baulichen Rettungsweg</td></tr>
<tr><td rowspan="2">2</td><td rowspan="2"></td><td>Anbau eines stationären alternativen 2. baulichen Rettungsweges: Evakuierungsrutsche</td></tr>
<tr><td>• Erfüllen der bauordnungsrechtlichen Anforderung an den 2. baulichen Rettungsweg<br>• Beschleunigung der Evakuierung</td></tr>
</table>

**Tabelle 3** *(fortgesetzt)*

<table>
<tr><th rowspan="2">Lfd. Nr.</th><th rowspan="2">Beispiel</th><th>Brandschutztechnische Maßnahme</th></tr>
<tr><th>Bauliche Brandschutzmaßnahme für ...</th></tr>
<tr><td rowspan="2">3</td><td rowspan="2"></td><td>Anbau eines temporären alternativen 2. baulichen Rettungsweges: Personenrettungsschlauch</td></tr>
<tr><td>• Erfüllen der bauordnungsrechtlichen Anforderung an den 2. baulichen Rettungsweg<br>• Beschleunigung der Evakuierung</td></tr>
<tr><td rowspan="2">4</td><td rowspan="2">
</td><td>Anbau von Notausgangsverschlüssen gemäß DIN EN 179</td></tr>
<tr><td>• Sicherstellen der zügigen Evakuierung im Gefahrenfall</td></tr>
</table>

**Tabelle 3** *(fortgesetzt)*

<table>
<tr><th rowspan="2">Lfd. Nr.</th><th rowspan="2">Beispiel</th><th>Brandschutztechnische Maßnahme</th></tr>
<tr><th>Bauliche Brandschutzmaßnahme für ...</th></tr>
<tr><td rowspan="2">5</td><td rowspan="2"></td><td>Ertüchtigung von Bestandstüren</td></tr>
<tr><td>• Erfüllen bauordnungsrechtlicher Anforderungen an Türen zu Treppenräumen oder notwendigen Fluren<br>• Schutz von Treppenräumen</td></tr>
<tr><td rowspan="2">6</td><td rowspan="2"></td><td>Einbau von Brandschutztüren für Räume mit erhöhten Brandlasten, z. B. Kinderwagenräume</td></tr>
<tr><td>• Erfüllen bauordnungsrechtlicher Anforderungen an Türen zu Treppenräumen oder notwendigen Fluren<br>• Schutz von Treppenräumen<br>• Vermeidung einer Brand- oder Rauchausbreitung</td></tr>
</table>

**Tabelle 4:** Anlagentechnische Brandschutzmaßnahmen für bestehende Kindertagesstätten

| Lfd. Nr. | Beispiel | Brandschutztechnische Maßnahme |
|---|---|---|
| | | **Anlagentechnische Brandschutzmaßnahme für ...** |
| 1 |  | Einbau eines Rauchabzuges |
| | | • Sicherung des Feuerwehreinsatzes<br>• Im Einzelfall Sicherung von Rettungswegen |
| 2 |  | Installation von Rauchwarnmeldern (kleinere Einrichtungen) |
| | | • Kompensation für brennbare Ausstattungen<br>• Verhinderung der Brandausbreitung<br>• Sicherung der schnellen Evakuierung |

**Tabelle 4** *(fortgesetzt)*

| Lfd. Nr. | Beispiel | Brandschutztechnische Maßnahme |
|---|---|---|
| | | **Anlagentechnische Brandschutzmaßnahme für …** |
| 3 |  | Installation einer Brandmeldeanlage (i. d. R. nur für größere Tageseinrichtungen) |
| | | • Schnelle Alarmierung im Gefahrenfall<br>• Kompensation für brennbare Ausstattungen<br>• Verhinderung der Brandausbreitung |
| 4 |  | Feststellanlagen |
| | | • Verhindern unsachgemäßer Offenhaltung<br>• Sicherung von Rettungswegen |

**Tabelle 4** *(fortgesetzt)*

<table>
<tr><th rowspan="2">Lfd. Nr.</th><th rowspan="2">Beispiel</th><th>Brandschutztechnische Maßnahme</th></tr>
<tr><th>Anlagentechnische Brandschutzmaßnahme für ...</th></tr>
<tr><td rowspan="2">5</td><td rowspan="2"></td><td>Feuerlöscher und Löschdecken</td></tr>
<tr><td>• Sicherung gefährdeter Bereiche<br>• Löschdecken für Küchenbereiche</td></tr>
<tr><td rowspan="2">6</td><td rowspan="2">
</td><td>Abschaltbare Stromkreise, z. B. Küchen</td></tr>
<tr><td>• Vorbeugen einer unberechtigten Nutzung<br>• Verringerung der Gefahr einer Brandentstehung</td></tr>
</table>

**Tabelle 5:** Organisatorische Brandschutzmaßnahmen für bestehende Kindertagesstätten

<table>
<tr><th rowspan="2">Lfd. Nr.</th><th rowspan="2">Beispiel</th><th>Organisatorische Maßnahme</th></tr>
<tr><th>Regelungen für ...</th></tr>
<tr><td rowspan="2">1</td><td rowspan="2">
</td><td>Regelungen<br>in der Brandschutzordnung<br>gemäß DIN 14096</td></tr>
<tr><td>• Festlegen eines Brandschutzbeauftragten<br>• Verantwortlichkeiten bei der Evakuierung<br>• Regeln der Zuständigkeiten zur Prävention</td></tr>
<tr><td rowspan="2">2</td><td rowspan="2"></td><td>Freihalten von ausreichenden<br>Rettungswegbreiten<br>in Spielfluren</td></tr>
<tr><td>• Verminderung von besonderen Gefährdungen in den Fluren<br>• Reduzierung von Stolpergefahren etc.</td></tr>
</table>

**Tabelle 5** *(fortgesetzt)*

| Lfd. Nr. | Beispiel | Organisatorische Maßnahme |
|---|---|---|
| | | **Regelungen für ...** |
| 3 |  | Üben des richtigen Umgangs mit offenem Feuer/Licht |
| | | • Erziehen zum souveränen Umgang mit dem wichtigen, aber gefährlichen Element<br>• Schulen des kindlichen Auges für Gefahren |
| 4 |  | Rettungswegkennzeichung, die Kinder wahrnehmen |
| | | • Wirksame alternative Kennzeichnungen, die in der Tageseinrichtung bekannt sind, anstelle von international harmonisierten |
| 5 |  | Brandschutztag mit der Feuerwehr |
| | | • Spielerisches Vermitteln von grundlegenden Kenntnissen zum Brandschutz<br>• Stärken des Respekts vor der gefährlichen Arbeit eines Feuerwehrmanns |

**Tabelle 5** *(fortgesetzt)*

| Lfd. Nr. | Beispiel | Organisatorische Maßnahme |
|---|---|---|
| | | **Regelungen für ...** |
| 6 |  | Feuerlöscher an geeigneten Stellen gut sichtbar anbringen |
| | | • Feuerlöscher stehen so an den richtigen Stellen parat, an denen sie ggf. tatsächlich benötigt werden |
| 7 |  | Einrichten kurzer Rettungswege aus den Gruppenräumen |
| | | • Gewährleisten einer zügigen Evakuierung |

**Tabelle 5** *(fortgesetzt)*

<table>
<tr><th rowspan="2">Lfd. Nr.</th><th rowspan="2">Beispiel</th><th>Organisatorische Maßnahme</th></tr>
<tr><th>Regelungen für ...</th></tr>
<tr><td rowspan="2">8</td><td rowspan="2"></td><td>Zentralen Sammelplatz einrichten</td></tr>
<tr><td>• Zügiges Feststellen, ob alle Kinder evakuiert wurden<br>• Ausschließen einer Behinderung der Löscharbeiten</td></tr>
<tr><td rowspan="2">9</td><td rowspan="2"></td><td>Ausmustern ungeeigneter elektrischer Betriebsmittel</td></tr>
<tr><td>• Verhinderung einer leichten Brandentstehung</td></tr>
</table>

## Detaillösungen für bestehende Schulgebäude 5.4

In den Tabellen 6 bis 8 wurden für Schulen im Einzelfall geeignete bauliche, anlagentechnische und organisatorische brandschutztechnische Maßnahmen zusammengestellt und deren Wirkungsweise erläutert.

**Tabelle 6:** Bauliche Brandschutzmaßnahmen für bestehende Schulgebäude

| Lfd. Nr. | Beispiel | Brandschutztechnische Maßnahme / Bauliche Brandschutzmaßnahme für ... |
|---|---|---|
| 1 |  | Anbau eines zusätzlichen Rettungsweges<br>• Erfüllen der bauordnungsrechtlichen Anforderung an den 2. baulichen Rettungsweg, Ergänzung der bestehenden Rettungswege |
| 2 |  | Anbau eines stationären alternativen 2. baulichen Rettungsweges: Evakuierungsrutsche<br>• Erfüllen der bauordnungsrechtlichen Anforderung an den 2. baulichen Rettungsweg<br>• Geelgnet für Grundschulen |

**Tabelle 6** *(fortgesetzt)*

<table>
<tr><th rowspan="2">Lfd. Nr.</th><th rowspan="2">Beispiel</th><th>Brandschutztechnische Maßnahme</th></tr>
<tr><th>Bauliche Brandschutz-maßnahme für ...</th></tr>
<tr><td rowspan="2">3</td><td rowspan="2">
</td><td>Anbau eines temporären alternativen 2. baulichen Rettungsweges: Personenrettungsschlauch</td></tr>
<tr><td>• Erfüllen der bauordnungs-rechtlichen Anforderung an den 2. baulichen Rettungsweg<br>• Geeignet für Baudenkmale und vereinzelt liegende, ungünstig erreichbare Klassenräume</td></tr>
<tr><td rowspan="2">4</td><td rowspan="2"></td><td>Ertüchtigung von Bestandstüren (dicht- und selbstschließend)</td></tr>
<tr><td>• Schutz von notwendigen Fluren und Treppenräumen<br>• Insbesondere geeignet für Baudenkmale<br>• Bildung von Rauchabschnitten</td></tr>
</table>

**Tabelle 6** *(fortgesetzt)*

| Lfd. Nr. | Beispiel | Brandschutztechnische Maßnahme | Bauliche Brandschutzmaßnahme für ... |
|---|---|---|---|
| 5 |  | Ertüchtigung von Bestandstüren (annähernd rauchdicht, vierseitig umlaufend) | • Erfüllen bauordnungsrechtlicher Anforderungen an Türen zu Treppenräumen oder notwendigen Fluren<br>• Schutz von Treppenräumen<br>• Brandlasten in Räumen |
| 6 |  | Einbau neuer Rauchschutztüren | • Erfüllen bauordnungsrechtlicher Anforderungen an Türen zu Treppenräumen oder notwendigen Fluren<br>• Schutz von Treppenräumen<br>• Vermeidung einer Brand- oder Rauchausbreitung |

**Tabelle 7:** Anlagentechnische Brandschutzmaßnahmen für bestehende Schulen

| Lfd. Nr. | Beispiel | Brandschutztechnische Maßnahme | Anlagentechnische Brandschutzmaßnahme für ... |
|---|---|---|---|
| 1 |  | Rettungswegebeschilderung (hinterleuchtet), bodennah | • Sicherung von Rettungswegen<br>• Kompensation für Sicherheitsbeleuchtung in notwendigen Fluren |
| 2 |  | Einbau eines Rauchabzuges | • Kompensation für brennbare Ausstattungen<br>• Verhinderung der Rauchausbreitung<br>• Sicherung des Feuerwehreinsatzes |
| 3 |  | Automatische natürliche Entrauchung über Fenster | • Sicherung des Feuerwehrangriffs<br>• Unterstützung der Evakuierung im Einzelfall<br>• Brandlasten in historischen Räumen wie einer Aula |

**Tabelle 7** *(fortgesetzt)*

| Lfd. Nr. | Beispiel | Brandschutztechnische Maßnahme |
|---|---|---|
| | | **Anlagentechnische Brandschutzmaßnahme für ...** |
| 4 |  | Druckbelüftungsanlage/ Wassernebellöschanlage |
| | | • Offene Treppenräume ohne notwendige Flure<br>• Gewährleisten von sicheren 1. Rettungswegen<br>• Brennbare Einrichtungen |
| 5 |  | Installation von Rauchwarnmeldern |
| | | • Schutz gefährdeter Bereiche wie größere Dachräume<br>• Brandlasten in Räumen |

**Tabelle 7** *(fortgesetzt)*

<table>
<tr><th rowspan="2">Lfd. Nr.</th><th rowspan="2">Beispiel</th><th>Brandschutztechnische Maßnahme</th></tr>
<tr><th>Anlagentechnische Brandschutzmaßnahme für ...</th></tr>
<tr><td rowspan="2">6</td><td rowspan="2"></td><td>Installation einer akustischen Alarmierung (Sprachdurchsagen)</td></tr>
<tr><td>• Unterstützung der Evakuierung im Einzelfall<br>• Zügige Beräumung des Schulgebäudes</td></tr>
</table>

**Tabelle 8:** Organisatorische Brandschutzmaßnahmen für bestehende Schulen

| Lfd. Nr. | Beispiel | Organisatorische Maßnahme<br>Regelungen für ... |
|---|---|---|
| 1 | 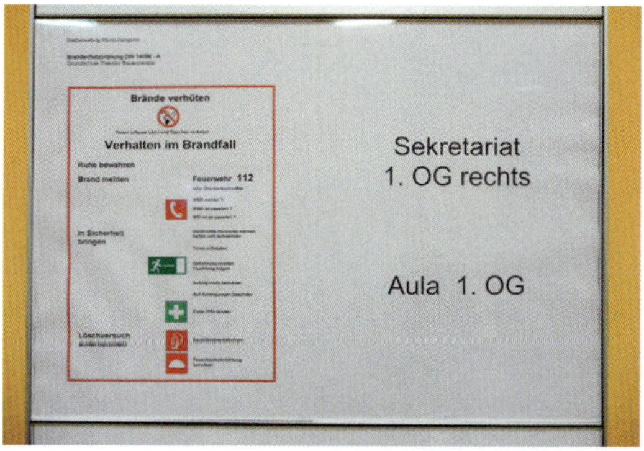 | Regelungen in der Brandschutzordnung gemäß DIN 14096 |
| | | • Festlegen eines Brandschutzbeauftragten<br>• Regeln der Zuständigkeiten zur Prävention<br>• Umgang mit besonderen Veranstaltungen und Fremdnutzern |
| 2 |  | Reduzieren bzw. Beobachten der Brandlasten in Treppenräumen |
| | | • Verminderung von besonderen Gefährdungen bei Veranstaltungen<br>• Einsatz schwerentflammbarer Bodenbeläge und Dekorationen<br>• Brandsicherheitswachen bei offenem Licht/Feuer |
| 3 |  | Regelungen zur Entrauchung von Versammlungsräumen |
| | | • Nutzungen von größeren Räumen als Versammlungsstätte<br>• Sicherung des Feuerwehreinsatzes |

**Tabelle 8** *(fortgesetzt)*

| Lfd. Nr. | Beispiel | Organisatorische Maßnahme |
|---|---|---|
| | | **Regelungen für ...** |
| 4 |  | Festes Mobiliar<br>bei Ausstellungen<br>zur Rettungswegsicherung |
| | | • Sicherung von Gängen und Rettungswegen<br>• Integrieren von Rettungswegausweisungen<br>• Geordnete Leitungsführung (z. B. Elektroleitungen) |
| 5 |  | Treppenraum brandlastenfrei<br>bzw. -arm halten,<br>ggf. Bekanntmachungen etc.<br>in verschlossenen Schaukästen |
| | | • Schutz von Treppenräumen<br>• Sicherung von notwendigen Fluren<br>• Verhinderung einer Brandentstehung |

**Tabelle 8** *(fortgesetzt)*

| Lfd. Nr. | Beispiel | Organisatorische Maßnahme |
|---|---|---|
| | | **Regelungen für ...** |
| 6 | 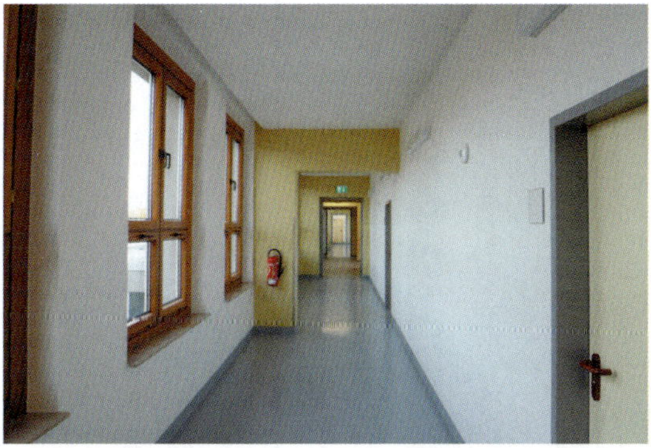 | Feuerlöscher an geeigneten Stellen gut sichtbar anbringen |
| | | • Bauordnungsrechtliche Anforderungen an Türen<br>• Schutz von Treppenräumen<br>• Brandlasten in Räumen |
| 7 |  | Feuerwehrschlüsseldepot |
| | | • Gewaltfreien Zugang für die Feuerwehr<br>• Schutz von Kulturgut (z. B. historische Eingangstüren) |
| 8 | 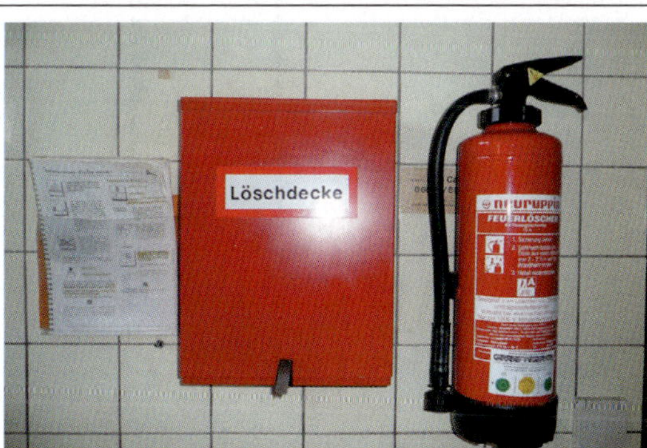 | Löschdecken in speziellen Unterrichtsräumen (z. B. Chemie) |
| | | • Räume mit brennbaren Utensilien<br>• Verhinderung einer Brandentstehung |

**Tabelle 8** *(fortgesetzt)*

<table>
<tr><th rowspan="2">Lfd. Nr.</th><th rowspan="2">Beispiel</th><th>Organisatorische Maßnahme</th></tr>
<tr><th>Regelungen für …</th></tr>
<tr><td rowspan="2">9</td><td rowspan="2"></td><td>Aufzüge speziell für Selbstrettung von Behinderten einrichten (1. Rettungsweg)</td></tr>
<tr><td>• Gewährleistung eines 1. Rettungsweges für Behinderte, der selbstständig genutzt werden kann<br>• Verhinderung von Personenschäden<br>• Unterstützung der Evakuierung behinderter Menschen</td></tr>
</table>

## 5.5 Alternativen für den zweiten baulichen Rettungsweg

### Allgemeines

Häufig ist es notwendig, bei der Sanierung von Schulen oder Tageseinrichtungen für Kinder einen zweiten Rettungsweg alternativ zum üblichen Rettungsweg „Treppe" nachträglich zu schaffen. Das gilt sowohl für historische z. B. unter Denkmalschutz stehende Schulgebäude, die des Öfteren nur mit einem Treppenraum bauzeitlich errichtet worden sind, als auch für Gebäude, bei denen im Inneren nicht alle Räume an den vorhandenen zweiten baulichen Rettungsweg angeschlossen sind und dieses im Nachhinein nur mit sehr großem baulichen Aufwand möglich wäre. Hinzu treten Problemstellungen wie Platzmangel für den Einbau eines zweiten baulichen Rettungsweges, befürchteter Vandalismus bei nachträglich angebauten außen liegenden Treppen und Belange des Denkmalschutzes, die unter Umständen einen nachträglichen Treppenanbau verhindern.

Mittlerweile gibt es für die Schaffung des zusätzlichen zweiten baulichen Rettungsweges an Schulen und Tageseinrichtungen für Kinder interessante Alternativen: Das können u. a. der Anbau einer Evakuierungsrutsche oder die Installation eines Personenrettungsschlauches sein. Diese geeigneten alternativen Bestandteile von Rettungswegen werden aber in der Praxis häufig noch durch handelnde Behörden bzw. Bauherren mit der Begründung abgelehnt, dass diese nicht ausreichend erprobt seien oder in der Praxis nicht funktionieren würden.

Mittlerweile ist eine regelrecht heftige Diskussion über die Anwendbarkeit, insbesondere von Personenrettungsschläuchen, entbrannt; es werden dabei zwei Hauptargumente gegenübergestellt: Die eine Auffassung, dass ein wenn auch nicht vollständig dem Bauordnungsrecht entsprechender zweiter baulicher Rettungsweg die Gesamtsituation im Allgemeinen deutlich verbessert und daher auch ggf. auftretende Schwierigkeiten bei der Evakuierung nicht sonderlich ins Gewicht fallen, und die andere einer völligen Ablehnung, da eine derartige Alternative kein wirksamer Ersatz für die klassische Treppe sei.

Seitens des Autors werden die Entwicklungen der vorgenannten Alternativen bei Bestandsgebäuden begrüßt, da es im Vordergrund stehen sollte, überhaupt zwei im weitesten Sinne bauliche Rettungswege in Schulen und Tageseinrichtungen für Kinder zur Verfügung stellen zu können. Dabei kommt es weniger darauf an, ob eine exakte Übereinstimmung mit dem Bauordnungsrecht oder der Sonderbauvorschrift besteht, da es sich bei bestehenden Gebäuden zunächst um unter Bestandsschutz stehende handelt und somit das Überwinden von konkreten Gefahren den Vorrang haben muss. Das kann mit derartigen Alternativen durchaus erreicht werden und ist somit der Standardlösung Treppe gemäß § 3 (3) der Musterbauordnung gleichzusetzen.

## Evakuierungsrutschen

Insbesondere beim Nichtvorhandensein des zweiten baulichen Rettungsweges in Kindertagesstätten und Grundschulen stellt der Anbau einer Evakuierungsrutsche eine gute Alternative dar, Kinder, Betreuer und Lehrer schnell, sicher und zuverlässig aus Gefahrenzonen zu bringen. Auch wenn eine derartige Evakuierungsrutsche zunächst durch das Bauordnungsrecht nicht vorgesehen ist, kann nicht von der Hand gewiesen werden, dass durch diese spielerisch und zügig sowohl die Evakuierung von Tageseinrichtungen für Kinder als auch von Schulen für Kinder des Grundschulalters gut geeignet ist. Ein derartiger Rettungsweg wird problemlos von den betroffenen Personen akzeptiert, die Evakuierung auf diesem Weg findet eine hohe Akzeptanz. [71]

**Abbildung 42:** Evakuierungsrutsche an einem Kindergarten [72]

Gleichzeitig bestätigen Untersuchungen an eingebauten Beispielen, dass die Evakuierung in der Regel deutlich schneller erfolgt als über eine bauordnungsrechtlich zulässige Treppe oder gar über die Rettungsgeräte der Feuerwehr (z. B. Feuerwehrleiter). In einem Versuch in der Kindertagesstätte „Fröbelhaus" in Sonneborn bei Gotha in Thüringen wurde am 23. Oktober 2004 eine Feuerwehrübung durchgeführt, um die nachträglich installierte Rettungsrutsche an einem bestehenden Kindergarten zu erproben. Diese Übung zeigte auf, dass Evakuierungsrutschen nicht nur schnell und zuverlässig die betroffenen Personen (Kinder und Betreuer) aus den Gefahrenzonen befördern, sondern zugleich, dass diese von den kleinen Nutzern hervorragend angenommen wurden. Während die Evakuierung über die Evakuierungsrutsche für 17 Kinder und 3 Erwachsene ohne Hilfe der Feuerwehr in weniger als einer Minute aus dem Obergeschoss der Kindertagesstätte abgeschlossen werden konnte, wurden für die Evakuierung der o. g. 20 Personen über die Leitern der Feuerwehr über 45 min benötigt. [73]

Die Rutschenausbildung hat bei einer Evakuierungsrutsche im Regelfall als Röhren- bzw. Tunnelrutsche zu erfolgen, damit im Gefahrfall kein Absturz von der Rutsche zu befürchten ist und ein Schutz vor ggf. herunterfallenden Bauwerksteilen besteht. [74] Es gibt auch Sonderformen als offene Kastenrutsche, bei der die Brüstungshöhe mittels hochgezogener Seitenteile für die geforderte Sicherheit sorgt. Diese Spezialformen des Rutschenbaus benötigen jedoch eine gesonderte Einzelfallbetrachtung.

**Abbildung 43:** Rettung über die Leiter der Feuerwehr ... [75]

**Abbildung 44:** ... und die weitaus schnellere Evakuierung über die Rutsche [76]

**Abbildung 45:** Im Einzelfall ist eine Kastenrutsche möglich. [77]

Einige Vorteile einer Evakuierungsrutsche können wie folgt benannt werden:

- Die Evakuierung von Kindern erfolgt schnell und sicher.
- Der Anbau kann relativ unkompliziert erfolgen und stellt in der Regel eine reversible Maßnahme dar, was bei Baudenkmalen besonders wichtig ist.
- Evakuierungsrutschen sind in der Regel finanziell günstiger als Treppenanlagen zu errichten.
- Die Fertigung der Rutschenanlagen aus Edelstahl V2A gewährt eine hohe Lebensdauer.
- Eine Wartung im Winter entfällt bei geschlossenen Röhrenrutschen.
- Die Rutsche kann neben ihrer Funktion als Rettungsweg auch als alltägliches Spielgerät genutzt werden.

Evakuierungsrutschen sind nach der Spielgerätenorm DIN EN 1176 zu fertigen. [78]

## Personenrettungsschläuche

Speziell bei Baudenkmalen bildet ein Personenrettungsschlauch eine besonders interessante Alternative zu dem klassischen zweiten baulichen Rettungsweg, einer Außentreppe.

Häufig kann durch die zuständige Denkmalschutzbehörde der nachträgliche Anbau einer außen liegenden Rettungstreppe nicht genehmigt werden. Das kann im Einzelfall auch für eine Evakuierungsrutsche gelten. Daher ist die Suche nach einem sozusagen „unsichtbaren" zweiten baulichen Rettungsweg notwendig.

In Abhängigkeit von der jeweiligen Höhe eines Gebäudes kann im Höhenbereich von etwa 2 m bis etwas mehr als 100 m ein Personenrettungsschlauch die geeignete Alternative sein. In der Regel sind keine Änderungen an der Fassade notwendig, was die besondere Eignung im Denkmalschutzbereich unterstreicht. Personenrettungsschläuche sind für Kleinkinder ab einem Körpergewicht von ca. 5 kg eigenständig zu nutzen, kleinere Kinder können durch die Betreuer in den Arm genommen und so gemeinsam mit einem Erwachsenen evakuiert werden. Selbst Schwangere, Behinderte oder bewusstlose Personen können durch den Evakuierungsschlauch gerettet werden. Das beweisen vorliegende Expertisen entsprechender Hersteller. [79]

Die Installation des Personenrettungsschlauches erfolgt im Innenraum des betroffenen Gebäudebereiches. Dieser Rettungsschlauch kann entsprechend verkleidet werden, um ihm im Raum keine zu große Dominanz zu geben. Die Evakuierung über einen Personenrettungsschlauch kann über ein geöffnetes Fenster oder von einem Rettungspodest aus erfolgen. Somit ist der Einbau beinahe überall in einem bestehenden Gebäude problemlos möglich. Der Personenrettungsschlauch kann durch eine Tür oder ein Fenster, eine Außenwand oder durch das Dach herausgeführt werden. Es sind jedoch auch Sonderlösungen von Balkonen oder Abseiten möglich.

Die Rettungsschläuche sind turnusmäßig einmal jährlich zu warten, um deren Funktionssicherheit ständig nachweisen zu können. Die Obergrenze für das Gewicht einzelner Personen kann über 100 kg Körpergewicht liegen.

Die Bundesvereinigung Fachplaner und Sachverständiger für den vorbeugenden Brandschutz e.V. (BVSB) betont in einem Schreiben vom 23.03.2009 die Eignung des Einsatzes von Personenrettungsschläuchen im Zusammenhang mit einem einzelfallbezogenen zielorientierten Brandschutzkonzept als nachträglichen zweiten Rettungsweg, besonders in Kindertageseinrichtungen. Es werden darin die Argumente erhöhter Rutschgeschwindigkeiten oder der Verletzungen durch Reibungen widerlegt, die von Skeptikern gern gegen diese alternative Rettungswegausbildung angeführt werden. [80]

**Abbildung 46:** Aufbewahrung des Personenrettungsschlauches im Inneren [81]

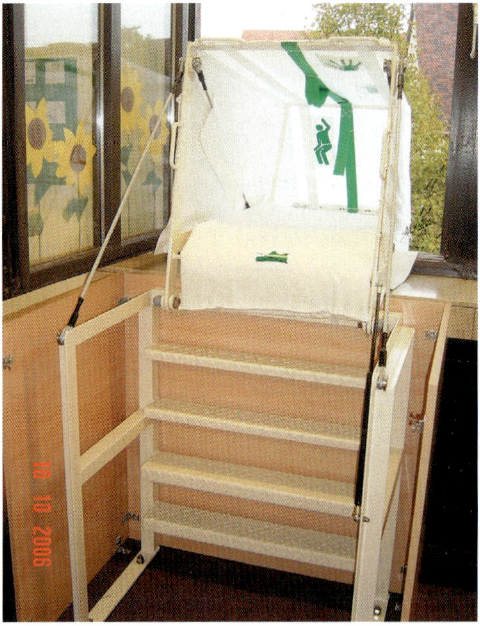


◂ **Abbildung 47:** Aufklappen des Schlauches [82]

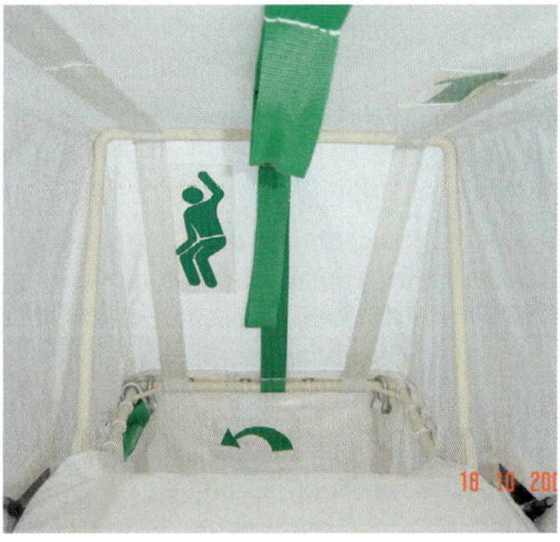

**Abbildung 48:** Einstieg [83]

**Abbildung 49:** Ausgeklappter Personenrettungsschlauch bei einem Bestandsgebäude [84]

Als zu evakuierende Personenanzahl innerhalb einer Minute kann von bis zu 10 Personen ausgegangen werden. Sicherlich kann diese im Einzelfall bei Kindertagesstätten etwas geringer liegen, da durch das geringe Körpergewicht der Kinder die übliche Geschwindigkeit von etwa 2 m/s etwas unterschritten wird. Dennoch kann eine wesentlich schnellere Evakuierung als über die Rettungsgeräte der Feuerwehr angesetzt werden. Außerdem ist zu beachten, dass Kleinkinder auch über bauordnungsrechtlich zulässige Treppen langsamer das Gebäude verlassen als ältere Kinder oder Jugendliche. [85]

Ein Personenrettungsschlauch kann nicht nur als Alternative zum zweiten baulichen Rettungsweg am Gebäude selbst Einsatz finden, sondern auch als Rettungsgerät der Feuerwehr mitgeführt und dafür für mehrere Gebäude zum Einsatz gebracht werden.

# Praxisbeispiele für Brandschutzkonzepte 6

## Sanierung und Erweiterung eines Kindergartens 6.1

### Allgemeines

Das bestehende Gebäude wurde Ende der 1980er Jahre als Kindergarten für etwa 40 Kinder errichtet. Bereits kurz nach seiner Errichtung stellte sich heraus, dass der vorgegebene Grundriss für eine zeitgemäße Tagesgestaltung von Kindern und das Betreiberkonzept in der vorliegenden Form nicht geeignet waren. Daraufhin wurden ein Umbau und eine Sanierung mit einhergehender Erweiterung eines Mehrzwecksaales über mehrere Jahre hinweg geplant.

### Grundlagen

Das Gebäude wird durch einen Verein betrieben, der es sich zum Ziel gesetzt hat, die frühkindliche Musikerziehung in den Mittelpunkt des Tagesablaufes bei der Kinderbetreuung zu stellen. Begleitet von wissenschaftlichen Forschungen wird in dem Kindergarten bereits im frühen Alter begonnen, die Kinder mit Musik in Berührung zu bringen und diese als selbstverständlichen Lebensbestandteil wahrzunehmen. Es wird besonders darauf geachtet, keine separierten Übungswelten zu schaffen, sondern im täglichen Leben lernen zu lassen. [86] Somit soll die Musik nicht abgeschottet im einzelnen Übungsraum erklingen; vielmehr ist es gewollt, dass ein fließender Verlauf der Räume die „Ausbreitung“ der Musik nicht behindert, sondern unterstützt. Es geht aber nicht nur um Musik, sondern allgemein um Kunst und Kultur als Bestandteile des Alltags.

Das Herzstück der Kindertagesstätte bildet deshalb die zu allen Seiten gleichermaßen offene Küche, in der alltäglich das Mittagessen für alle zubereitet wird; sicherlich nicht für jeden mit dem Brandschutz Beschäftigten eine normale Vorstellung.

Doch das kann mit einem richtig strukturierten Brandschutz hervorragend funktionieren: In vielen Bereichen des Kindergartens sind direkte Ausgänge ins Freie vorhanden und die Küche wird sozusagen gemeinsam von den Betreuerinnen und den Kindern betrieben. Denn in der betrachteten Kindertagesstätte ist es üblich, dass die Kinder wöchentlich gemeinsam ausgewählte Dienste übernehmen. Die Verantwortlichkeit reicht dabei vom „Hasen-“ (Tierbetreuung) bis zum „Küchen“-Dienst und wird jede Woche neu ausgewürfelt, wobei das gerechte Auge der Betreuerinnen darüber wacht, dass jedes Kind auch seinen jeweils besonders beliebten Dienst regelmäßig übernehmen darf. Allein durch diesen einfachen pädagogischen Trick werden

**Abbildung 50:** Offene Küche als Mittelpunkt des Kindergartens

sowohl die Identifikation mit dem Gebäude als auch das Verantwortungsbewusstsein der Kinder für das Ganze rechtzeitig und ohne Zeigefinger geschult. Denn wer hat es denn gern, dass es in „seiner" Küche, für die er verantwortlich zeichnet, unordentlich zugeht?

## Beschreibung des Objektes

Das Gebäude besteht aus einem bestehenden Hauptbaukörper, der durch einen Mehrzwecksaal zu einer L-förmigen Anlage erweitert wurde.

Das Bestandsgebäude ist nicht unterkellert, wird nur erdgeschossig genutzt. Das gesamte Gebäude hat mit der Erweiterung einschließlich des Kellerbereiches eine Bruttogeschossfläche von etwa 450 $m^2$ und wurde im Brandschutznachweis als eine zusammenhängende Nutzungseinheit betrachtet. [87]

Bei den Gebäudeteilen Alt- und Neubau handelt es sich um Mauerwerksbauten, deren Wände zum einen aus Ziegeln, zum anderen aus Gasbeton bestehen. Während das Dach des Bestandsgebäudes aus Holznagelbindern besteht, wurde das Dachtragwerk des Neubaus als Vollholzkonstruktion errichtet. Aus Gründen des sommerlichen Wärmeschutzes wurden auch die Innenwände überwiegend als Mauerwerkswände errichtet.

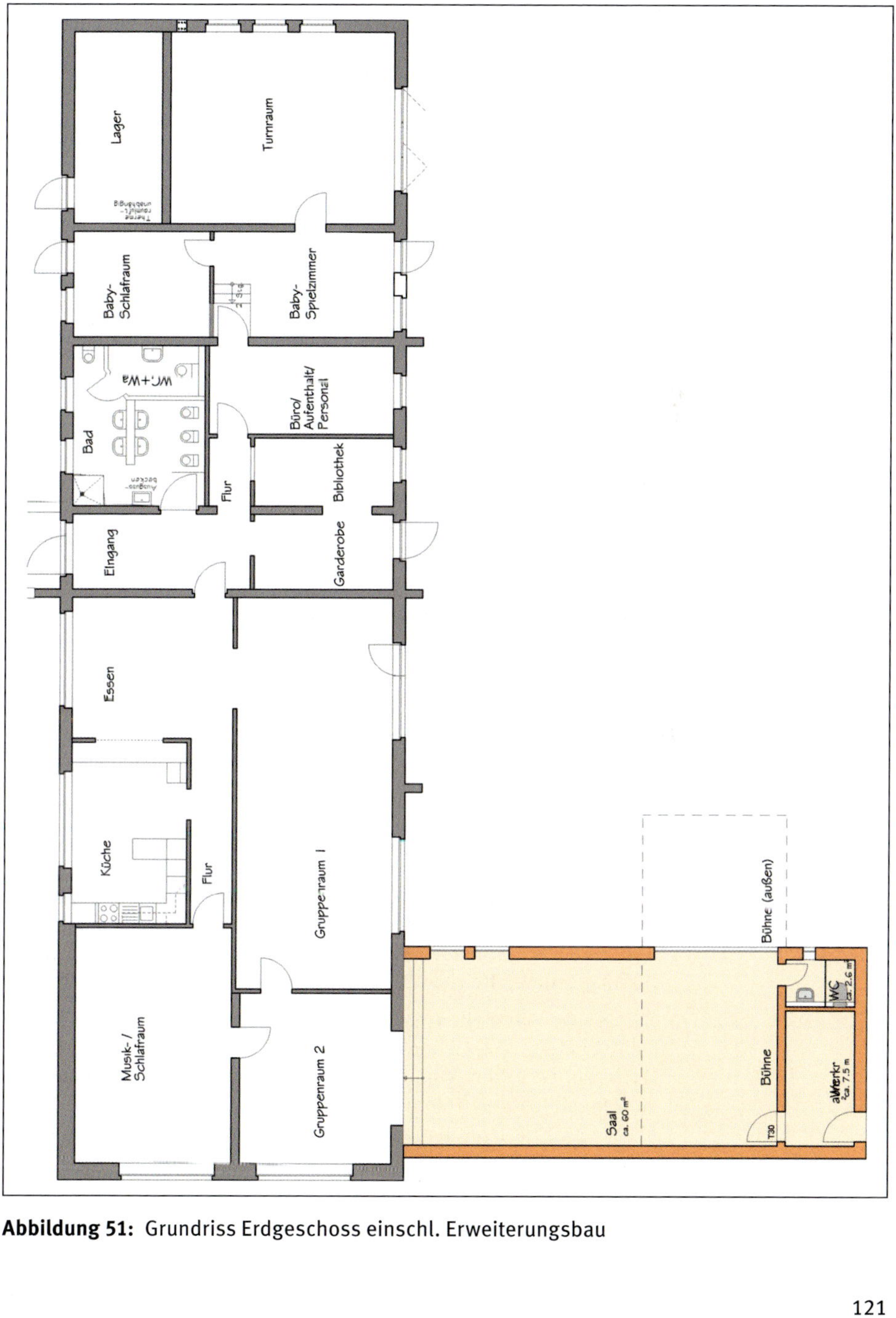


**Abbildung 51:** Grundriss Erdgeschoss einschl. Erweiterungsbau

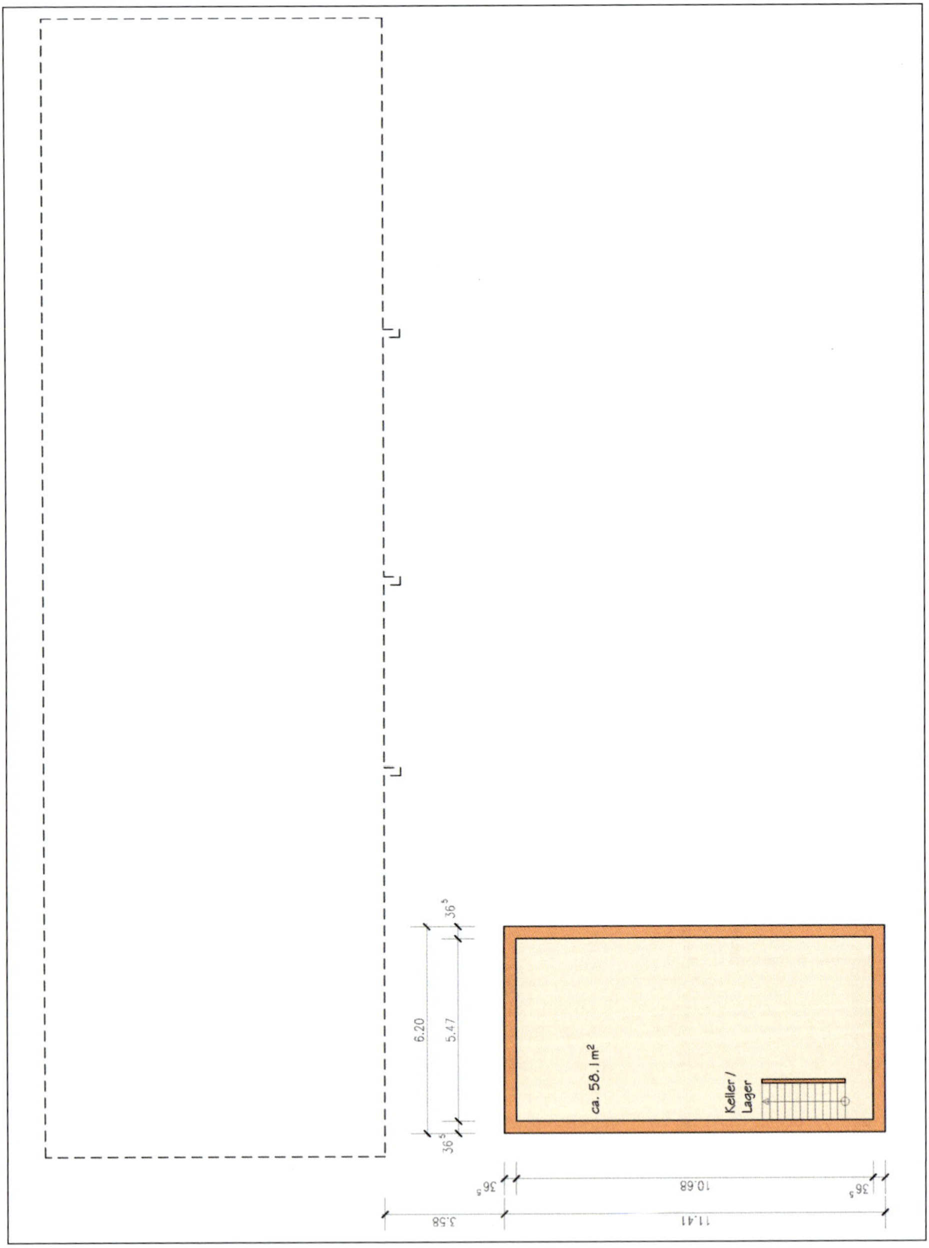


**Abbildung 52:** Grundriss Kellergeschoss (Erweiterungsbau)

**Abbildung 53:** Gesamtgebäude, links neuer Mehrzweckraum

## Brandschutztechnische Einstufung des Gebäudes

Das Gebäude war nach § 2 (3) ThürBO wegen der geringfügigen Überschreitung der 400-$m^2$-Grenze in die Gebäudeklasse 3 einzustufen. Wegen der vorwiegenden Nutzung des Gebäudes als Tageseinrichtungen für Kinder war das Gebäude zudem gemäß § 2 (4) Nr. 10 ThürBO als Sonderbau zu klassifizieren. [88]

Bei der vorherrschenden Nutzung handelt es sich um die in der Thüringer Bauordnung aufgeführten Sachverhalte einer Sondernutzung. Eine Einstufung als Versammlungsstätte war nicht notwendig, da der nunmehr größte Raum, der neu errichtete Mehrzwecksaal, nur eine Größe von 60 $m^2$ hat und auch bei größeren Veranstaltungen die Besucherzahl von 200 Personen innerhalb des Gebäudes nicht überschritten wird. Der Mehrzwecksaal ist so konzipiert, dass sich bei größeren geplanten Veranstaltungen die Bühne im Mehrzwecksaal befindet und eine Personenzahl von mehr als 200 Personen im dazugehörigen Spielgarten untergebracht werden kann, so dass nicht der Sachverhalt einer Versammlungsstätte gegeben ist.

Die Nutzung bzw. Raumbelegung im gesamten Gebäude ergibt, dass eine Gesamtkapazität von 45 Kindern und durchschnittlich 5 Betreuerinnen vorhanden ist.

## Brandschutztechnische Infrastruktur der Gemeinde

Der Ortsteil Niedergrunstedt der Stadt Weimar hat eine Freiwillige Feuerwehr. Diese ist mit einem Einsatzfahrzeug ausgestattet. Weiterhin steht die Berufsfeuerwehr Weimar zur Verfügung, deren Anfahrtszeit jedoch mehr als 10 Minuten beträgt. Somit ist davon auszugehen, dass die vollständige Evakuierung des Kindergartens innerhalb der Hilfsfrist der Feuerwehr unbedingt abgeschlossen sein muss.

Die erforderliche Löschwasserversorgung ist wegen der sich nicht wesentlich ändernden Art und Maß der baulichen Nutzung gesichert. Im Umkreis von 300 m sind geeignete Hydranten vorhanden.

## Schutzziele

Oberstes Ziel in einer Kindertagesstätte stellt der Personenschutz vor jedem Sachschutz dar. Ziel ist die rechtzeitige Alarmierung der Kinder und Betreuungskräfte sowie die Sicherung der Rettungswege. Die Personen sollen sich im Gefahrenfall zügig aus dem Gebäude begeben können. Die kurzfristige Evakuierung des Gebäudes ist durch regelmäßige Übungen sicherzustellen. Die Sicherung der vorhandenen Rettungswege und die Konzeption der Rettungswegführung für den Erweiterungsanbau sind Grundvoraussetzungen.

**Abbildung 55:** Einfache Kindersicherung des Hauptzuganges

◂ **Abbildung 54:** In jedem Nutzungsbereich sind Ausgänge ins Freie gewährleistet.

Besonders wichtig ist es, die Sicherung des Grundstücks dahingehend vorzunehmen, dass ein unbeaufsichtigtes Verlassen des Grundstücks durch die Kinder nicht möglich ist.

Die Verbesserung der brandschutztechnischen Gesamtsituation dient zuvorderst der Verhinderung einer Brandentstehung. Da bei dem beschriebenen Konzept das Gebäude als eine Nutzungseinheit betrieben wird und damit eine Brand- bzw. Rauchausbreitung im Gefahrenfall nicht durch bauliche Maßnahmen unterbunden wird, sind die direkten Ausgänge ins Freie und der organisatorische Brandschutz von besonderer Bedeutung.

Die Zufahrt für die Feuerwehr ist ausreichend gewährleistet. Der Nachbarschutz spielte bei dem Gebäude wegen der dörflichen Struktur der Gemeinde eine nur untergeordnete Rolle.

## Grundlagen der brandschutztechnischen Beurteilung

Die gesetzliche Grundlage der brandschutztechnischen Beurteilung des Gebäudes bildete die gültige Thüringer Bauordnung. [89] Eine Sonderbauvorschrift für Tageseinrichtungen für Kinder gibt es im Land Thüringen nicht.

Zur Beurteilung der vorhandenen bzw. geplanten Feuerwiderstandsdauern bildet DIN 4102 die gesetzliche Grundlage als Eingeführte Technische Baubestimmung. Eine Bemessung und Einschätzung der Rettungswege sowie die Nachweisführung werden mit Hilfe der geltenden Normen und Verordnungen vorgenommen. Es erfolgte eine Aufstellung der wichtigsten Einzelanforderungen in einer in den Brandschutznachweis integrierten Beurteilungstabelle.

## Evakuierungssituation

Für Kinder sollen stets zwei bauliche Rettungswege zur Verfügung stehen. Die Evakuierung muss vor dem Eintreffen der Feuerwehr abgeschlossen sein, um an einem Sammelplatz die Vollzähligkeit der evakuierten Personen feststellen zu können. Die Evakuierung kann im Wesentlichen über die sechs vorhandenen, direkten Ausgänge ins Freie erfolgen. Es wurde darauf Wert gelegt, dass insbesondere aus den beiden Raumbereichen, in denen sich eine größere Anzahl von Personen gleichzeitig aufhalten kann (Turnraum und neuer Mehrzweckraum), jeweils ein eigener direkter Ausgang ins Freie vorhanden ist und somit im Allgemeinen ein zweiter Rettungsweg nicht erforderlich sein dürfte. Trotzdem stehen natürlich auch für diese Räumlichkeiten mindestens zwei Rettungswege jederzeit zur Verfügung.

**Abbildung 56:** Rauchwarnmelder im neuen Keller- ...

**Abbildung 57:** ... und im Bastelbereich

**Abbildung 58:** Rechts Tür T30-RS zum neuen Kellerbereich

Die neue Kellergeschossnutzung unter dem Mehrzweckraum war brandschutztechnisch von besonderer Wichtigkeit. Hier können brennbare Gegenstände gelagert werden, ohne dass sich ein unentdeckter Brand womöglich in diesem Bereich ausbreiten und über den Mehrzweckraum in die gesamte Kindertagesstätte eindringen könnte. Daher wurden konsequent die brandschutztechnische Abschottung des Kellers mit einer T30-RS-Tür und der Einbau einer Rauchwarnmeldung als zwingend erforderlich erachtet; dies umso mehr, da der gesamte Gebäudebereich als eine Nutzungseinheit brandschutztechnisch erfasst wurde. Während der Arbeiten am Erweiterungsbau erhielt auch der Bastelbereich einen Rauchwarnmelder.

## Organisatorischer Brandschutz

Es wird täglich auf die Sachverhalte der entsprechenden Ordnung und des Freihaltens der Gänge geachtet, die im Ernstfall benötigt würden. Auch in den offenen Spiel-, Bastel- und Musikzonen sind Durchgänge gewährleistet, deren Wichtigkeit allen bekannt ist. Schon der Eingangsbereich zeugt davon: Die an den Gangbereich angrenzende Garderobe ist so angeordnet, dass der Durchgang zum gegenüberliegenden Ausgang frei bleibt und so im Notfall zentral zwei sich gegenüberliegende Ausgänge genutzt werden könnten (Abbildung 59).

**Abbildung 59:** Eingangsbereich mit aktuellem Theaterplan (links)

Ein Mitarbeiter kümmert sich um alle technischen Belange. Feuerlöscher gibt es an den für die Mitarbeiter bekannten Stellen wie der Küche und dem Büro, auf eine Kennzeichnung wurde deshalb verzichtet. Die Betreuerinnen haben eine individuelle Brandschutzordnung erstellt, zudem werden das Gebäude durch ein Büro für Arbeitssicherheit in Abstimmung mit der Leitung des Kindergartens regelmäßig inspiziert und Defizite sofort abgestellt. Auch der Umgang mit offenem Licht wird angemessen geprobt: Während der musikalischen Darbietungen, insbesondere in der Adventszeit, erklingen die festlichen Töne im Kerzenschein (s. Abbildung 60).

**Abbildung 60:** Für alle Kinder ist das Klavier frei zugänglich, aber die Kerzen werden nur unter Aufsicht angezündet ...

## Nutzung einer Schulsporthalle als Versammlungsstätte 6.2

### Grundlagen

Mit diesem Beispiel soll gezeigt werden, wie mit der Anwendung von Ingenieurmethoden die sichere Evakuierung einer Turnhalle nachgewiesen werden kann, die temporär außerhalb der zunächst genehmigten Nutzung als Schulsporthalle für Veranstaltungen i. S. der Muster-Versammlungsstättenverordnung genutzt werden soll. Um eine Evakuierungssimulation mit geeigneter Software schnell und effizient durchführen zu können, basieren die verwendeten Algorithmen auf vereinfachten Modellen, welche nicht alle Einflüsse der Realität berücksichtigen können. Im Wesentlichen wird die Realitätsnähe durch ein realistisches Fundamentaldiagramm (Abhängigkeit von der Laufgeschwindigkeit gegenüber der Personendichte) erzielt. Psychologische Aspekte, die zum Beispiel die Routenwahl und das Verhalten der Personen beeinflussen, sind bisher noch nicht wissenschaftlich fundiert untersucht worden und können nur durch statistische Verhaltensweisen implementiert werden. Weil jedoch das Verhalten in der Realität durch den Einfluss von psychologischen Aspekten stark und unvorhersehbar variieren kann, können solche Effekte in der Simulation nicht berücksichtigt werden. Somit stellt die Simulation einen idealisierten Fall dar, bei dem sich die Personen gemäß den Parametern und Routenvorgaben des Benutzers bewegen.

Die Ergebnisse der Simulationsrechnungen waren abschließend sachverständig zu beurteilen und bildeten die Grundlage für die Festlegungen, die im Brandschutzkonzept festzuschreiben waren.

## Prinzipien der gewählten Simulation

Die Grundlagen der hier näher erläuterten mikroskopischen Simulationsmethode beruhen auf der Darstellung einzelner Personen, die sich gemäß dem Evakuierungsplan zu den Ausgängen bewegen. Zu diesem Zweck wird der Generalplan in ein Gitter von quadratischen Zellen eingeteilt, die den minimal benötigten Raum einer Person im dichten Gedränge repräsentieren. Durch die Berücksichtigung aller Personen wird eine übersichtliche und realitätsnahe Darstellung des Ablaufs einer Musterung oder Evakuierung ermöglicht.

Nähere Details zum Modell sind in diversen Veröffentlichungen dargelegt, die auf der Homepage der TraffGo weitergehend erläutert werden und dort heruntergeladen werden können. [90] Weil das Ergebnis einer Simulation statistisch verteilt ist, wird zunächst eine Mittelwertrechnung mit fünfhundert Simulationsdurchläufen durchgeführt. Hierdurch erhält man eine Gesamtübersicht der möglichen Ergebnisse. Danach wird die Rechnung wiederholt, die dem Mittelwert entspricht, um detaillierte Daten auszuwerten.

## Szenarien und Parameter

*Personenbelegung und gewählte Szenarien*

Zur Abschätzung der Evakuierungsdauer der betrachteten Schulsporthalle wurden Simulationen mit Hilfe der Simulationssoftware PedGo der TraffGo GmbH durchgeführt. In dieser Sporthalle sind jährlich mehrere Sonderveranstaltungen i. S. einer Veranstaltungsnutzung geplant. Während dieser Veranstaltungen befinden sich etwa 300 Besucher in der Sporthalle und ca. 50 Akteure auf der Bühne und hinter der Trennwand sowie bis 15 Betreuer an Türen bzw. im Einlassbereich der Sporthalle. 5 Rollstuhlfahrerplätze sind in der vorderen Reihe an der linken Seite vorgesehen. Alle Personen verlassen das Gebäude entsprechend den vorgesehenen Rettungswegen (s. Abbildung 61).

Es wird von einer zügigen Entfluchtung mit einer Reaktionszeit von 0–60 Sekunden ausgegangen, d. h. 370 Personen in der Sporthalle reagieren individuell innerhalb einer Minute. Die folgenden konkreten Szenarien wurden als wesentliche identifiziert und weiterführend untersucht:

**Fall 1:** Brandereignis während der Veranstaltung auf der Bühne, alle Ausgänge sind nutzbar

**Fall 2:** Brandereignis während der Veranstaltung im Geräteraum 1, die Ausgänge in unmittelbarer Nähe sind nicht nutzbar

**Fall 3:** Brandereignis während der Veranstaltung im Bereich Besuchereingang, dieser Ausgang ist nicht nutzbar

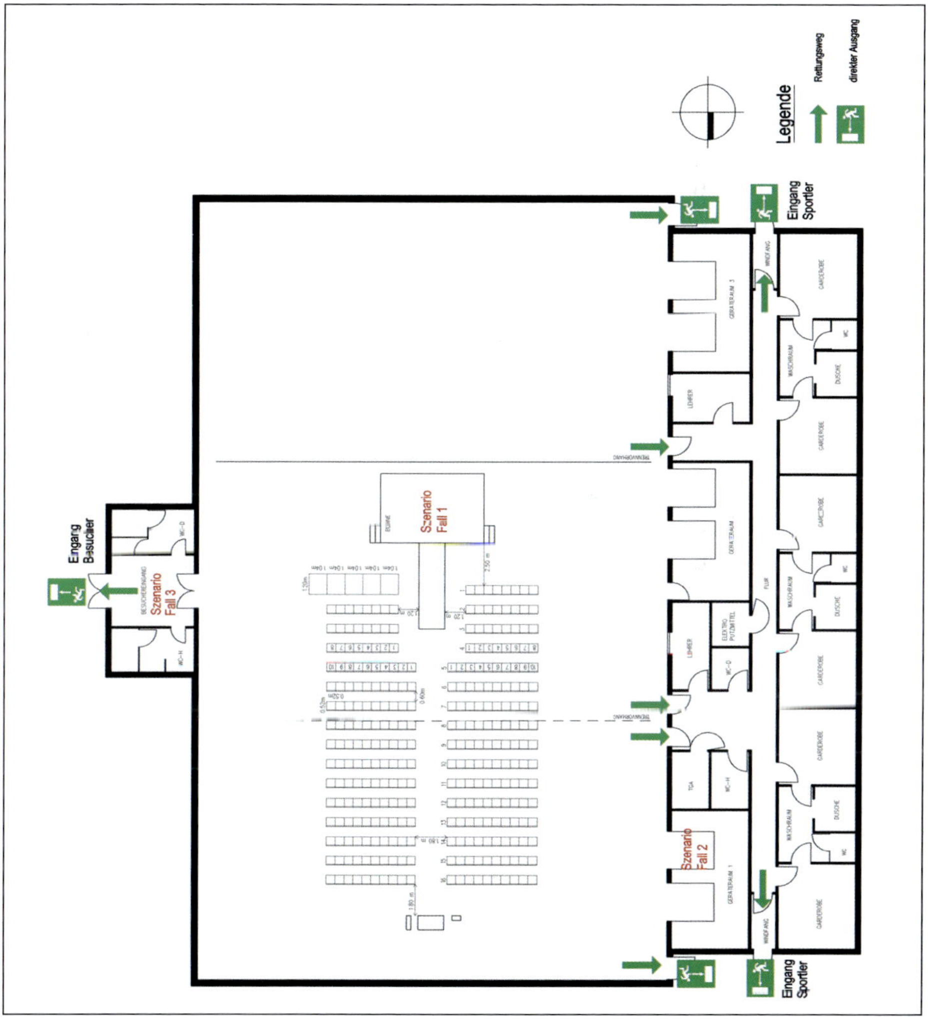


**Abbildung 61:** Erdgeschoss mit Kennzeichnung der Rettungswege

In der Rechnung werden alle von den Personen betretenen Flächen berücksichtigt. 365 Personen und 5 Rollstuhlfahrer sind in den drei betrachteten Fällen verteilt, wie in Abbildung 62 ersichtlich.

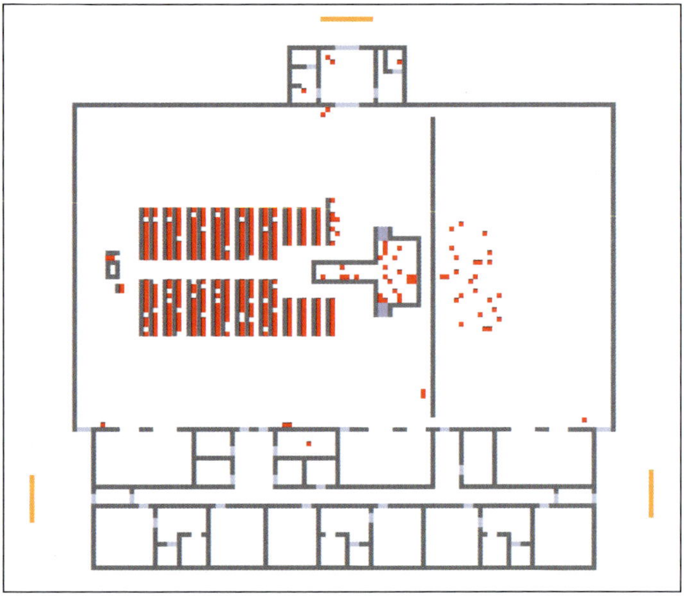

**Abbildung 62:** Anfangsverteilung der Personen für alle Fälle – modellierter Grundriss mit Personen

*Parameter*

Die Eigenschaften der Personen werden anhand einer statistischen Normalverteilung zugewiesen (s. Tabelle 9). Sie stellen einen durchschnittlichen Bevölkerungsquerschnitt dar. Die Eigenschaften der Rollstuhlfahrer sind Tabelle 10 zu entnehmen.

**Tabelle 9:** Parameter der normalen Personen für alle Fälle – Reaktionszeit 0–60 s

| | Minimum | Maximum | Mittelwert | Standardabweichung | Einheit |
|---|---|---|---|---|---|
| Laufgeschw. | 2 | 5 | 3 | 1 | Zellen/s |
| Geduld | – | – | – | – | s |
| Schwanken | 1 | 5 | 3 | 2 | Zellen |
| Reaktionszeit | 0 | 60 | 30 | 10 | s |
| Trödelwahrsch. | 0 | 30 | 15 | 5 | % |
| Trägheit | 1 | 5 | 3 | 2 | % |

**Tabelle 10:** Parameter der Rollstuhlfahrer für alle Fälle – Reaktionszeit 0–60 s

| | Minimum | Maximum | Mittelwert | Standardabweichung | Einheit |
|---|---|---|---|---|---|
| Laufgeschw. | 2 | 2 | – | – | Zellen/s |
| Geduld | 5 000 | 5 000 | – | – | s |
| Schwanken | 1 | 1 | – | – | Zellen |
| Reaktionszeit | 0 | 60 | 30 | 300 | s |
| Trödelwahrsch. | 0 | 50 | 25 | 250 | % |
| Trägheit | 1 | 1 | – | – | % |

## Ergebnisse

*Berechnungen und Beurteilung von Staubildungen*

Zur statistischen Analyse des Objekts wird eine sogenannte Mittelwertrechnung durchgeführt, die aus 500 Simulationsdurchläufen besteht. Zur Auswertung und Visualisierung von Stauungen wird eine Simulation wiederholt, deren Evakuierungsdauer länger als 95 % der ermittelten Fälle ist. Neben der Visualisierung werden auch einzelne Personen betreffende Daten ausgewertet.

Der zeitliche Ablauf der Evakuierung mit der Bildung und Auflösung von Staus ist den Abbildungen 64 bis 75 zu entnehmen.

Staus werden besonders deutlich durch Dichteplots dargestellt, die eine Zusammenfassung des gesamten Evakuierungsablaufs wiedergeben. Um das Ergebnis richtig deuten zu können, ist es entschei-

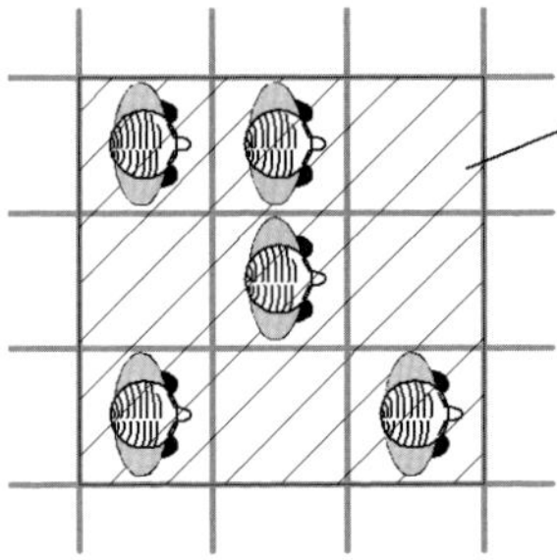


**Abbildung 63:** Beispiel zur Verdeutlichung der Dichteberechnung im zellularen Gitter. In diesem Beispiel beträgt die Dichte etwa 3,5 P/m².

dend, die Hintergründe der Berechnung zu verstehen: Wegen des diskreten Gitters bietet es sich an, die Personendichte für eine Zelle über sie und ihre Nachbarzellen zu bestimmen. Hieraus ergibt sich ein Wert mit der Einheit: Personen pro Quadratmeter (P/m²).

Um tatsächlich signifikante Staus hervorzuheben, wird wie folgt vorgegangen: Ein signifikanter Stau tritt auf, wenn die Personendichte 3 P/m² oder höher ist. Nach jedem Zeitschritt in der Simulation wird deshalb für alle Zellen die Dichte berechnet. Ist sie gleich oder größer als der o. g. Schwellenwert, so wird der Zähler der jeweiligen Zelle um eins erhöht. Am Ende der Evakuierung kann somit bestimmt werden, wie häufig der Schwellenwert pro Zelle überschritten wurde. Dieser Wert wird anhand des grün-roten Farbverlaufs in den Dichteplots angezeigt. Zur statistischen Analyse des Objekts wird eine sogenannte Mittelwertrechnung durchgeführt, die aus 500 Simulationsdurchläufen besteht.

*Ergebnis Simulation Fall 1*

Nach 500 Simulationsdurchläufen ergeben sich für den Fall 1 die Zeiten nach Tabelle 11.

**Tabelle 11:** Ergebnisse für den Fall 1

| | |
|---|---|
| Mittelwert [min:s]: | 2:13 |
| Standardabweichung [min:s]: | 0:05 |
| Minimum [min:s]: | 2:01 |
| Maximum [min:s]: | 2:45 |
| 95 % < [min:s]: | 2:22 |

Der Abbildung 64 können die ermittelten Evakuierungsdauern für den Fall 1 entnommen werden. Die Dauer, die länger als 95 % der ermittelten Evakuierungsdauern ist, wurde grün markiert und gilt als signifikant.

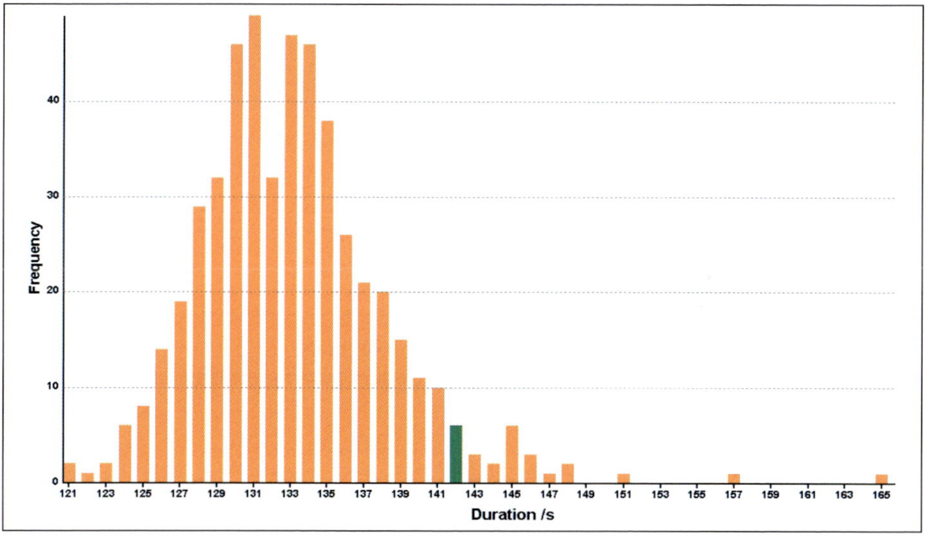


**Abbildung 64:** Verteilung der Evakuierungsdauern (Fall 1)

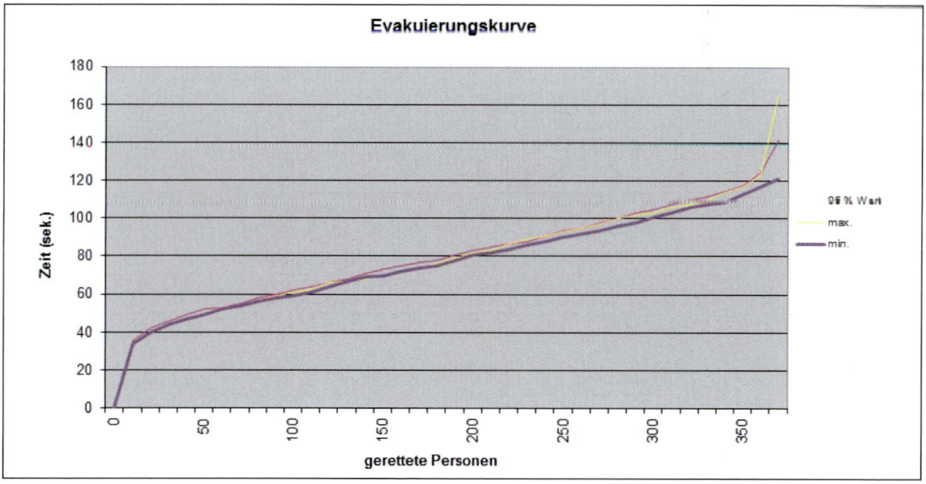


**Abbildung 65:** Die Evakuierungskurve gibt an, wie viele Personen zu welcher Zeit gerettet wurden.

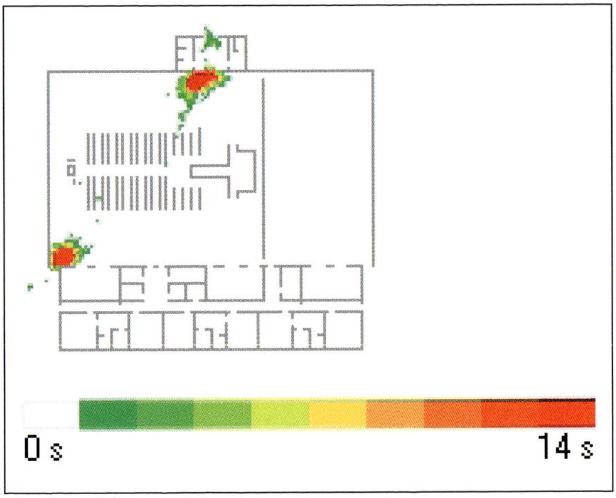


**Abbildung 66:** Dichteplot Erdgeschoss.
Auf allen rot dargestellten Feldern traten signifikante Staus auf.

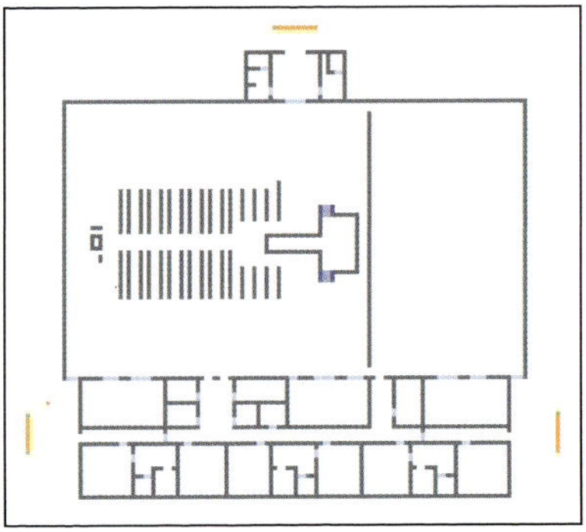

**Abbildung 67:** Entfluchtung nach 2:15 Minuten – die Personen haben die Sporthalle verlassen.

*Ergebnis Simulation Fall 2*

Nach 500 Simulationsdurchläufen ergeben sich die folgenden Zeiten nach Tabelle 12.

**Tabelle 12:** Ergebnisse für den Fall 2

| | |
|---|---|
| Mittelwert [min:s]: | 2:54 |
| Standardabweichung [min:s]: | 0:05 |
| Minimum [min:s]: | 2:42 |
| Maximum [min:s]: | 3:22 |
| 95 % < [min:s]: | 3:03 |

Der Abbildung 68 sind die ermittelten Evakuierungsdauern für den Fall 2 zu entnehmen. Die Dauer, die länger als 95 % der ermittelten Evakuierungsdauern ist, wurde wieder grün markiert und gilt als signifikant.

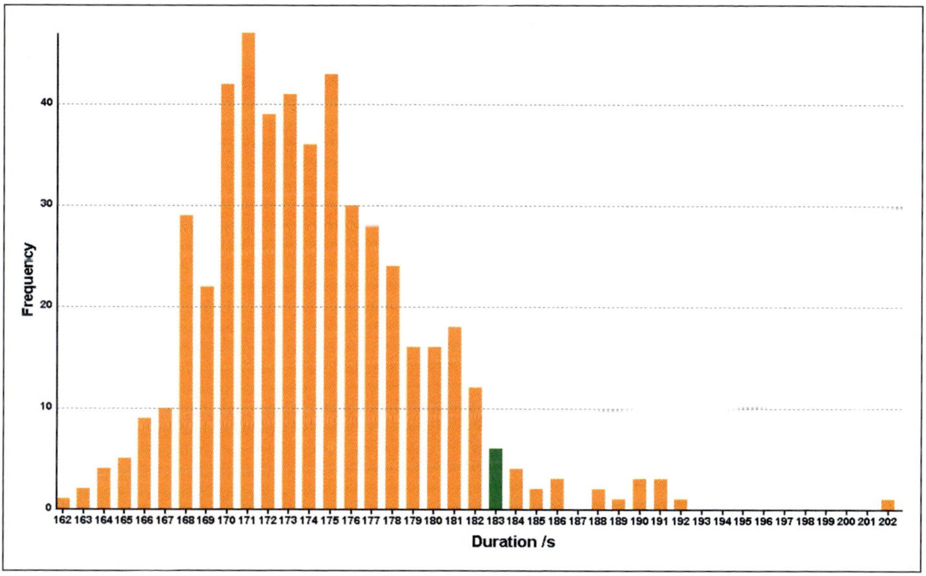


**Abbildung 68:** Verteilung der Evakuierungsdauern (Fall 2)

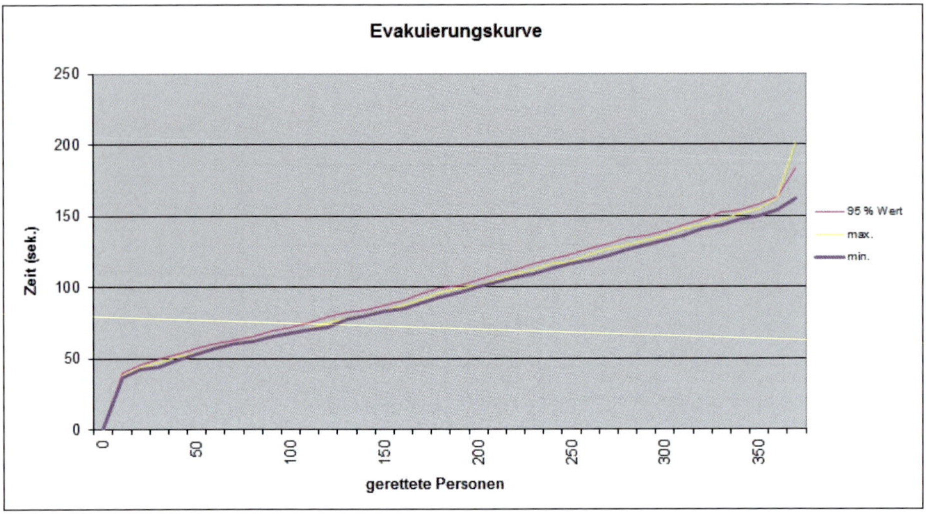


**Abbildung 69:** Die Evakuierungskurve gibt an, wie viele Personen zu welcher Zeit gerettet wurden.

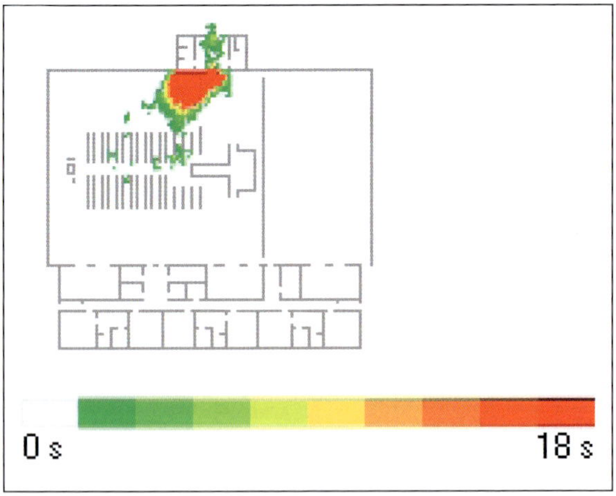


**Abbildung 70:** Dichteplot Erdgeschoss.
Auf allen rot dargestellten Feldern traten signifikante Staus auf.

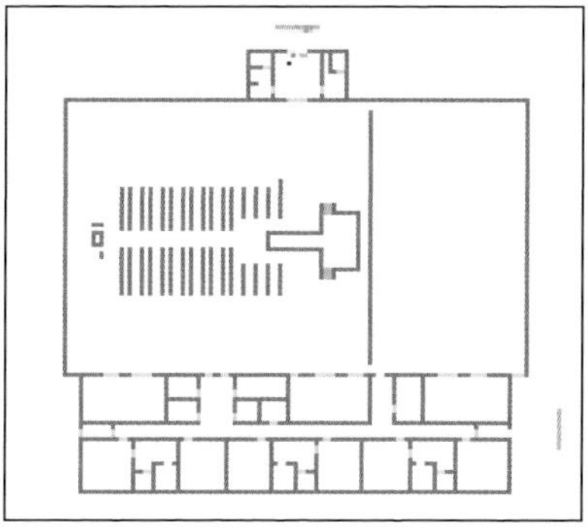

**Abbildung 71:** Entfluchtung nach 2:45 Minuten – alle Personen haben die Sporthalle verlassen.

*Ergebnis Simulation Fall 3*

Nach 500 Simulationsdurchläufen ergeben sich die folgenden Zeiten nach Tabelle 13.

**Tabelle 13:** Ergebnisse für den Fall 3

| | |
|---|---|
| Mittelwert [min:s]: | 3:35 |
| Standardabweichung [min:s]: | 0:06 |
| Minimum [min:s]: | 3:18 |
| Maximum [min:s]: | 3:56 |
| 95 % < [min:s]: | 3:46 |

Der Abbildung 72 sind die ermittelten Evakuierungsdauern für den Fall 3 zu entnehmen. Die Dauer, die länger als 95 % der ermittelten Evakuierungsdauern ist, wurde ebenfalls grün markiert und gilt wiederum als signifikant.

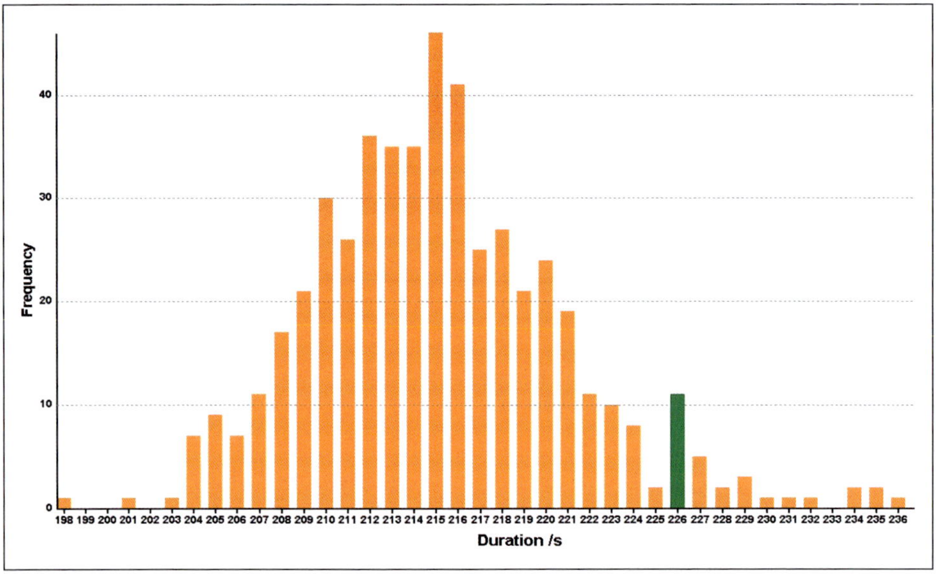


**Abbildung 72:** Verteilung der Evakuierungsdauern (Fall 3)

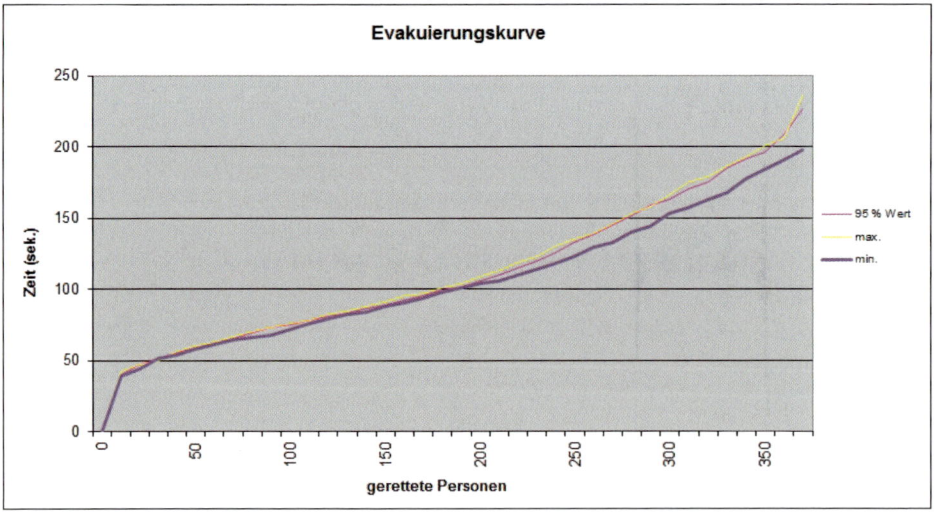


**Abbildung 73:** Die Evakuierungskurve gibt an, wie viele Personen zu welcher Zeit gerettet wurden.

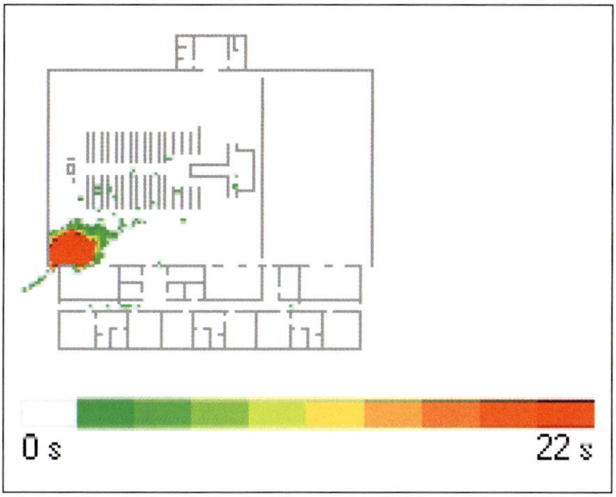


**Abbildung 74:** Dichteplot Erdgeschoss.
Auf allen rot dargestellten Feldern traten signifikante Staus auf.

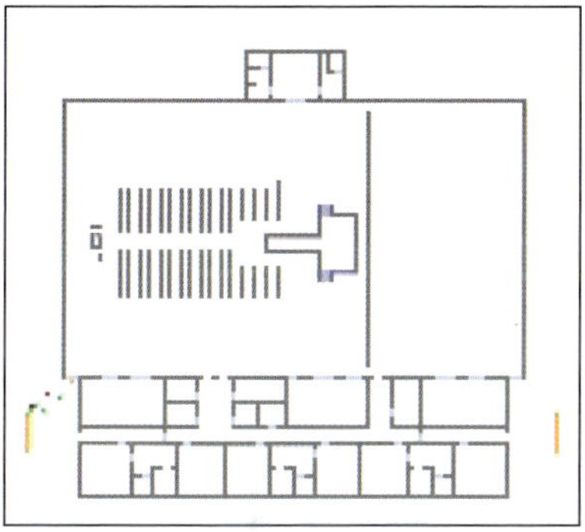

**Abbildung 75:** Entfluchtung nach 3:30 Minuten – alle Personen haben die Sporthalle verlassen.

*Zusammenfassende Beurteilung der Ergebnisse*

Das Ergebnis der Simulation zeigt, dass alle 370 Personen über die gekennzeichneten Rettungswege nach 2:15 Minuten im Fall 1 (s. Abbildung 67) und nach 2:45 Minuten im Fall 2 (s. Abbildung 70) sowie nach 3:30 Minuten im Fall 3 (s. Abbildung 76) die Sporthalle verlassen haben. Nach max. 3:56 Minuten (Fall 3) haben alle Personen das Gebäude bis zu den Außenanlagen verlassen. Fall 3 ist somit als Worst Case zu betrachten.

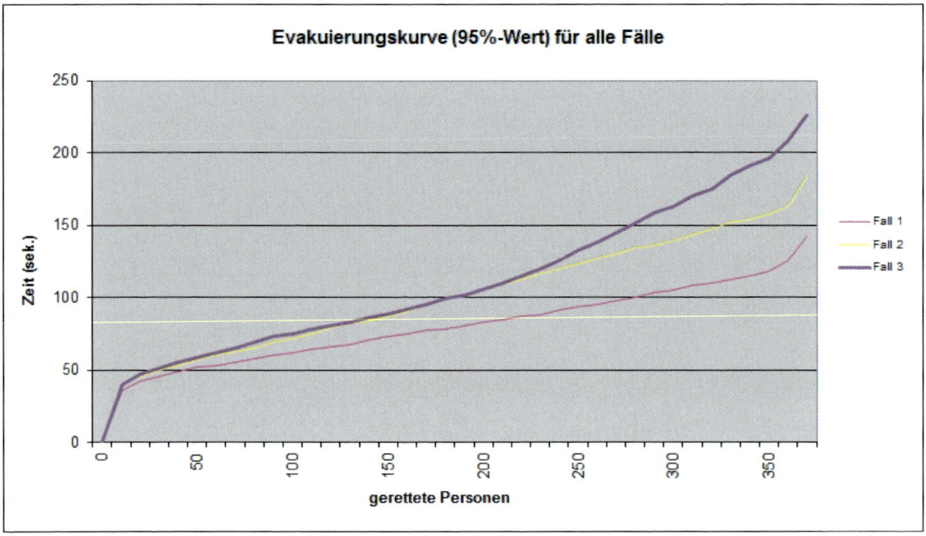


**Abbildung 76:** Die Evakuierungskurven geben an, wie viele Personen in den jeweiligen Fällen zu welcher Zeit gerettet wurden.

Signifikante Staus treten am Besuchereingang und an der nordwestlichen Tür aus der Sporthalle auf, diese dauern jedoch generell weniger als 30 Sekunden an. Die ermittelten Evakuierungszeiten entsprechen jeweils der Zeit von der Alarmierung bis zum Erreichen des Freien bzw. eines sicheren Bereiches.

## Auswirkungen der Simulationen für das Brandschutzkonzept

Auf der Grundlage der ingenieurgemäßen Betrachtung der Evakuierungszeiten bei der bestehenden Sporthalle wurden für das Brandschutzkonzept die folgenden Grundzüge der möglichen Nutzung außerhalb des Schulsports und die notwendigen Brandschutzmaßnahmen ermittelt:

- Die Nutzung der Sporthalle als Versammlungsstätte ist unter der Einhaltung von vorgegebenen Randbedingungen möglich.
- Die Personenbeschränkung von maximal 370 Personen ist organisatorisch durchzusetzen.
- Die Ausweisung und Kennzeichnung der vorhandenen Rettungswege hat hinterleuchtet zu erfolgen.

- Alle Türen im Verlauf von Rettungswegen waren mit Notausgangsverschlüssen nach DIN EN 179 [91] zu versehen.
- Durch den Veranstalter sind Brandwachen, insbesondere im Haupteingangsbereich, zu stellen.
- Die organisatorischen Festlegungen sind verbindlich in die bestehende Brandschutzordnung der Schule aufzunehmen.

## Instandsetzung und Erweiterung einer Grundschule mit Hort 6.3

### Grundlagen

Für das betrachtete Schulgebäude war nach § 66 der Landesbauordnung Mecklenburg-Vorpommern vom 18.04.2006 [92] ein Brandschutznachweis zu führen und zur Prüfung vorzulegen. Dieser Brandschutznachweis wurde als eine zielorientierte Gesamtbewertung des vorhandenen und abwehrenden Brandschutzes vor dem Hintergrund der Erfüllung der bauaufsichtlich definierten Schutzziele aufgestellt. Das Gebäude soll nach seiner umfassenden Instandsetzung und einer Erweiterung als Grundschule mit Hort genutzt werden.

In dem historischen Schulgebäude, das bis etwa fünf Jahre zuvor von seiner Errichtung an als Gymnasium genutzt worden war und zum Zeitpunkt der Erstellung des Brandschutzkonzeptes noch zumindest zeitweise genutzt wurde, waren Restaurierungen, Instandsetzungsarbeiten und Umbauten vorgesehen. Außerdem war ein Erweiterungsbau als neuer dreigeschossiger Anbau geplant. Beide Gebäude bilden abschließend ein zusammenhängendes Nutzungsgefüge. Es war daher eine vollständige Neubewertung des bestehenden Gebäudes einschließlich aller dann vorhandenen Nutzungen und dem Erweiterungsneubau notwendig. Sowohl der Denkmalschutz als auch der teilweise vorhandene Bestandsschutz waren angemessen zu berücksichtigen.

Es waren mit dem Brandschutzkonzept Entscheidungen zu ermöglichen, welche brandschutztechnischen Maßnahmen am vorhandenen und umzubauenden Gebäudebereich erforderlich sind, um das Vorhaben entsprechend den bauordnungsrechtlichen Vorgaben und weitergehenden Sonderbauvorschriften auszubilden. Gefährdungen waren abzuschätzen, zu bewerten und zu beseitigen, um eine sichere Nutzung des Gebäudes gemäß den Funktionsabläufen einer Grundschule mit Hort zu ermöglichen.

**Abbildung 77:** Historische Zeichnung mit bauzeitlicher Darstellung

Zunächst fand eine gemeinsame Begehung des vorhandenen Gebäudes durch den Vertreter des Bauherrn, der zuständigen Brandschutzdienststelle als prüfende Behörde und den Brandschutzsachverständigen statt. Während dieser Ortsbesichtigung wurde auch die Frage hinsichtlich des grundsätzlich gegebenen Bestandsschutzes bei gleichzeitiger Notwendigkeit von Maßnahmen zur Abwehr von konkreten Gefahren in der Zukunft als Grundlage für das zu erstellende Brandschutzkonzept abgeklärt.

Der geplante Schulkomplex besteht nach der Fertigstellung aus einem bestehenden Schulgebäude (Baudenkmal) und einem neu zu errichtenden Ergänzungsanbau.

Das vorhandene Gebäude verfügt über eine Ausdehnung von ca. 32,00 m × 18,00 m und damit einschließlich eines nachträglich angefügten Toilettenanbaus (ca. 30 m² BGF) über eine Bruttogeschossfläche von ca. 600 m².

Das Bestandsgebäude wurde seit seiner Errichtung im Zeitraum von 1872–1874 ununterbrochen als Schule genutzt (Gymnasium). Durch die geplante Erweiterung und den Umbau sollte eine volle Halbtagsschule als zweizügige Grundschule mit Hort entstehen. In diesem Zusammenhang finden generelle räumliche Neustrukturierungen der Klassenaufteilung entsprechend den dann neuen räumlichen Bedingungen und Gegebenheiten statt.

Da es sich bei dem historischen Gebäude um ein unter Denkmalschutz stehendes Gymnasialgebäude und damit zu erhaltender und bewahrenswerter mit einem hohen Anteil bauzeitlicher Substanz handelt, war weitestgehend bestandsschonend unter Verwendung der vorhandenen Trag- und Ausbaustrukturen und Materialien umzugehen.

## Beschreibung des Objektes

*Größe und Höhe des Gebäudes – Gebäudegeometrie*

Die größte Ausdehnung des gesamten Gebäudekomplexes beträgt, in L-Form gemessen (L/B/H First): ca. 60 m × 18 m × 20 m (Firsthöhe über Gelände). Dabei stellt der Hauptgebäudekomplex durch den geplanten Erweiterungbau eine L-förmige Anlage dar, die nach ca. 32,0 m in zwei Brandabschnitte geteilt wird. Der 1994 angebaute Toilettentrakt stellt einen eigenständigen Baukörper dar, der über eine Glasfuge an das historische Gebäude angebunden wurde.

Die Höhe der Fußbodenoberkante des höchstgelegenen Geschosses, in dem ein Aufenthaltsraum möglich ist (Dachgeschoss – zuvor und nach der Instandsetzung ungenutzt), beträgt (nach LBauO an den zum Anleitern bestimmten Stellen) ca. 12,50 m über angenommener Feuerwehraufstellfläche.

Entsprechend der Planung stehen für die einzelnen Geschosse folgende BGF (ca.-Angaben) zur Verfügung:

| | Bestandsgebäude | Flur, WC | Erweiterungsanbau |
|---|---|---|---|
| KG | 40 m² | | |
| EG | 600 m² | 6 m² | 310 m² |
| 1. OG | 600 m² | 6 m² | 340 m² |
| 2. OG | | | 340 m² |
| DG | 600 m² | | 50 m² |
| | 1 840 m² | 12 m² | 1 040 m² |

Die Bruttogeschossfläche beträgt insgesamt 2 892 m².

*Einstufung des Gebäudes nach Gebäudeklassen*

Da in dem Gebäude nach der Instandsetzung und der Erweiterung nur eine Nutzung stattfindet, und diese auf den drei oberirdischen Geschossen eine Gesamtgrundfläche von ca. 2 900 $m^2$ hat, ergibt sich nach dem ausschlaggebenden Kriterium der Größe der angeschlossenen Nutzungseinheit die Einstufung.

→ Das Gebäude war nach § 2 (3) LBauO M-V in die Gebäudeklasse 5 einzustufen.

*Nutzung/Belegung des Gebäudes – Einstufung nach Nutzung*

Entsprechend der vorwiegenden Nutzung des Gebäudes und des Gefährdungspotenzials wird das Gebäude gemäß § 2 (4) Nr. 11 LBauO M-V als Sonderbau (Schule) klassifiziert.

Bei der vorherrschenden Funktion in dem Gesamtkomplex handelt es sich um die in der LBauO M-V [93] aufgeführten Sachverhalte einer Sondernutzung (Schule). Die in dem Verbindungsbau geplanten und durchzuführenden Nutzungen rechtfertigten nach Angaben des Bauherrn und der vorhandenen Örtlichkeiten nicht die Einstufung in eine Versammlungsstätte. Durch die gestaffelte bauliche Situation werden auch bei größeren Veranstaltungen Besucherzahlen von 200 Personen nicht überschritten. Entsprechende Regelungen waren in der vor der Wiederinbetriebnahme nach der Instandsetzung neu zu erstellenden Brandschutzordnung zu verankern. Daher entfiel eine Betrachtung gemäß der für Mecklenburg-Vorpommern geltenden Versammlungsstättenverordnung. Maßgeblich waren für die brandschutztechnische Beurteilung die LBauO M-V [94] und die BASchulR [95].

Die eigentliche Gesamtnutzung der Gebäudeteile (Schule) konnte in Hinsicht auf die brandschutztechnische Betrachtung in kleinere Nutzungsbereiche unterteilt werden. Diese Unterteilungen ließen sich durch räumlich zusammenhängende Einzelräume zu Raumkomplexen bzw. funktionelle Unterteilungen (Unterrichtsräume, WCs oder Lager) vornehmen.

In Bezug auf die Gleichzeitigkeit von Nutzungen bzw. Raumbelegungen ist davon auszugehen, dass im Zusammenhang mit den Festlegungen zur Raumbelegung für die einzelnen Gebäudebereiche eine „normale“ Belegung zu Grunde gelegt wird:

**Tabelle 14:** Maximale Belegung der beiden Gebäudeteile

| | **Altbau** | **Neubau** |
|---|---|---|
| Erdgeschoss | 84 Schüler<br>4 Lehrer | 56 Schüler<br>3 Lehrer |
| 1. Obergeschoss | 56 Schüler<br>12 Lehrer | 84 Schüler<br>3 Lehrer |
| 2. Obergeschoss | 56 Schüler<br>2 Lehrer | 84 Schüler<br>3 Lehrer |
| Gesamt gleichzeitig | 214 Personen | 233 Personen |

Da jedoch anteilig eine gleichzeitige Nutzung beider Gebäudebereiche zu erwarten war, ergab sich gemäß den o. g. Angaben folgende max. Personenzahl im gesamten Schulgebäude, verteilt auf die beiden brandschutztechnisch wirksam getrennten Gebäudebereiche:

8 Klassen × 28 Schüler + 16 Lehrer + 50 Besucher = 290 Personen

Von einer Belegung aller Klassenräume sowie zusätzlich des Kreativraumes im Erdgeschoss des Neubaus und des Bewegungsraumes sowie der Aula im Altbau jeweils durch eine gesonderte Veranstaltung wurde nicht ausgegangen und lag nicht den Betrachtungen des Brandschutzkonzeptes zu Grunde. Durch die Abgeschlossenheit des Mehrzweckraumes im Erdgeschoss des Neubaus sind gesonderte Veranstaltungen möglich. Die maximale Belegung der Aula und des Mehrzweckraumes wird mit jeweils weniger als 200 Personen angenommen.

Bei Abendveranstaltungen oder Vorführungen konnte gemäß dem Betreibungskonzept davon ausgegangen werden, dass keine Belegung der Klassenräume stattfindet.

*Konstruktion des Gebäudes*

**Altbau**

| | |
|---|---|
| KG | Mauerwerk (49 cm bzw. 60 cm Dicke), Betondecken |
| EG | Mauerwerk (24 cm, 36,5 cm bzw. 49 cm Stärke), Stahlkappendecken, Holzbalkendecken |
| 1. OG | Mauerwerk (36,5 cm), Fachwerkwände, beidseitig verputzt (ca. 20 cm), Holzbalkendecken |
| DG | Tragende und aussteifende Holzkonstruktion (Dachstuhl Sattel- bzw. Walmdach) |
| Treppenraumwände | 24 cm Mauerwerk |

**Neubau**

| | |
|---|---|
| EG | Mauerwerk (17,5 cm, 24 cm und 36,5 cm Dicke), Stahlbetondecken |
| 1. OG | Mauerwerk/Beton, Wärmedämmung, Bekleidung, Stahlbetondecken |
| 2. OG | Mauerwerk/Beton, Wärmedämmung, Bekleidung, Stahlbetondecken |
| DG | Tragende und aussteifende Holz- oder Stahlbetonkonstruktion |
| Treppenraumwände | 24 cm Mauerwerk oder Beton |

*Ergänzende Angaben*

Das gesamte Gebäude liegt frei im Gelände und wird über die Zufahrt von einer öffentlichen Straße erschlossen, die zum Haupteingang führt. Östlich des historischen Gebäudes verläuft eine Erschließungsstraße entlang des Grundstücks. Diese soll erhalten bleiben. Ausgehend von der Nutzung des Bestandsgebäudes wurde von einer weitestgehenden Beibehaltung der Ansichten sowie der bestehenden Treppen ausgegangen.

*Brandschutztechnische Infrastruktur der Gemeinde*

In der Stadt Ribnitz-Damgarten ist eine Freiwillige Feuerwehr vorhanden. Nach Angaben der Feuerwehr ist diese mit den erforderlichen Einsatzfahrzeugen, auch für Einsätze bei diesem konkreten Objekt, ausreichend ausgestattet. Dazu zählt ebenfalls eine Drehleiter DLK 23-12.

Die erforderliche Löschwasserversorgung ist wegen der sich nicht wesentlich ändernden Art und Maß der baulichen Nutzung gesichert. Im Umkreis von 300 m sind geeignete Hydranten vorhanden.

## Schutzziele

Oberstes Ziel stellt der Personenschutz vor jedem Sachschutz dar. Ziel ist die rechtzeitige Alarmierung der Schüler und Lehrkräfte und die Sicherung der Rettungswege. Die Personen sollten im Gefahrenfall sehr frühzeitig informiert werden. Regelmäßig vorzunehmende Übungen mit den Schülern stellen die kurzfristige Evakuierung aus dem jeweiligen Gebäudebereich sicher.

Entsprechend der baulichen Substanz mit einer eingeschränkten Feuerwiderstandsdauer war zumindest für Teilbereiche eine rechtzeitige Erkennung von Bränden und deren Mitteilung zur wesentlichen Verkürzung der Erkennungszeiten unerlässlich und konnte als eine wesentliche Kompensationsmaßnahme angesetzt werden.

Die Sicherung der bereits vorhandenen Rettungswege sowie die Überarbeitung der Rettungswegesituation sind Grundvoraussetzungen für das Brandschutzkonzept. Im konkreten Fall bedeutet dies zunächst die „Abschottung" der vorhandenen Treppenhäuser von angeschlossenen Räumlichkeiten, soweit dies aus denkmalpflegerischen Gründen zu vertreten war, um jede Gefährdung der Treppenhäuser im Evakuierungsfall auszuschließen.

Dieses wurde durch eine detaillierte Neubetrachtung der konkreten Funktionen, der Ergänzung der brandschutztechnischen Ausstattung und der räumlichen Anordnungen erreicht.

Die Verbesserung der brandschutztechnischen Gesamtsituation dient folgenden Schutzzielen:

| | |
|---|---|
| Personenschutz: | Verhinderung der Brandentstehung und der schnellen Brandausbreitung durch bauliche Maßnahmen am Ort der Gefahrenherde<br>Sicherung des 1. und 2. Rettungsweges |
| Sicherung des Feuerwehreinsatzes: | Sicherung der Zufahrten, Aufstell- und Bewegungsflächen und Angriffswege (Treppenräume) für den wirksamen Einsatz der Feuerwehr |
| Nachbarschutz: | Verhinderung des Brandüberschlags auf die Nachbarbebauung |

## Grundlagen der brandschutztechnischen Beurteilung

*Allgemeines*

Für die Beurteilung der vorhandenen bzw. geplanten Feuerwiderstandsdauern bildete zunächst DIN 4102 die gesetzliche Grundlage. Eine Bemessung und Einschätzung der Rettungswege und die Nachweisführung wurden mit Hilfe der geltenden Normen und Verordnungen sowie im Vergleich mit anderweitigen Erfahrungswerten für historische Bauwerksteile vorgenommen. Eine Aufstellung der wichtigsten Einzelforderungen erfolgt in einer dem Brandschutzkonzept beigefügten Beurteilungstabelle.

*Evakuierungssituation*

Für Schulen gelten grundsätzlich die sich aus der LBauO M-V ergebenden Anforderungen an Bauteile und die sich daraus ergebenden möglichen Zeiträume für eine gesicherte Evakuierung. Dabei ist für diesen Gebäudetyp eine Sondersituation zu beachten.

Auszüge aus der BASchulbauR dazu lauten wie folgt:

**„Für jeden Unterrichtsraum, ausgenommen in Schulen mit nicht mehr als zwei Geschossen und mit nicht mehr als 300 m² Geschossfläche im Untergeschoss, müssen in demselben Geschoss mindestens zwei von einander unabhängige Rettungswege zu Ausgängen ins Freie, zu notwendigen Treppenräumen oder zur notwendigen Treppe in der Halle nach Abschnitt 3.2 vorhanden sein. Anstelle von eines dieser Rettungswege darf ein Rettungsweg über Außentreppen ohne Treppenräume, Rettungsbalkone, Terrassen und begehbare Dächer auf das Grundstück führen, wenn dieser Rettungsweg im Brandfall nicht gefährdet ist; dieser Rettungsweg gilt als Ausgang ins Freie.“** [96]

**„Die nutzbare Breite der Ausgänge von Unterrichtsräumen und sonstigen Aufenthaltsräumen sowie der notwendigen Flure und notwendigen Treppen muß mindestens 1 m je 150 darauf angewiesener Benutzer betragen. Es muß jedoch mindestens folgende nutzbare Breite vorhanden sein bei:**

- **Ausgängen von Unterrichtsräumen und sonstigen Aufenthaltsräumen**
  **Notwendigen Fluren, auf die mehr als 180 Benutzer angewiesen sind: 2,00 m**
- **Sonstigen notwendigen Fluren: 1,25 m**
- **Notwendigen Treppen: 1,25 m**

**Die nutzbare Breite notwendiger Treppen darf 2,50 m nicht überschreiten. Geländer und Umwehrungen müssen mindestens 1 m, bei einer Absturzhöhe von 12 m mindestens 1,10 m hoch sein.“** [97]

Da eine Rettung ganzer Schulklassen über eine Anleiterung in der im Gefahrenfall erforderlichen kurzen Zeit unrealistisch ist, muss als zweiter Rettungsweg ein baulicher Rettungsweg vorhanden sein. Eine gesicherte Evakuierung in kürzester Zeit ist im Gefahrenfall durch Beaufsichtigung der Lehrkräfte möglich, da Schulen nur tagsüber als Schulen genutzt werden und die Schulklassen, von den Pausen abgesehen, von Lehrkräften beaufsichtigt werden. Jedes der zwei Gebäudeteile hat jeweils ein Treppenhaus. Es wird eine lichte Rettungswegbreite der Treppe im Altbau von 2 m und im Neubau von

1,50 m erreicht. Die Breite von 1,25 m je Treppe konnte damit realisiert werden. Die Forderungen nach den Gesamtfluchtwegbreiten wurden eingehalten.

Eine Sondersituation entstand wegen der hohen Geschosshöhen des bestehenden Gebäudes: Für das 1. Obergeschoss des Erweiterungsbaus konnte kein vollständiger zweiter baulicher Rettungsweg ohne erhebliche Beeinträchtigungen der denkmalgeschützten Bausubstanz geschaffen werden (s. Abbildung 77).

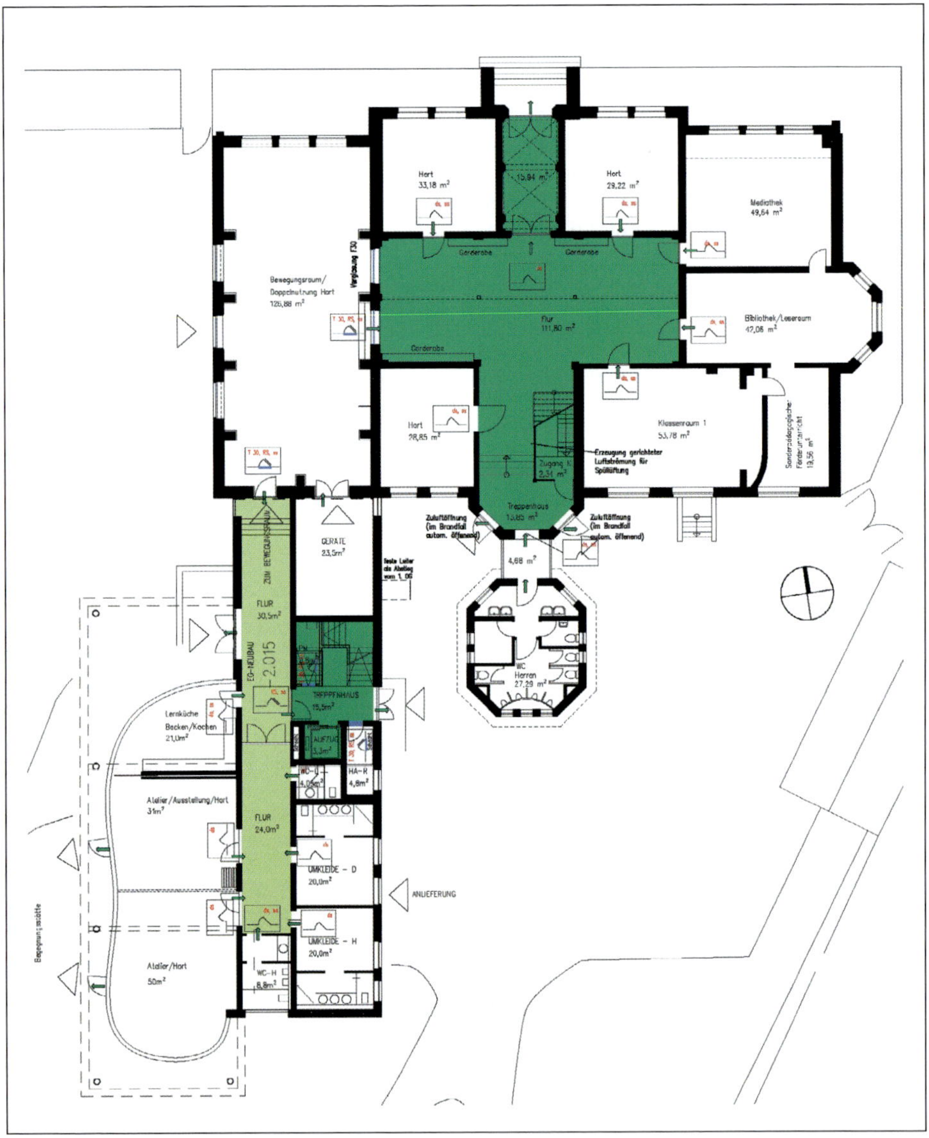


**Abbildung 78:** Brandschutzplan Erdgeschoss

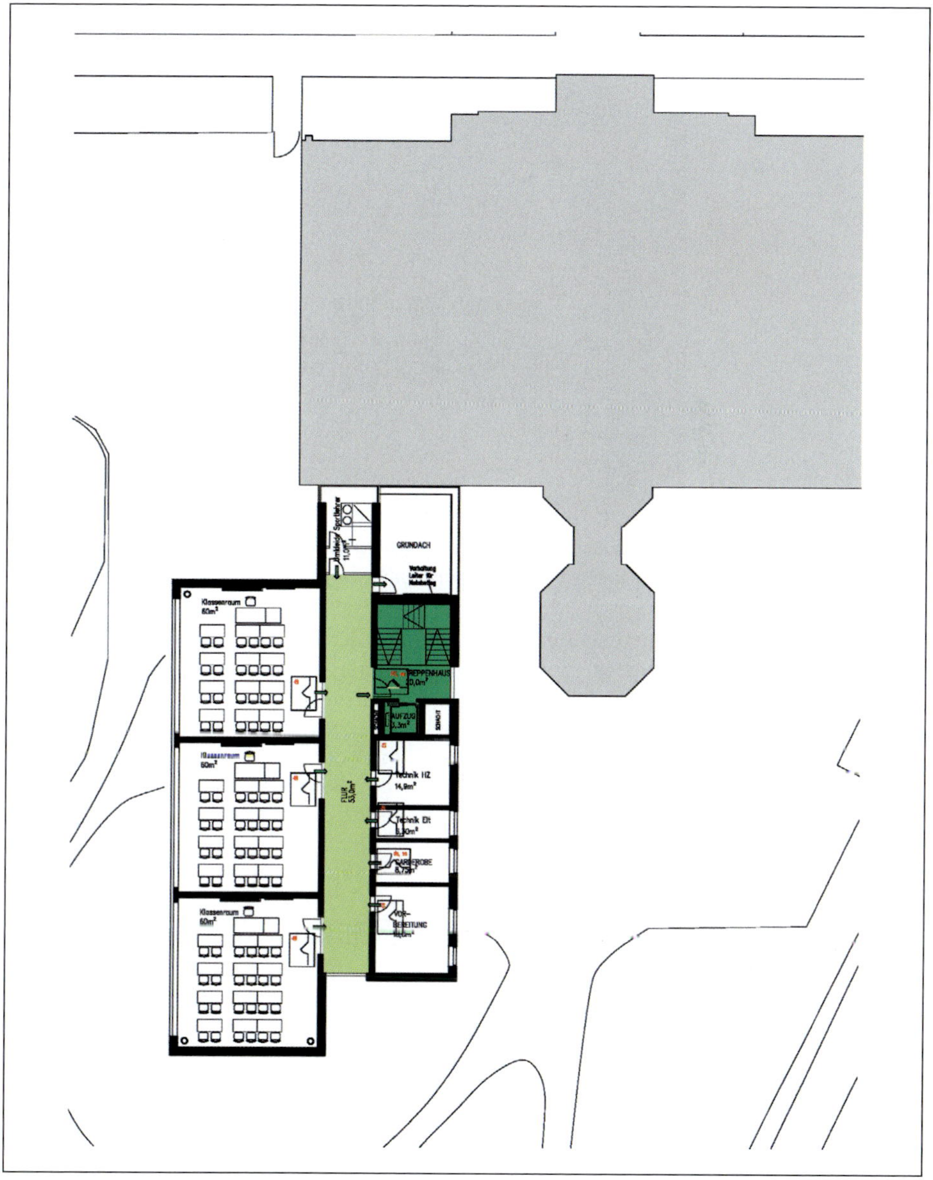


**Abbildung 79:** Brandschutzplan 1. Obergeschoss Neubau

**Abbildung 80:** Blick in den als Turnhalle errichteten Raum, in den keine Rettungstreppe eingebaut werden konnte.

Deshalb wurde die Einrichtung eines ausreichend großen Rettungspodestes vorgeschlagen, auf das sich die betroffenen Schüler und Lehrer im Gefahrenfall zunächst begeben können und somit nicht dem Rauch innerhalb des Schulgebäudes ausgesetzt würden. Das ist auch gemäß der BASchulbauR zulässig. Eine Rettungstreppe von diesem Podest war seitens des Betreibers der Schule wegen der Gefahr des unberechtigten Zutritts nicht gewünscht. Diese Sonderlösung wurde sowohl mit der zuständigen Brandschutzdienststelle als auch mit der Feuerwehr vor Ort kontrovers diskutiert. Im Ergebnis wurde folgende Einigung erzielt:

- Die Höhe der Rettungsebene (Dachterrasse über EG) ist mit etwa 3,50 m gering.
- Die Ausführung der umgebenden massiven Bauteile (Wände, Decke EG als Fußboden des begehbaren Daches) hat als F 90-A-Konstruktion, die angrenzende Verglasung in F 90 und die Tür in T30-RS zu erfolgen.
- Die Klassenräume im 1. OG Neubau sind mit einer Branddetektion als zusätzliche Überwachung der Rettungswege im Neubau und der vollständigen Überwachung im Altbau auszustatten, sodass eine sehr schnelle Evakuierung des eventuell gefährdeten Bereiches möglich ist.

- Dieser 2. Rettungsweg wird ausschließlich dann genutzt, wenn der brandlastenfreie, abgetrennte Treppenraum im Neubau nicht nutzbar wäre (sehr geringe Wahrscheinlichkeit). Diese angenommene Verrauchung des Treppenraumes setzt zugleich voraus, dass der Treppenraum selbst der Brandraum ist (Brandstiftung). Dadurch geht auf der Rettungsfläche keine Gefahr für Personen von weiteren Räumlichkeiten oder Fenstern aus. Eine angenommene Verrauchung durch Rauchaustritt aus anderen Räumlichkeiten wiederum bedeutet, dass der Treppenraum raucharm und nutzbar ist.
- Die vorhandene Rettungsfläche auf der Dachterrasse über dem Geräteraum (ca. 21 $m^2$) als „Rettungspodest" wird für die mögliche Personenanzahl (drei Klassen) als ausreichend eingeschätzt: Personenstromdichte $D$ für 75 Kinder und 5 Erw. = 0,214 < maximale Personenstromdichte $D_{max} = 0{,}92$ (nach: Predtetschenski und Milinski [98]).
- Reduzierung von möglichen Vandalismusschäden und der Gefahr des unberechtigten Zutritts durch Verzicht auf „Hilfsmittel" für einen Ausstieg über die Dachterrasse

*Entrauchung*

Für beide Treppenhäuser der Gebäudeteile ist jeweils eine Rauchabzugsanlage mit $\geq 1\ m^2$ freiem Querschnitt erforderlich. Die Rauchabzüge sind durch Ansteuerung der Brandmelder bzw. zusätzliche Handmelder im EG und DG auszulösen. Auf die Errichtung der erforderlichen Zuluftöffnungen im Erdgeschoss wird hingewiesen. Außerdem wird zur Erzeugung einer gerichteten Rauchabführung eine Spüllüftung in dem Treppenraum erforderlich. Damit wird die Entrauchung auch bei dieser Anordnung der inneren Treppen und Podeste, aber auch in Bezug auf die abnehmende Thermik entsprechend der Höhe gewährleistet.

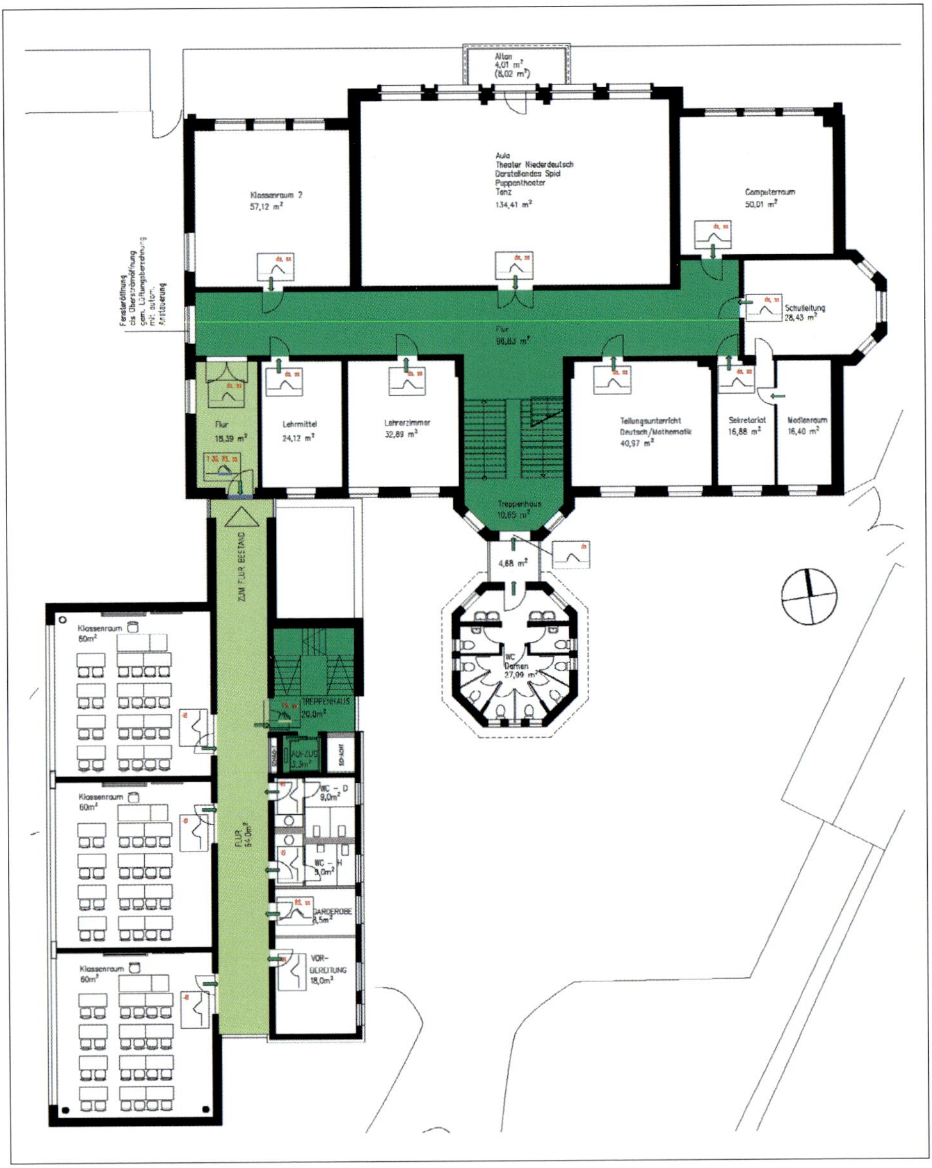


**Abbildung 81:** Brandschutzplan 1. Obergeschoss Altbau und 2. Obergeschoss Neubau

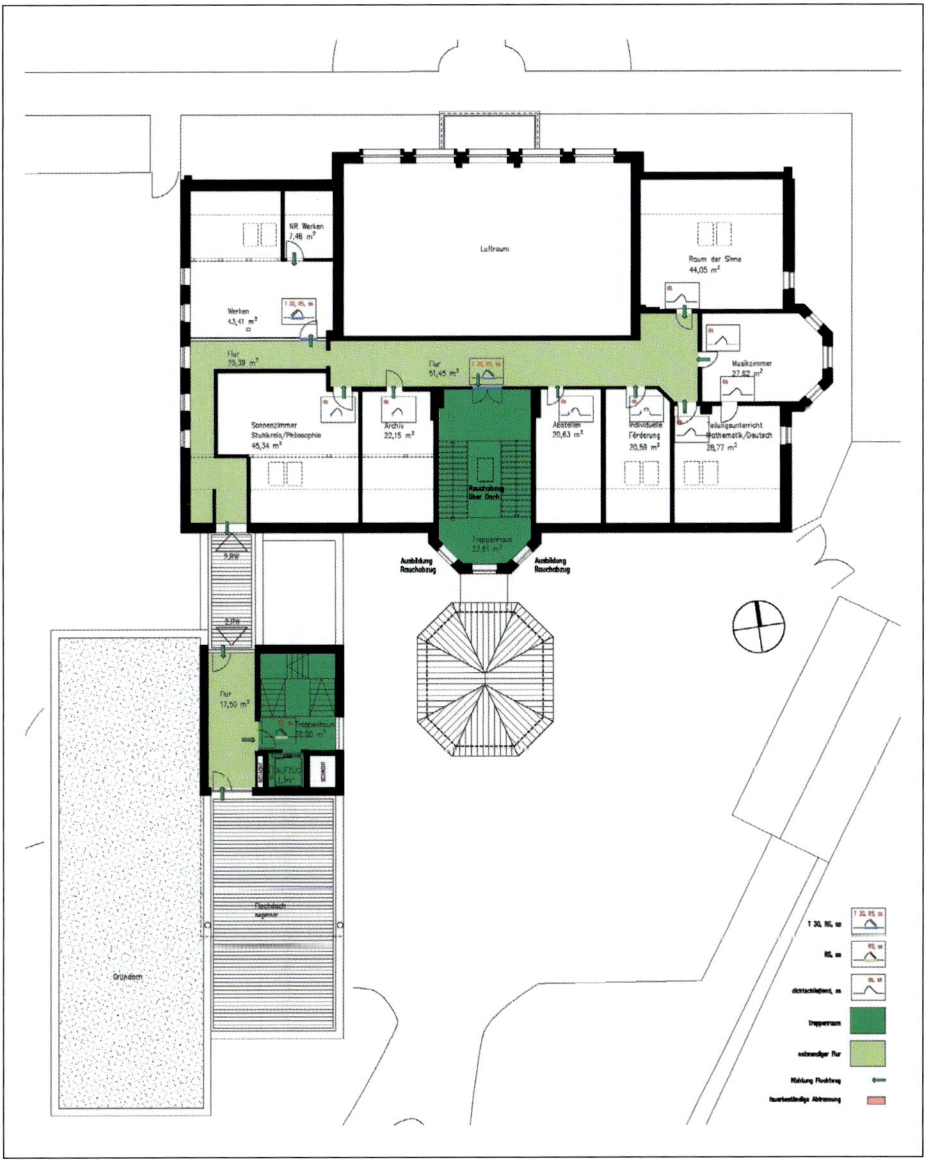


**Abbildung 82:** Brandschutzplan Dachgeschoss

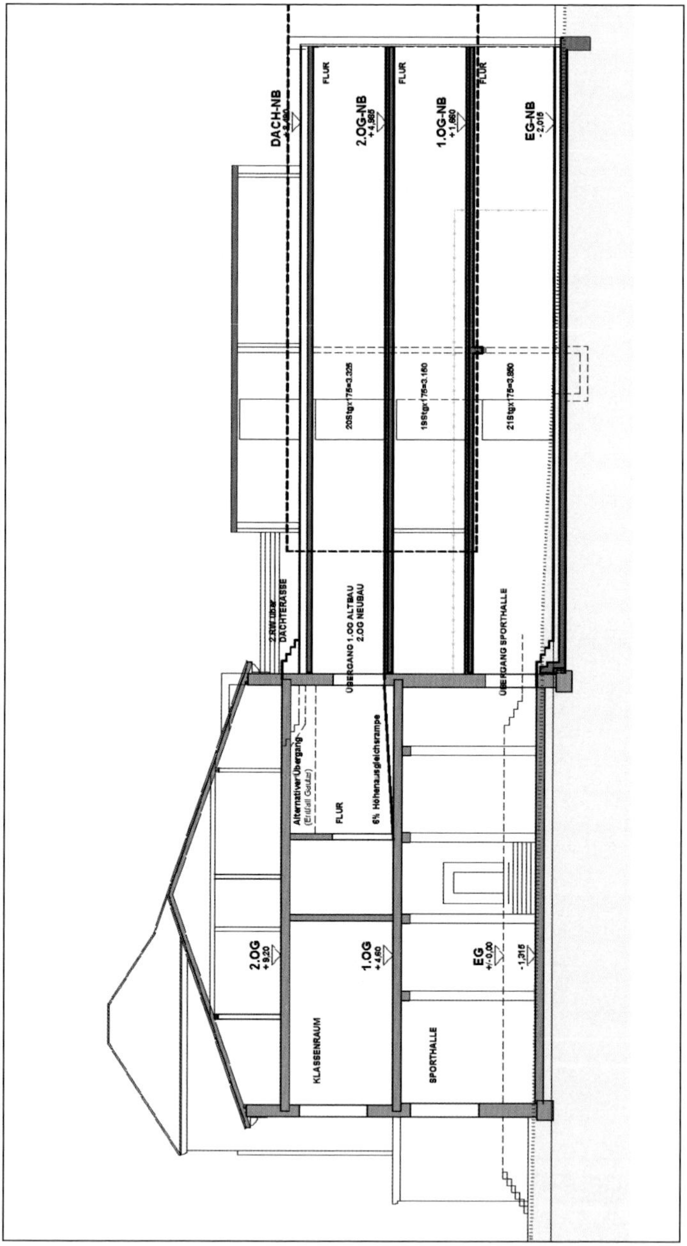


**Abbildung 83:** Gebäudeschnitte

## Detailbeschreibung

*Bewertungslisten*

In Konkretisierung der allgemeinen Forderungen als Grundlage der Beurteilung erfolgte eine detaillierte Auflistung der einzelnen Bauteile hinsichtlich der Bewertung der brandschutztechnischen Eigenschaften und durchzuführender Maßnahmen (siehe Tabelle 15).

Die jeweiligen detaillierten brandschutztechnischen Anforderungen an die Baustoffe bzw. Bauwerksteile und deren jeweilige brandschutztechnische Eigenschaften wurden aus Sachverständigensicht eingeschätzt und den geforderten Eigenschaften gegenübergestellt. Weiterhin wurden Hinweise für die weiteren Planungen gegeben.

**Tabelle 15:** Detailbeurteilung Grundschule mit Hort, Ribnitz-Damgarten
(Hinweis: Es wird auf die zur Errichtungszeit gültigen Vorschriften Bezug genommen.)

| Lfd. Nr. | § () | Forderung | Planung/Bestand | Bemerkung |
|---|---|---|---|---|
| **1** | **Brandschutz, allgemein** | | | |
| 1.1 | 3 (1) LBauO | Anlagen sind so anzuordnen, zu errichten, zu ändern und instand zu halten, dass die öffentliche Sicherheit oder Ordnung, insbesondere Leben, Gesundheit und die natürlichen Lebensgrundlagen, nicht gefährdet werden. | gewährleistet | Übernahmeverpflichtung durch Eigentümer/Betreiber |
| 1.2 | 5 (1) LBauO | Von öffentlichen Verkehrsflächen ist insbesondere für die Feuerwehr ... ein geradliniger Zu- oder Durchgang zu schaffen.<br>Ist für die Personenrettung der Einsatz von Hubrettungsfahrzeugen notwendig, sind die dafür erforderlichen Aufstell- und Bewegungsflächen vorzusehen. | gewährleistet | Aufstellflächen im öffentlichen Bereich (N-Seite), aber auch in dem rückwärtigen Bereich auf dem Grundstück (SO-Seite) sind ständig frei zu halten – Überwachung durch Betreiber |
| 1.3 | 14 LBauO | der Entstehung eines Brandes und der Ausbreitung von Feuer und Rauch vorbeugen und bei einem Brand die Rettung von Menschen und Tieren sowie wirksame Löscharbeiten ermöglichen | gewährleistet | |
| 1.4 | 26 (1) LBauO | Verbot von leichtentflammbaren Baustoffen | gewährleistet | |
| 1.5 | § 46 LBauO | Blitzschutzanlage (entsprechend Bauart, Lage oder Nutzung) | gewährleistet | Planung durch Fachplaner |

**Tabelle 15** *(fortgesetzt)*

| Lfd. Nr. | § () | Forderung | Planung/Bestand | Bemerkung |
|---|---|---|---|---|
| **2** | **Tragende Wände, Stützen** | | | |
| 2.1 | 27 (1) LBauO | feuerbeständig (Gkl. 5) – gilt im Dachraum nur, wenn darüber noch Aufenthaltsräume möglich sind;<br>in Kellergeschossen feuerbeständig | gewährleistet für „Schulgebäude Neubau“,<br>nicht gewährleistet für den Bereich Bestand | Erleichterung beantragen, wegen der vorhandenen Gegebenheiten und der Ausführung von Kompensationsmaßnahmen vertretbar,<br>„Abschottung“ durch entsprechende Türausbildungen gegeben |
| **3** | **Außenwände/Trennwände** | | | |
| 3.1 | 28 (2) LBauO | Nichttragende Außenwände und nichttragende Teile tragender Außenwände müssen aus nichtbrennbaren Baustoffen bestehen oder mind. feuerhemmend sein. | gewährleistet | |
| 3.2 | 28 (3) LBauO | Oberflächen von Außenwänden ... einschl. Dämmstoffe sind aus schwer entflammbaren Baustoffen herzustellen. | gewährleistet | |
| 3.3 | 29 (3) LBauO | Trennwände ... müssen die Feuerwiderstandsfähigkeit der tragenden und aussteifenden Bauteile des Geschosses haben, jedoch mindestens feuerhemmend sein. | Nicht gewährleistet bei Trennwänden im Altbau „zum Abschluss von Räumen mit erhöhter Brandgefahr“ (z. B. Werkraum im DG),<br>Forderung nur für Trennwände: zwischen Nutzungseinheiten sowie zu anders genutzten Räumen | Erleichterung beantragen, wegen der vorh. Gegebenheiten und der Ausführung von Kompensationsmaßnahmen vertretbar, kurze Führung der Rettungswege im DG zum Treppenraum bzw. vom Flur durch einen Aufenthaltsraum zum Treppenraum Neubau (mit Schleuse im Freien) |

**Tabelle 15** *(fortgesetzt)*

| Lfd. Nr. | § () | Forderung | Planung/Bestand | Bemerkung |
|---|---|---|---|---|
| **4** | **Brandwände** | | | |
| 4.1 | 2.1 BA-SchulR<br>30 (5) LBauO | in Abständen von max. 60 m,<br>In Öffnungen sind feuerhemmende, rauchdichte und selbstschließende Türen zulässig, wenn die angrenzenden Flurwände beiderseits der Tür in einem Bereich von 2,5 m keine Öffnungen haben.<br>feuerbeständig – auch unter zusätzlicher mechanischer Beanspruchung,<br>bis 30 cm über Dachhaut ohne darüber Hinwegführen brennbarer Teile | Keine Brandwand zur Unterteilung der Gebäude vorhanden durch nur minimal größere Ausdehnung als 60 m bei Summierung der Gebäudelängen Altbau/ Neubau,<br>damit Überschreitung der Längenvorgaben | Erleichterung beantragen, da es sich nur um eine geringe Vergrößerung des Abstandes ohne Beeinträchtigung des Schutzzieles handelt,<br>vertretbar |
| 4.2 | 30 (6) LBauO | Bei Gebäuden oder Gebäudeteilen, die über Eck zusammenstoßen, muss der Abstand dieser Brandwand von der inneren Ecke mindestens 5 m betragen; das gilt nicht, wenn der Winkel der inneren Ecke mehr als 120 Grad beträgt oder mindestens eine Außenwand auf 5 m Länge als öffnungslose feuerbeständige Wand aus nichtbrennbaren Baustoffen ausgebildet ist. | Brandwand nicht ausgeführt | |
| 4.3 | 30 (8) LBauO | Öffnungen ... nur zulässig, wenn sie auf Notwendigkeit beschränkt sind und<br>Anforderung feuerbeständig, dicht- und selbstschließend erfüllen | Brandwand nicht ausgeführt<br>Außerdem: Erleichterung nach BASchulR | |

**Tabelle 15** *(fortgesetzt)*

| Lfd. Nr. | § () | Forderung | Planung/Bestand | Bemerkung |
|---|---|---|---|---|
| **5** | **Decken** | | | |
| 5.1 | 31 (1) LBauO | Gkl. 5: feuerbeständig, | nicht gewährleistet für Decken im Altbau | Erleichterung beantragen, vorhandene Decken, z. T. Holzbalkendecken (Unterseite verputzt, Oberseite mit Dielung) werden in ihrer gesamten Konstruktion analog „F60-B“ eingestuft, entsprechend der konkreten Situation mit teilweiser Branddetektion, den kurzen Evakuierungszeiten durch Übungen etc. vertretbar. Schutzziel wird erreicht. |
| 5.2 | 31 (4) LBauO | Öffnungen in Decken unzulässig (aber möglich in einer Nutzungseinheit < 400 $m^2$ in max. zwei Geschossen);<br>können im Übrigen gestattet werden, wenn die Öffnungen mit Abschlüssen versehen werden, die die gleiche Feuerwiderstandsdauer wie die Decke haben. | gewährleistet | |
| **6** | **Dächer** | | | |
| 6.1 | 32 (1) LBauO | harte Bedachung | gewährleistet | |
| 6.2 | 32 (5) LBauO | ... lichtdurchlässige Bedachungen, Lichtkuppeln und Oberlichter sind so anzuordnen ..., dass Feuer nicht ... übertragen werden kann. | gewährleistet | |

**Tabelle 15** *(fortgesetzt)*

| Lfd. Nr. | § () | Forderung | Planung/Bestand | Bemerkung |
|---|---|---|---|---|
| 6.3 | 32 (7) LBauO | Dächer von Anbauten, die an Außenwände mit Öffnungen oder ohne Feuerwiderstandsfähigkeit anschließen, müssen innerhalb eines Abstandes von 5 m ... für einen Brandübergang von innen nach außen ... die Feuerwiderstandsfähigkeit der Decken haben. | nicht gewährleistet | Erleichterung beantragen,<br>aus Gründen der konkreten Situation und konkreter Kompensationsmaßnahmen (brandschutztechnische Aufwertung der Verglasung in den angrenzenden Gebäudeaußenwänden) vertretbar |
| **7** | **Treppen** | | | |
| 7.1 | 34 (1) LBauO | Jedes nicht zu ebener Erde liegende Geschoss muss über eine notwendige Treppe erreichbar sein. | gewährleistet | |
| 7.2 | 34 (3) LBauO | Notwendige Treppen sind in einem Zuge zu allen angeschlossenen Geschossen zu führen. | gewährleistet | |
| 7.3 | 34 (4) LBauO | tragende Teile notwendiger Treppen<br>Gkl. 5: feuerhemmend und aus nichtbrennbaren Baustoffen | nicht gewährleistet für Treppe im Altbau | Erleichterung beantragen, tragende Teile sind Holzwangen (brennbarer Baustoff), deren Widerstandsdauer ca. 30 min beträgt, entsprechend der konkreten Situation, der Funktion mit 2 baulichen Rettungswegen, der Kompensation mit einer Spüllüftung und den kurzen Evakuierungszeiten durch Übungen etc. vertretbar,<br>Schutzziel wird erreicht |

**Tabelle 15** *(fortgesetzt)*

| Lfd. Nr. | § () | Forderung | Planung/Bestand | Bemerkung |
|---|---|---|---|---|
| 7.4 | 34 (5) LBauO | In der Breite für den größten zu erwartenden Verkehr ausreichend | gewährleistet | |
| 7.5 | 34 (6) LBauO | ein fester und griffsicherer Handlauf, beidseitig, wenn Verkehrssicherheit dies erfordert | gewährleistet | in Ausführungsplanung überprüfen und übernehmen |
| 7.6 | 38 (4) LBauO | Höhe der Umwehrung (des Treppengeländers) mindestens 0,9 m | gewährleistet | in Ausführungsplanung überprüfen und übernehmen, siehe auch BASchulR Pkt. 4 |
| 7.7 | 4 BA-SchulR | – nutzbare Breite max. 2,5 m<br>– Tritt- u. Setzstufen<br>– keine gewendelten Läufe<br>– Geländer und Unwehrungen mind. 1 m, bei Absturzhöhe > 12 m Umwehrungshöhe 1,10 m | gewährleistet | Umwehrungshöhe in Ausführungsplanung überprüfen und übernehmen |
| **8** | **Treppenräume und Ausgänge** | | | |
| 8.1 | 35 (1) LBauO | Jede notwendige Treppe muss im eigenen Treppenraum liegen.<br>(Verbindung von Geschossen innerhalb von zwei Geschossen bei Nutzungseinheit < 200 m² ... sind notwendige Treppen ohne Treppenraum zulässig) | gewährleistet | Nach BASchulR Pkt. 3.2 sind Rettungswege und Treppen durch Hallen zulässig.<br>Im konkreten Fall des Altbaues bildet die „Halle“ einen vergrößerten Treppenraum. |
| 8.2 | 35 (2) LBauO | max. Rettungsweglänge 35 m in notwendigen Treppenraum oder ins Freie | gewährleistet | |

**Tabelle 15** *(fortgesetzt)*

| Lfd. Nr. | § () | Forderung | Planung/Bestand | Bemerkung |
|---|---|---|---|---|
| 8.3 | 35 (3) LBauO | Jeder notwendige Treppenraum muss an einer Außenwand liegen und einen unmittelbaren Ausgang ins Freie haben, innenliegende Treppenräume können gestattet werden, wenn ihre Nutzung durch Raucheintritt nicht gefährdet werden kann.<br>Raum zwischen Treppenraum und dem Ausgang muss Wände in der Art von Treppenraumwänden und rauchdichte selbstschließende Abschüsse zu notwendigen Fluren haben, keine Öffnungen zu anderen Räumen. | gewährleistet | Ausführung als außenliegende Treppenräume,<br>im Bestandsgebäude mit einem Ausgang Richtung Norden und zwei zusätzlichen Ausgängen Richtung Süden |
| 8.4 | 35 (4) LBauO | Wände notwendiger Treppenräume in der Bauart von Brandwänden,<br>(nicht erforderlich für Außenwände von Treppenräumen, die aus nichtbrennbaren Baustoffen bestehen und durch andere an diese Außenwände anschließende Gebäudeteile im Brandfall nicht gefährdet werden).<br>Der obere Abschluss muss die Feuerwiderstandsfähigkeit der Decken des Gebäudes haben – gilt nicht, wenn der obere Abschluss das Dach ist und die Treppenraumwände bis unter die Dachhaut reichen. | nicht gewährleistet im Bereich Bestandsgebäude,<br>vorh. Wände bis unter die Dachhaut | Abweichung beantragen, wegen der Kompensationsmaßnahmen (z. B. Spüllüftung im Treppenraum Bestandsgebäude) vertretbar, Schutzziel wird erreicht und Forderung gem. § 35 (1) LBauO M-V (Nutzung ausreichend lang möglich) erfüllt |
| 8.5 | 35 (5) LBauO | In Treppenräumen ... Bekleidungen nichtbrennbar sowie Bodenbeläge mindestens schwerentflammbar | gewährleistet | |

**Tabelle 15** *(fortgesetzt)*

| Lfd. Nr. | § () | Forderung | Planung/Bestand | Bemerkung |
|---|---|---|---|---|
| 8.6 | 35 (7) LBauO | Beleuchtungsmöglichkeit | gewährleistet | Übernahme in elektrotechnische Fachplanung |
| 8.7 | 35 (8) LBauO | Belüftungsmöglichkeit notwendiger Treppenräume in jedem Geschoss durch ins Freie führende Fenster mit einem freien Querschnitt von mindestens 0,50 m² | gewährleistet | Übernahme in Ausführungsplanung |
| **9** | **Fenster, Türen** | | | |
| 9.1 | 35 (6) LBauO | In notwendigen Treppenräumen:<br>Öffnungen ...<br>– zu Kellergeschossen und nicht ausgebauten Dachräumen, Werkstätten, Lager- und ähnlichen Räumen sowie zu sonstigen Räumen und Nutzungseinheiten mit einer Fläche von mehr als 200 m², ... mindestens feuerhemmend, rauchdicht und selbstschließend (T30-RS, ss),<br>– zu notwendigen Fluren rauchdichte und selbstschließende Abschlüsse,<br>Feuerschutz- u. Rauchschutzabschlüsse dürfen lichtdurchlässige Seitenteile und Oberlichte, nicht breiter als 2,50 m, enthalten. | gewährleistet, auch für Lager u.Ä. < 200 m² | Übernahme in Ausführungsplanung |

**Tabelle 15** *(fortgesetzt)*

| Lfd. Nr. | § () | Forderung | Planung/Bestand | Bemerkung |
|---|---|---|---|---|
| 9.2 | 2.1 BASchulR | Öffnungen in Brandwänden als feuerhemmende, rauchdichte und selbstschließende Türen zulässig, wenn die angrenzenden Flurwände beiderseits der Tür in einem Bereich von 2,5 m keine Öffnungen haben. | keine Brandwände, gewährleistet, aber auch als Öffnungsverschluss im erweiterten Treppenraum EG Bestandsgebäude zum Bewegungsraum | Ausführung als F30-Verglasung |
| 9.3 | 2.2 BASchulR | Türen zwischen Hallen und notwendigen Treppenräumen, notwendigen Fluren und Aufenthaltsräumen – RS, ss, zu Aufenthaltsräumen dichtschließend | gewährleistet | als Abschluss zum DG T30-/F30-Verglasung zur Kompensation, Übernahme in Ausführungsplanung |
| 9.4 | 5 BASchulR | Türen, ausgenommen Türen von Unterrichtsräumen und sonstigen Aufenthaltsräumen, müssen in Fluchtrichtung des 1. Rettungsweges aufschlagen. | nicht vollständig gewährleistet | Erleichterung beantragen, entsprechend der konkreten Situation vertretbar |
| 9.5 | 5 BASchulR | Selbstschließende Türen dürfen nur offengehalten werden, wenn sie Feststellanlagen haben, die bei Raucheinwirkung ein selbsttätiges Schließen ... bewirken und von Hand geschlossen werden können. | gewährleistet | |
| 9.6 | 5 BASchulR | Ausgänge zu notwendigen Fluren dürfen nicht breiter sein als der notwendige Flur. Ausgänge zu notwendigen Treppenräumen dürfen nicht breiter sein als die notwendige Treppe. Ausgänge aus notwendigen Treppenräumen müssen mindestens so breit sein wie die notwendige Treppe. | gewährleistet | |

**Tabelle 15** *(fortgesetzt)*

| Lfd. Nr. | § () | Forderung | Planung/Bestand | Bemerkung |
|---|---|---|---|---|
| 9.7 | § 37 (5) LBauO | Fenster des 2. Fluchtweges: > 0,90 × 1,20 m i. L., BH max. 1,20 m | gewährleistet | auch Übernahme in Ausführungsplanung, obwohl durchgehend zwei bauliche Rettungswege zur Selbstrettung vorhanden sind |
| **10** | **Rettungswege** | | | |
| 10.1 | 3.1 BASchulR | mind. zwei voneinander unabhängige Rettungswege für jeden Unterrichtsraum in ein und demselben Geschoss | gewährleistet (Ausnahme 1. OG Neubau, Sonderlösung Rettungspodest) | Übernahme in Ausführungsplanung, Kompensation Branddetektion im 1. OG des Neubaus |
| 10.2 | 3.2 BASchulR | ein Rettungsweg durch Halle zulässig, wenn Rauchabzugsanlage (auch bei Ausfall der allg. Stromversorgung funktionsfähig) in der Halle vorhanden ist | gewährleistet | Übernahme in Ausführungsplanung |
| 10.3 | 3.2 BASchulR | notwendige Treppe darf in der Halle liegen, jedoch nur, wenn die Halle einen unmittelbar ins Freie führenden Ausgang hat und wenn eine weitere notwendige Treppe in einem notwendigen Treppenraum vorhanden ist | gewährleistet | Übernahme in Ausführungsplanung, Freihalten der Bereiche außerhalb der Ausgänge zur Gewährleistung des ungehinderten „Nachrückens“ |
| 10.4 | 3.3 BASchulR | Stichflure max. 10 m lang | nicht vollständig gewährleistet | geringfügige Überschreitung entsprechend der Planung und der baulichen Situation mit insgesamt verkürzten Flurlängen, konsequenten Teilungen der Flure etc. vertretbar |

**Tabelle 15** *(fortgesetzt)*

| Lfd. Nr. | § () | Forderung | Planung/Bestand | Bemerkung |
|---|---|---|---|---|
| 10.5 | 3.4 BASchulR | nutzbare Breite der RW mind. 1 m je 150 darauf angewiesener Personen, jedoch mind.:<br>Ausgang Unterrichtsraum: 0,9 m<br>sonst. notw. Flure: 1,25 m<br>notw. Flure für >180 Personen: 2,0 m<br>notw. Treppen: 1,25 m<br>Erforderl. Breite darf durch offenstehende Türen nicht eingeengt werden. | gewährleistet | |
| 10.6 | § 33 (1) LBauO | in jedem Geschoss müssen mindestens zwei voneinander unabhängige Rettungswege ins Freie vorhanden sein; beide Rettungswege jedoch innerhalb des Geschosses über denselben notwendigen Flur möglich | gewährleistet | Übernahme in Ausführungsplanung und Flucht- und Rettungspläne, Ausgangsrichtungen für die Klassenräume in Ausführungsplanung beachten, damit keine Einengungen von Rettungswegen auftreten |
| 10.7 | § 33 (2), (3) LBauO | der erste Rettungsweg über eine notwendige Treppe,<br>der zweite Rettungsweg kann weitere notwendige Treppe oder eine mit Rettungsgeräten der Feuerwehr erreichbare Stelle der Nutzungseinheit darstellen,<br>bei Rettungsweg über Rettungsgeräte der Feuerwehr und Oberkante der Brüstung von zum Anleitern bestimmten Fenstern oder Stellen mehr als 8 m über der Geländeoberfläche, dürfen Gebäude nur errichtet | gewährleistet | |

**Tabelle 15** *(fortgesetzt)*

| Lfd. Nr. | § () | Forderung | Planung/Bestand | Bemerkung |
|---|---|---|---|---|
| 10.7 *(fortgesetzt)* | | werden, wenn die Feuerwehr über die erforderlichen Rettungsgeräte wie Hubrettungsfahrzeuge verfügt<br>bei Sonderbauten ... nur zulässig, wenn keine Bedenken wegen der Personenrettung bestehen | gewährleistet | |
| **11** | **Haustechnische Anlagen und Feuerungsanlagen, Alarmierungseinrichtungen, Brand-Meldeanlagen, Sicherheitsstromversorgung** | | | |
| 11.1 | 40 (1) LBauO | Leitungen dürfen durch raumabschließende Treppenraumwände, Trennwände und Decken ... nur hindurchgeführt werden, wenn eine Übertragung von Feuer und Rauch nicht zu befürchten ist oder Vorkehrungen dagegen getroffen sind. | gewährleistet | Behandlung der Gebäudefunktion als eine Nutzungseinheit unter Beachtung der Feuerwiderstandsdauer der tragenden und aussteifenden Bauteile,<br>Ausführungsplanung nach MLAR |
| 11.2 | 41 (2) LBauO | Lüftungsleitungen sowie deren Verkleidungen und Dämmstoffe müssen aus nichtbrennbaren Baustoffen bestehen. | keine Angaben, ob Lüftungsleitungen notwendig sind | haustechnische Ausführungsplanung nach bauaufsichtlichen Richtlinien ... über Anforderungen an Lüftungsanlagen |
| 11.3 | 40 (2) LBauO | Feuerstätten ... dürfen nur in Räumen aufgestellt werden, bei denen ... Gefahren nicht entstehen. | gewährleistet | |
| 11.4 | 6 BASchulR | Blitzschutzanlage | gewährleistet | Übernahme in Fachplanung, Anpassung bzw. Ergänzung der bestehenden Anlage |

**Tabelle 15** *(fortgesetzt)*

| Lfd. Nr. | § () | Forderung | Planung/Bestand | Bemerkung |
|---|---|---|---|---|
| 11.5 | 7, 8, 3.2 BASchulR | – Sicherheitsbeleuchtung in den notwendigen Fluren, notwendigen Treppenräumen und fensterlosen Aufenthaltsräumen,<br>– Rauchabzugsanlage mind. in der Halle, wenn Rettungsweg durch die Halle geführt wird | gewährleistet | Übernahme in Ausführungs- und Fachplanung |
| 11.6 | 8 BASchulR | Hausalarmierung als Alarmierungsanlage, die in jedem Raum der Schule gehört werden muss,<br>Auslösung an einer während der Betriebszeit ständig besetzten und jederzeit zugänglichen Stelle innerhalb der Schule,<br>Telefone an den Alarmierungsstellen,<br>– Alarmierungsanlage, funktionsfähig auch bei Ausfall der allg. Stromversorgung | gewährleistet | Übernahme in Fachplanung |
| **12** | **Feuerlöscheinrichtungen** | | | |
| 12.1 | Arb StättV § 13 | Ausstattung mit Feuerlöschern und Rettungsgeräten | gewährleistet | Ausstattung nach BGR 133 |
| **13** | **Sicherheitskennzeichnung** | | | |
| 13.1 | BGVA 8 | Sicherheitszeichen | gewährleistet | Ausführung in Zusammenhang mit Erstellung der Flucht- und Rettungspläne |
| 13.2 | 3.4 BASchulR | Sicherheitszeichen an Ausgängen zu notwendigen Treppenräumen oder ins Freie | gewährleistet | Ausführung in Zusammenhang mit Erstellung der Flucht- und Rettungspläne |

**Tabelle 15** *(fortgesetzt)*

| Lfd. Nr. | § () | Forderung | Planung/Bestand | Bemerkung |
|---|---|---|---|---|
| **14** | **Sonstiges** | | | |
| 14.1 | 9 BASchulR | Brandschutzordnung gemäß DIN 14096 erstellen, Feuerwehrpläne gemäß DIN 14095 erstellen, Flucht- und Rettungspläne erstellen,<br>turnusmäßige Einweisung des Personals (mind. jährlich) | gewährleistet | turnusmäßige Einweisung des Personals durch Betreiber gewährleisten |
| 14.2 | 10 BASchulR | Prüfungen vor der ersten Inbetriebnahme der Schule ... sowie jeweils mindestens alle drei Jahre durch einen nach Bauordnungsrecht anerkannten Sachverständigen<br>a) maschinelle und thermische Rauchabzugsanlagen<br>b) Sicherheitsbeleuchtung<br>c) Alarmierungsanlagen | gewährleistet | in Brandschutzordnung festzuschreiben und Verantwortlichkeiten abklären |

## Zusammenfassung

Zur brandschutztechnischen Ertüchtigung der vollen Halbtagsschule als zweizügige Grundschule mit Hort am Standort Bauermeisterplatz waren folgende Maßnahmen auszuführen:

*Altbau*

- Brandschutztechnische Abtrennung des Kellergeschosses vom Treppenraum mit Tür T30-RS,
- Brandschutztechnische Abtrennung des Bewegungsraumes von der Eingangshalle durch F30-Verglasungen und Türen der Klassifikation T30-RS,
- Ertüchtigen aller bauzeitlichen Türen gegenüber dem Treppenraum zu dichtschließenden Türen durch den Einbau von Dichtungen,
- Brandschutztechnische Abtrennung des Dachgeschosses vom Treppenraum (T30-RS),
- Ausbildung eines erweiterten Treppenraumes im Erd- und Obergeschoss ohne Türen zwischen den Fluren und dem Treppenraum, deshalb Abtrennung angeschlossener Räumlichkeiten mit dicht- und selbstschließenden Türen (Klassenräume mit Freilaufschließung), Ausstattung der Halle im Erdgeschoss, des Flures im Obergeschoss und der Räume mit erhöhter Brandgefahr (Vorbereitung, Lehrmittel, Computerraum o. Ä.) mit Rauchwarnmeldern, die an die Hausalarmierung aufgeschaltet werden und Entrauchung im Brandfall mittels einer individuell durch einen Sachverständigen zu bemessenden und abzunehmenden Druckbelüftungsanlage,
- Erreichen des 2. baulichen Rettungsweges im 1. Obergeschoss (Verbindungsgang) und über die Terrasse des Erweiterungsneubaus im Dachgeschoss zum Neubau.

*Neubau*

- Brandschutztechnische Abtrennung des Mehrzweckraumes zum Treppenraum, aller Lager- und Technikräume von dem gemeinsamen Flur und zwischen Neubau und historischer Turnhalle im Altbau mit Türen der Klassifikation T30-RS,
- Brandschutztechnische Abtrennung der notwendigen Flure vom Treppenraum durch Rauchschutztüren.

*Allgemein*

- Fachgerechter Einbau sicherheitsrelevanter Türen gemäß den erarbeiteten Brandschutzplänen,
- Ansteuerung aller sicherheitstechnisch relevanter Bauteile durch eine Teilbrandmeldeanlage, die auf die Leitstelle der Feuerwehr

und auf den von der Kommune beauftragten Sicherheitsdienst aufgeschaltet wird,

- Selbstschließende Ausführung der WC-Türen, die an Treppen- oder Treppenvorräume anschließen,
- Aufschlagrichtung der Unterrichtsräume nach dem 1. Fluchtweg in Abstimmung der weiteren Räumlichkeiten ausrichten, um Einengungen in den Fluren zu vermeiden und die Mindestbreite von 1,25 m in den Fluren zu gewährleisten,
- Abstimmung des Standortes der Hausalarmierung und des Feuerwehr-Schlüsseldepots mit den Einsatzkräften der Feuerwehr im Rahmen der fachtechnischen Ausführungsplanung,
- Planung und Ausführung von Leitungsanlagen gemäß gültiger Leitungsanlagen-Richtlinie,
- Ausführung der WC-Entlüftungen mit zugelassenen Abschottungen,
- Erarbeitung einer Brandschutzordnung gemäß DIN 14096 und Bestellen eines Brandschutzbeauftragten für die Schule,
- Erstellen von Flucht- und Rettungsplänen,
- Sicherstellen der ständigen Freihaltung einer befestigten Zufahrt und Aufstellfläche für Rettungsfahrzeuge der Feuerwehr,
- Einweisung der Nutzer durch den Fachplaner für Brandschutz in Bezug auf Verhalten im Gefahren- und Brandfall sowie Einweisung in die Brandschutzordnung,
- Regelmäßiges Vornehmen von Wartungen und Inspektionen aller sicherheitsrelevanten Ein- und Ausbauten,
- Einsatz zugelassener Vorrichtungen für das Offenhalten von Türen, die zur Selbstschließung im Brandfalle bestimmt sind, kein Verkeilen von Türen mit Brandschutzanforderungen,
- Sicherstellung, dass Türen in den Fluchtwegen gemäß Absprachen mit Baubehörden unverschlossen sind bzw. sich in voller Breite öffnen lassen,
- Reduzierung von Brandlasten auf ein notwendiges Maß, Bestuhlungen in Ausführung schwer entflammbar (B 1).

Das Brandschutzkonzept wurde auf den Einzelfall der Behandlung und Erweiterung der vollen Halbtagsschule als zweizügige Grundschule mit Hort am Standort Bauermeisterplatz in Ribnitz-Damgarten und damit auf die Nutzung der konkreten baulichen Anlage abgestimmt. Die aufgeführten brandschutztechnischen Maßnahmen sichern das Schutzziel des § 14 der LBauO M-V und tragen zu einer wesentlichen Verbesserung der bestehenden Anlage in brandschutztechnischer Hinsicht bei.

▲ **Abbildung 85:** Nachträglich eingebaute Abtrennung des Dachgeschosses

**Abbildung 84:** Nachgerüstete Tür des denkmalgeschützten Gebäudes

▲ **Abbildung 87:** Neue Druckbelüftungsanlage im Treppenraum

**Abbildung 86:** Ungewöhnlicher Rettungswegverlauf im Dachgeschoss

# Erweiterung eines bestehenden Schulgebäudes 6.4

## Allgemeines

Bei diesem Beispiel steht der angemessene Umgang bei der Erweiterung eines vorhandenen Schulgebäudes, für das Bestandsschutz besteht, im Vordergrund. Durch die Brandschutzplanung war auf das offene pädagogische Konzept zu reagieren. Neben der im betreffenden Bundesland geltenden Landesbauordnung [99] war die gültige Schulbaurichtlinie [100] zu beachten.

## Grundlagen der Beurteilung, Einstufung und Nutzung des Gebäudes

*Allgemeines*

Die Grundlage der Beurteilung bilden die Entwurfspläne des Architekten und die vorgenommenen Ortsbegehungen der Brandschutzfachplaner zur Überprüfung der bestehenden Situation.

Es werden anteilig bestehende Gebäudebereiche in die zu beurteilende Planung einbezogen. Die Beurteilung basierte dabei auf der Vor-Ort-Einschätzung der vorhandenen Bauteile sowie auf der Annahme, dass das Gebäude legal errichtet worden ist und somit eine berechtigte Nutzung als Bestandteil einer Bildungseinrichtung besteht. Eine Nutzungsänderung ist im brandschutztechnischen Sinne nicht vorgesehen. Als Grundlage zur Beurteilung der Bausubstanz wurden die zum heutigen Zeitpunkt gültigen und historischen Normen sowie einschlägige Fachliteratur herangezogen.

*Objektbeschreibung und Gebäudeeinstufung*

Auf dem betreffenden Grundstück ist im Bestand bereits ein Schulbaukomplex vorhanden. Für den südlichen Teilbereich dieser baulichen Anlage waren der Abbruch eines Bereiches und der Anbau eines Erweiterungsbaus geplant. Durch den Anbau wurde die bauliche Situation hinsichtlich der brandschutztechnischen Anschlüsse („Ecksituation“) verbessert.

Die im Weiteren angrenzenden Gebäudebereiche des anschließenden Gymnasiums sowie die Turnhalle waren nicht Bestandteil des Brandschutzkonzeptes.

Die Höhe ist im brandschutztechnischen Sinne das Maß des höchstgelegenen Aufenthaltsraumes (Fußboden) über der umgebenden Geländeoberfläche, von der aus dieser über Rettungsgeräte der Feuerwehr zu erreichen ist. Das Maß wird im vorliegenden Fall von der

Höhe des Fußbodens im 1. Obergeschoss bestimmt. Das Maß der Fußbodenoberkante der Aufenthaltsräume im Obergeschoss beträgt bei dem Erweiterungsbau etwa 4,35 m (s. Abbildung 88).

**Abbildung 88:** Schulerweiterung nach der Fertigstellung

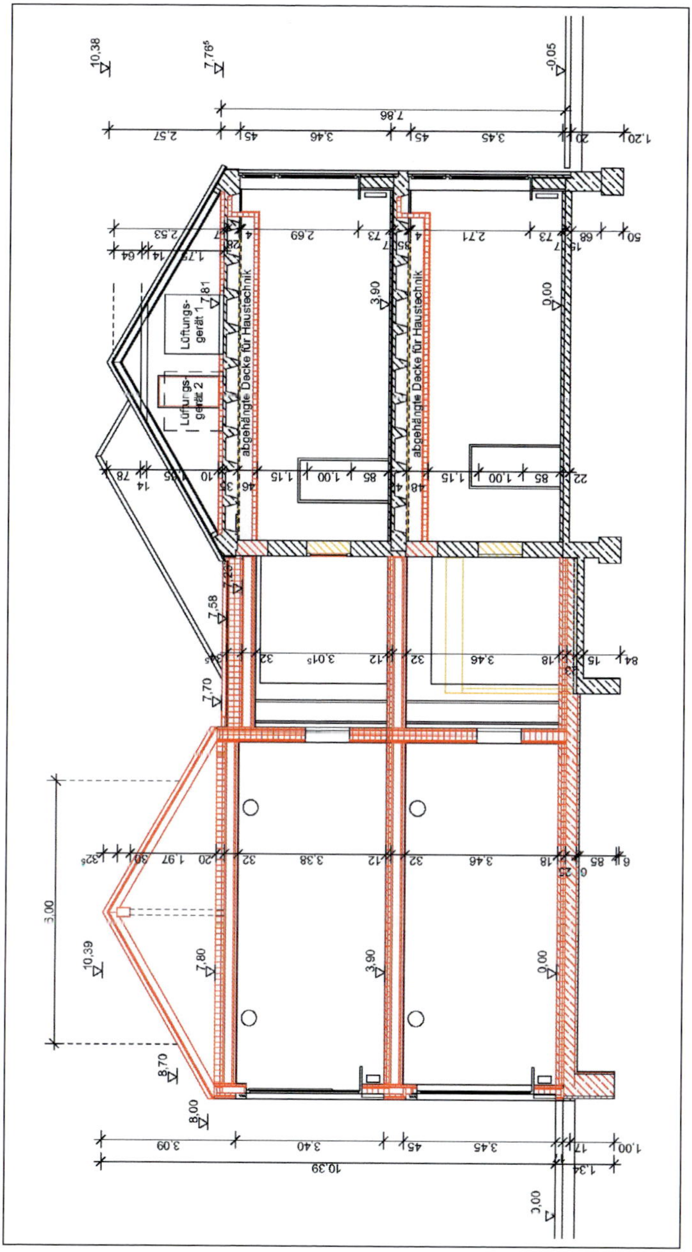


**Abbildung 89:** Querschnitt B – B (Längsschnitt)

Entsprechend den vorhandenen Höhen und Ausdehnungen der Nutzungseinheiten ist das Gebäude im Bestand als Gebäude geringer Höhe nach § 2 (9) NBauO einzustufen (Höhe < 7 m). Gemäß der vorhandenen Höhe entspricht das nach den aktuellen Regelungen einem Gebäude der Musterbauordnung sowie dem zum Planungszeitraum bereits vorliegenden neuen Entwurf zur Niedersächsischen Bauordnung [101] der Gebäudeklasse 3.

Eine Nutzungsänderung (in Bezug auf die Art der bestehenden Nutzungen) war nicht Grundlage dieses Brandschutzkonzeptes. Entsprechend der bisherigen Nutzung als Schulgebäude erfüllt auch der Anbau die Voraussetzung als bauliche Anlage besonderer Art und Nutzung (Sonderbau nach § 51 (2) Nr. 7 NBauO: Schulen) und wird deswegen brandschutztechnisch auch gemäß der vorliegenden Sonderrichtlinie (SchulbauR) beurteilt.

## Brandschutztechnische Infrastruktur

Das zu beurteilende Gebäude befindet sich innerhalb bebauter Ortsteile. Die Stadt verfügt über eine Berufsfeuerwehr sowie weitere Freiwillige Feuerwehren. Es wird davon ausgegangen, dass das Gebäude innerhalb einer Hilfsfrist von 10 Minuten durch die Feuerwehr erreicht wird. Gemäß dem vorhandenen Gebäude- und Außenanlagenbestand sind die befestigten Flächen westlich des Gebäudes als Bewegungsflächen vorhanden. Aufstellflächen für die Feuerwehr wurden nicht benötigt, weil generell zwei bauliche Rettungswege vorgesehen sind.

Es war weiterhin Grundlage des Brandschutzkonzeptes, dass das für den „Sonderbau Schule“ erforderliche Löschwasser in ausreichendem Umfang zur Verfügung steht. Art und Maß der Nutzung werden nicht geändert, deswegen ergibt sich auch keine Änderung der bisherigen Anforderungen an die Löschwasserversorgung. Ein Vorhandensein von Löschwasserentnahmestellen in einem Umkreis von max. 300 m war gegeben.

## Baulicher Brandschutz

*Allgemeine Beurteilung der bestehenden Konstruktionen*

Die Feuerwiderstandsdauer der bauzeitlichen tragenden und aussteifenden Bauteile wird als ausreichend akzeptiert. Es wurde aus Sachverständigensicht davon ausgegangen, dass die tragenden Wände gemäß bauzeitlichen Regelungen in der Bauart > F 30-A ausgeführt worden sind. Das Gleiche trifft für die bestehenden Stahlbetondecken zu bzw. sie sind zumindest brandschutztechnisch mit einem 30-minütigen Feuerwiderstand zu beurteilen. Die Beurteilung

**Tabelle 16:** Brandschutztechnische Beurteilung der tragenden Bestandsbauteile

| | Bauteile | Ausführung | Beurteilung ohne Prüfung | Ertüchtigung erforderlich? |
|---|---|---|---|---|
| Bauteile | Wände | Mauerwerk (Bestand) | ≈ F 60-A, F 90-A | Nein |
| | Decken | Stahlbeton-Rippendecke | ≈ F 30-A | Nein |

des Feuerwiderstandes für die wiederzuverwendende Konstruktion für den betreffenden Teilbereich erfolgte im Analogievergleich zu bauzeitlichen Vorschriften und unter Nutzung aktueller Fachliteratur.

*Allgemeines und Gliederung des Gebäudes*

Die Beurteilung erforderlicher brandschutztechnischer Maßnahmen erfolgt in Anlehnung an die NBauO i. V. m. der aktuellen DVNBauO und der SchulbauR.

Im bauordnungsrechtlichen Sinne sind keine inneren Brandwände mit klassifizierten Öffnungsabschlüssen erforderlich. Das Erweiterungsgebäude („Sphäre 5 + 6") weist keine Längenausdehnung von 60 m oder mehr auf. Die Ausführung einer Brandwand wurde deswegen aus sachverständiger Sicht nicht für erforderlich gehalten.

Es wird eine Gliederung dahingehend vorgenommen, dass der geplante Anbau (Sphäre 5 + 6) mit einer im Bestand vorhandenen massiven Wand mit mind. 30 min Feuerwiderstand zwischen den Funktionsräumen sowie einer F 30-Konstruktion mit einer T 30 RS-Tür getrennt wird. Die Gliederung wurde konsequent bis unter die Dachhaut umgesetzt (Öffnungsabschluss im Dachraum nur T 30).

Die F 30-/T 30 RS-Glaskonstruktion wurde zwischen dem Bereich notwendiger Flur (Bestandsbereich) sowie dem „sicheren Gang" im anschließenden neuen Nutzungsbereich Nord eingesetzt.

In Anlehnung an die Muster-Schulbau-Richtlinie 2009 [102] wurde eine Unterteilung der Erweiterung in Nutzungsabschnitte angestrebt. Jede dieser beiden Nutzungseinheiten hat sowohl einen direkten Ausgang ins Freie (auch im Obergeschoss) sowie einen Übergang in die benachbarte Nutzungseinheit bzw. den brandschutztechnisch abgetrennten Bereich des anschließenden Gymnasiums. Die jeweiligen Nutzungsabschnitte sind über einen Luftraum (NE Nord) bzw. eine interne Treppe (NE Süd) miteinander verbunden (s. Abbildungen 89 bis 91).

Aus sachverständiger Sicht konnte dieser Verbindung der Geschosse untereinander bei Installation einer Brandfrüherkennung als besondere Anforderung zugestimmt werden.

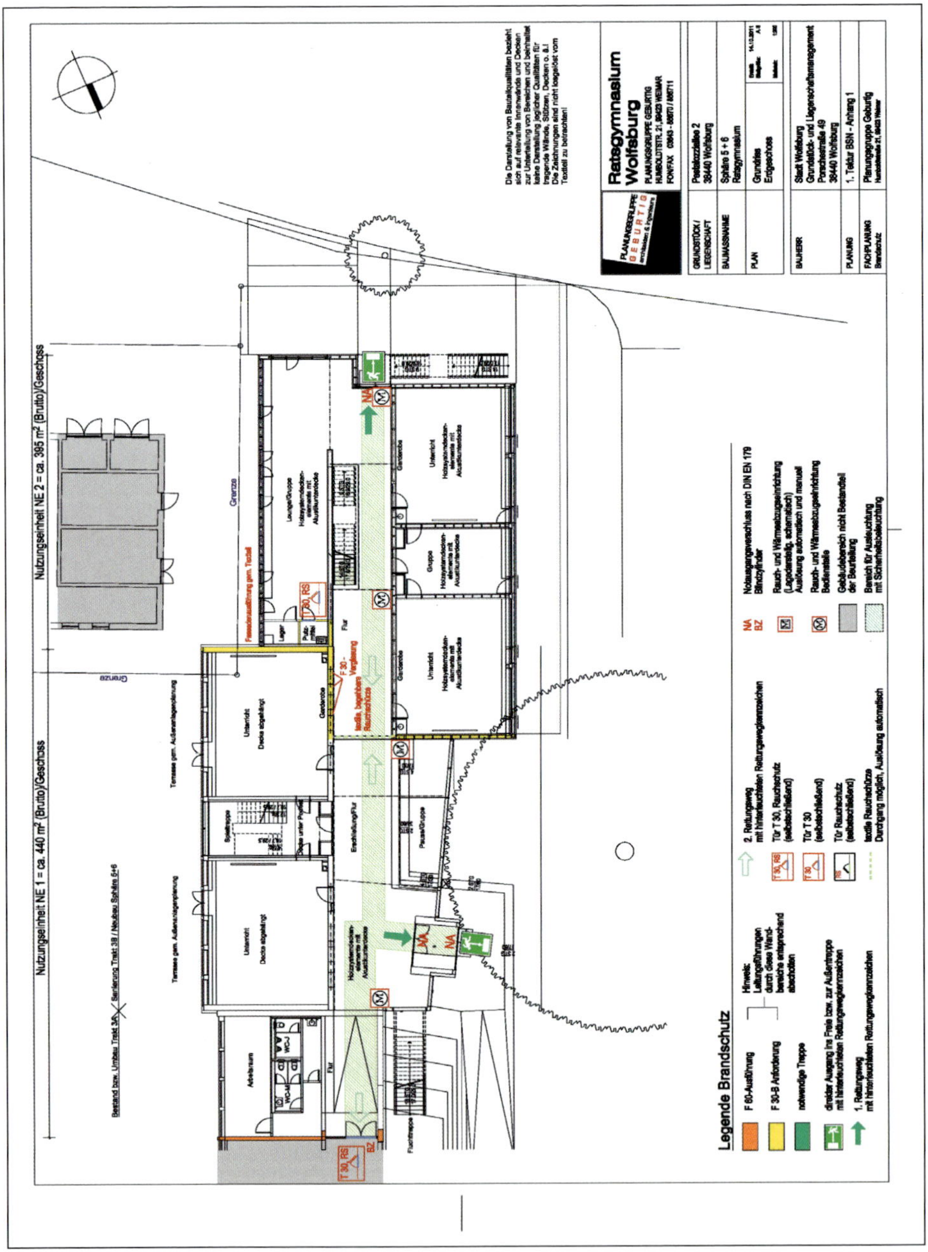


**Abbildung 90:** Grundriss Erdgeschoss

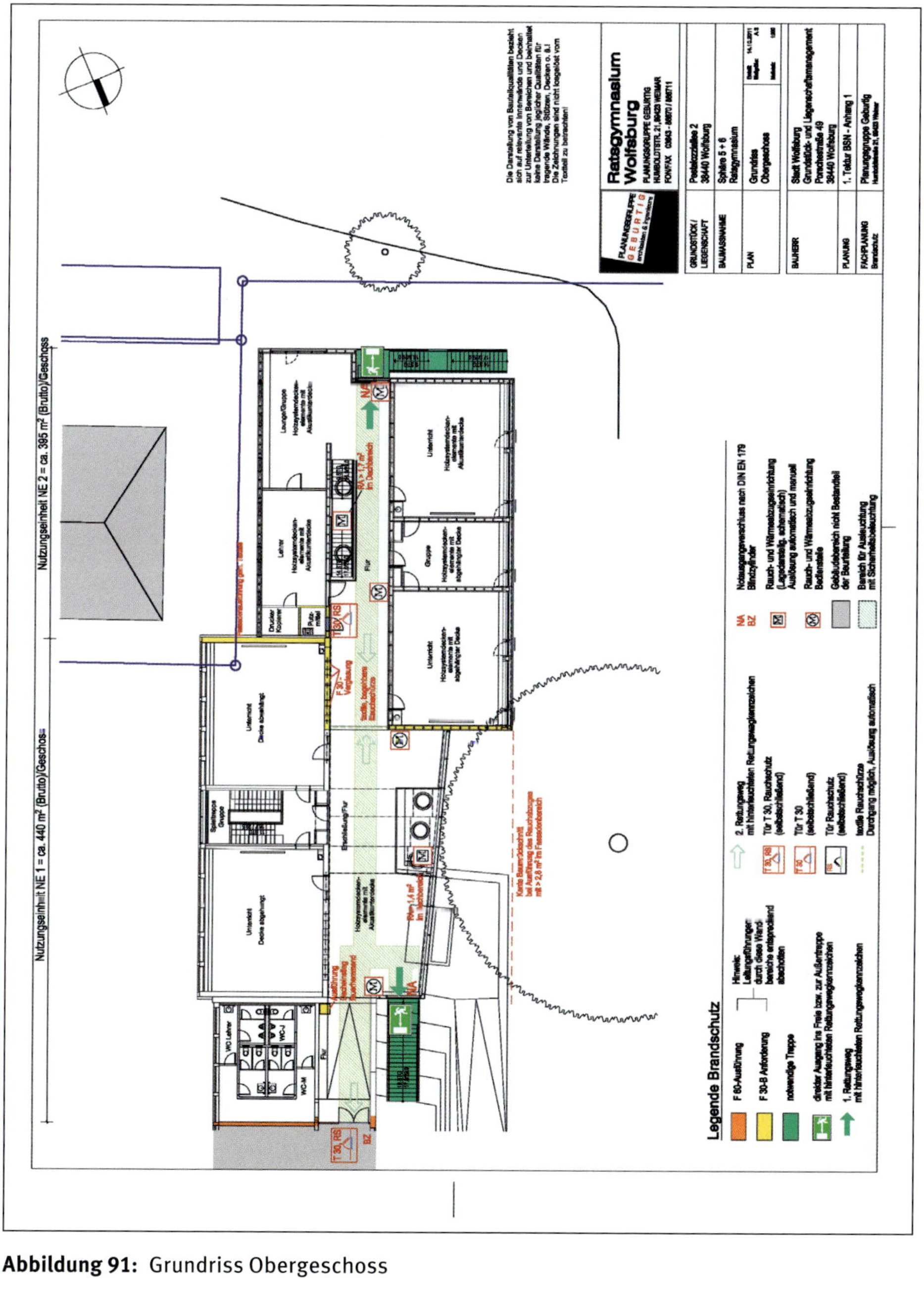


**Abbildung 91:** Grundriss Obergeschoss

**Abbildung 92:** Verbindung von Erd- und Obergeschoss

*Tragende und aussteifende Bauteile, Trennwände, Dächer und Fassaden*

An die tragenden und aussteifenden Bauteile (Wände, Pfeiler, Stützen, Decken) des Gebäudes besteht auf Grund der Einstufung nach § 30 (4) NBauO sowie der DVNBauO (Gebäude geringer Höhe) die Anforderung „feuerhemmend“ (F 30-B/R[EI] 30). Die Decken im weiteren Bereich des Bestandes sind nach sachverständiger Einschätzung mindestens feuerhemmend vorhanden. Die im Zeichnungsteil ausgewiesenen Trennwände zwischen den beiden Nutzungseinheiten waren in gleicher brandschutztechnischer Qualität zu errichten.

An die Zwischendecke im Erweiterungsbau zwischen dem Obergeschoss und dem unbegehbaren Hohlraum (im südwestlichen Bereich des Gebäudes) bestehen keine brandschutztechnischen Anforderungen an den Raumabschluss, da dieser Zwischendeckenbereich keine Decke zwischen Geschossen im bauordnungsrechtlichen Sinne darstellt. Eine Ausführung dieser Zwischendecke ist aus brandschutztechnischer Sicht nicht notwendig.

Das Dach war als gegen Flugfeuer und strahlende Wärme widerstandsfähige Bedachung (harte Bedachung) auszuführen. Nach sachverständiger Beurteilung war es notwendig, den Bereich des Flachdaches, der an den Dachgiebel im Bereich der Trennwand zwischen den Nutzungseinheiten anschließt, in einer Breite von 5 m zumindest feuerhemmend auszuführen.

Die Ausführung der Außenwand als Brandwand wird für den Fassadenbereich Richtung Südosten aus sachverständiger Sicht für nicht erforderlich eingeschätzt. Das setzte aber die dauerhafte, bauliche Sicherung des Gebäudeabstandes voraus (Baulast). Aus sachverständiger Sicht wurde auf die Einhaltung eine Abstandes von > 5 m zum benachbarten Gebäude mit dauerhafter bauordnungsrechtlicher Sicherung hingewiesen.

Für den o. a. Fassadebereich des Neubaus in Richtung Südosten (Richtung Trafogebäude einschließlich Versatz) wird aus sachverständiger Sicht empfohlen, die Verkleidungen von Außenwänden einschließlich der Dämmschichten, Unterkonstruktionen, Halterungen und Befestigungen mit mindestens schwerentflammbaren Baustoffen auszuführen. Nach den Vorgaben des § 6 DVNBauO müssen Außenwände von Gebäuden geringer Höhe die Anforderungen eines Feuerwiderstandes von mindestens 30 min erfüllen, wenn der Grenzabstand weniger als 5 m beträgt und die Außenwand nicht aus nichtbrennbaren Baustoffen besteht.

Eine konkrete Zusammenstellung der Anforderungen an die Bauteile und deren abweichende Eigenschaften erfolgt in tabellarischer Form (Bauteiltabelle, s. Tabelle 17).

*Rettungswege, notwendige Treppen und Flure sowie Rauchabschnitte*

Der Gebäudebereich der Sphäre 5 + 6 hat wegen des pädagogischen Konzeptes keinen notwendigen Flur bzw. notwendigen Treppenraum. Im Bereich des Öffnungsverschlusses in der Trennwand zwischen den Nutzungsabschnitten Nord und Süd, jeweils im Erd- und Obergeschoss, war deswegen ein Bereich von 5 m frei von zusätzlichen Brandlasten auszuführen. Zudem wurde durch im Gefahrenfall herunterfahrende begehbare Rauchschürzen, die im Normalbetrieb quasi nicht sichtbar sind, eine temporäre Rauchabschnittsbildung bei einem Brand eingerichtet (s. Abbildung 92).

Für ausgewiesene Bereiche der Gemeinschaftsflächen, die gleichzeitig als sogenannte sichere Gänge innerhalb der Nutzungsbereiche anstelle von notwendigen Fluren dienen, wurde eine Sicherheitsbeleuchtung installiert.

**Abbildung 93:** Rauchabschnittsbildung im Verlauf des Ganges, nur eine Fuge ist an der Decke sichtbar.

**Abbildung 94:** Begehbare textile Rauchschürze im „Normalzustand"

Für Unterrichtsräume sind in demselben Geschoss nach SchulbauR mindestens zwei voneinander unabhängige Rettungswege zu Ausgängen ins Freie oder zu notwendigen Treppenräumen zu gewährleisten. Die erforderliche Rettungswegbreite von mindestens 1 m lichter Breite für 150 darauf angewiesene Personen wurde nachgewiesen und umgesetzt. Alle weiteren Vorgaben an die Breite von Rettungswegen gemäß der geänderten SchulbauR wurden erreicht.

**Abbildung 95:** Notwendige Außentreppe

Die Aufenthaltsbereiche im Erdgeschoss weisen direkte, zusätzliche Ausgänge ins Freie auf. Eine Beeinflussung von Personenströmen auf Rettungswegen im Gebäude kann damit ausgeschlossen werden.

*Öffnungsabschlüsse*

Die Abgrenzung im Bereich der Trennwand zum Bestandsgebäude wurde als T 30 RS-Tür ausgeführt.

Die erforderlichen Ausführungen der Öffnungsabschlüsse (Türen) einschließlich vorzunehmender Nachrüstungen werden in der Tabelle 17 beschrieben. Dadurch entstand eine Gebäudegliederung, die mit der geplanten Rettungswegausweisung korrespondiert.

Für die selbstschließende „öffentliche" T 30 RS-Tür im Zuge des Überganges zum Bestandsbereich (in den notwendigen Flur) wurde eine bauaufsichtlich zugelassene Feststellanlage vorgesehen. Nur so konnte wirkungsvoll ein Verkeilen oder eine Manipulation der ansonsten selbstschließenden Türen verhindert werden.

Alle Türen im Zuge von Rettungswegen (mit Ausnahme der Unterrichts- und Aufenthaltsräume) wurden mit Notausgangsverschlüssen gemäß DIN EN 179 [103] ausgestattet.

**Abbildung 96:** Einer der beiden äußeren baulichen Rettungswege

## Anlagentechnischer Brandschutz

*Leitungs- und Lüftungsanlagen*

Es wurde durch die Fachplanung der technischen Gewerke gewährleistet, dass sowohl die Bestimmungen der gültigen MLAR [104] als auch der M-LüAR [105] durchgesetzt wurden. Dazu waren in raumabschließenden Wänden und in den Decken Brandschutzklappen (für die Lüftung) und Abschottungen (für elektrische Leitungsanlagen) mit einem Feuerwiderstand in Qualität des jeweils durchdrungenen Bauteils einzubauen. Aus sachverständiger Sicht wurde auch für die vertikalen Schächte eine Schottung in Deckenebene empfohlen, weil dadurch auf eine brandschutztechnische Ausführung der Schachtwände mit Brandschutzqualität sowie klassifizierte Durchführungen durch die Schachtwände verzichtet werden konnte.

Der Einsatz eines Lüftungsbausteins in entsprechender brandschutztechnischer Qualität (30 min. Feuerwiderstand) in der Trennwand zwischen Putzmittelraum und Kopierraum war aus sachverständiger Sicht zu vertreten, weil er entsprechend dem Anwendungsbereich der Zulassung eingesetzt wurde.

**Abbildung 97:** Öffnungen zur Rauchableitung (Nutzungsabschnitt Nord)

*Maßnahmen zur Rauchableitung*

Im Bereich des Nutzungsabschnittes Nord war zunächst ein Rauchabzug im Bereich der Fassade geplant. Aus sachverständiger Sicht wurde jedoch die Ausführung der Rauchableitung das Dach empfohlen, was zur Ausführung gelangte. Die Lage und die vorhandenen freien Öffnungsflächen sind in der Grundrissabbildung des Obergeschosses (Abbildung 91) und in Abbildung 97 zu sehen.

Im Bereich des Nutzungsabschnittes Süd im Gemeinschaftsbereich über der Verbindungstreppe war eine Möglichkeit der Rauchableitung über Dach mit einer freien Öffnungsfläche von mindestens 1,7 $m^2$ zu realisieren.

Die Rauchabzüge sind mit ausgewiesenen manuellen Meldern bzw. über die Ansteuerung der vernetzten Rauchmelder zu öffnen. Die Auslösung der Rauchabzüge kann auch bei Versagen der allgemeinen Stromversorgung erfolgen.

*Branddetektion und Alarmierung*

Für die neuen Nutzungsabschnitte wurde eine Branddetektion in Form einer Hausalarmierung vorgesehen, die sicherstellt, dass eine gegenseitige Alarmierung von Personen in den beiden Nutzungsabschnitten in einem Gefahrenfall erfolgt. Aus Sachverständigensicht genügte ein Teilflächenschutz ohne Aufschaltung zur Leitstelle der Feuerwehr. Die Gemeinschaftsräume, Putzmittel- und Lagerräume waren in diese Überwachung einzubeziehen.

Weiterhin war eine Alarmierungsanlage auszuführen, durch die im Gefahrenfall die Räumung der Schule oder einzelner Bereiche eingeleitet werden kann (Hausalarmierung). Das Alarmsignal unterscheidet sich vom Pausensignal und ist in jedem Raum der Schule zu hören. Das Alarmsignal kann an einer während der Betriebszeit der Schule ständig besetzten oder an einer jederzeit zugänglichen Stelle innerhalb der Schule (Alarmierungsstelle) ausgelöst werden. Die Alarmierung ist ebenfalls nach Auslösung der Handmelder, die ebenfalls zur Auslösung der Rauchabzüge dienen, zu gewährleisten.

*Sicherheitsbeleuchtung und Sicherheitsstromversorgung*

In den Gängen der Nutzungsabschnitte und im Bereich der notwendigen Treppen war eine Sicherheitsbeleuchtung zu installieren. Für die Rettungswegkennzeichnung, Sicherheitsbeleuchtung sowie Alarmierungsanlage wurde eine Sicherheitsstromversorgung eingebaut. Alle Ausgänge ins Freie und zu Treppen wurden mit hinterleuchteten Sicherheitszeichen versehen. Die betreffenden Einrichtungen sind regelmäßig zu warten.

## Organisatorischer Brandschutz

*Brandschutzordnung*

Durch den Betreiber der Schule bzw. den Schulträger war eine Brandschutzordnung nach DIN 14096 [106] zu erstellen bzw. die vorhandene Brandschutzordnung der bestehenden Schule dementsprechend anzupassen und zu ergänzen. Im Bereich der begehbaren, textilen Rauchschürze ist in einem Bereich von 2,5 m je Seite eine Möblierung auszuschließen. Diese vorgenannte Randbedingung war in der Brandschutzordnung festzuschreiben.

Im Bereich der begehbaren, textilen Rauchschürze ist in einem Bereich von 2,5 m je Seite eine Möblierung auszuschließen. Diese vorgenannte Randbedingung war in der Brandschutzordnung festzuschreiben.

Es ist eine ausreichende Anzahl von geeigneten Feuerlöschern (z. B. nach BGR 133 [107]) vorzuhalten und deren Aufstellung gut sichtbar zu kennzeichnen.

Außerdem wurden Feuerwehrpläne nach DIN 14095 [108] in Abstimmung mit der zuständigen Brandschutzdienststelle erstellt. Die Zufahrten und die Bewegungsflächen für die Feuerwehr sowie die

Löschwasserentnahmestellen wurden gekennzeichnet und in die Feuerwehrpläne übernommen.

Die Freihaltung der Rettungswege ist organisatorisch dauerhaft sicherzustellen. Eine Möblierung der Rettungswege sowie die Offenhaltung von Brandschutztüren ohne zugelassene Vorrichtungen sind konsequent auszuschließen.

Geeignete Flucht- und Rettungspläne wurden angefertigt und ausgehängt.

## Detailzusammenstellung und notwendige Erleichterungen

Bei der Umsetzung der benannten brandschutztechnischen Maßnahmen wurden wegen der besonderen Art und Nutzung des Gebäudes entsprechende Erleichterungen von den Regelungen der Schulbau richtlinie bzw. der Landesbauordnung des Landes Niedersachsen vorgesehen, die aus Sachverständigensicht zu vertreten waren. Deswegen wurden diese durch die zuständige Bauaufsichtsbehörde gestattet. Die Erleichterungen sind in der Zusammenstellung (Tabelle 17) aufgeführt und begründet.

Die in der nachfolgenden Tabelle als „gewährleistet" bzw. in den weiteren Bemerkungen ausgewiesenen Sachverhalte sind weiterführend umzusetzen und entsprechend in die Planung auch der weiteren Fachplaner und Sachverständigen zu übernehmen. *Die kursiv dargestellten Anforderungen beziehen sich auf Anforderungen aus der Schulbaurichtlinie.*

**Tabelle 17:** Beurteilungstabelle

| Lfd. Nr. | § () | Forderung nach NBauO/DVNBauO/*SchulbauR* | Bestand/Planung | Bemerkung |
|---|---|---|---|---|
| **1** | **Brandschutz, allgemein** | | | |
| 1.1 | 1 (1) NBauO | Bauliche Anlagen müssen so angeordnet, beschaffen und für ihre Benutzung geeignet sein, dass die öffentliche Sicherheit nicht gefährdet wird. Insbesondere dürfen Leben, Gesundheit und die natürlichen Lebensgrundlagen nicht bedroht werden. | gewährleistet | Übernahmeverpflichtung durch Eigentümer |
| 1.2 | 20 (1) NBauO | Bauliche Anlagen müssen so angeordnet, beschaffen und für ihre Nutzung geeignet sein, dass der Entstehung eines Brandes und der Ausbreitung von Feuer und Rauch vorgebeugt wird und bei einem Brand die Rettung von Menschen und Tieren sowie wirksame Löscharbeiten möglich sind. | gewährleistet | |
| 1.3 | 4a DVNBauO (zu 20 NBauO) | Leichtentflammbare Baustoffe dürfen nur verwendet werden, wenn sie durch die Art der Verarbeitung oder des Einbaus ausreichend gegen Entflammen geschützt sind. | gewährleistet | |
| 1.4 | *5 (1) NBauO* | *jederzeit ungehinderte Zugänglichkeit des Baugrundstücks für den erforderlichen Einsatz von Feuerlösch- und Rettungsgeräten* | *gewährleistet* | *dauerhaft gewährleisten – Übernahme der Anforderung in die zu erstellende Brandschutzordnung* |
| **2** | **Wände, Pfeiler und Stützen** | | | |
| 2.1 | 5 und 9 DVNBauO (zu 30 NBauO) | Tragende und aussteifende Wände:<br>– oberhalb Kellergeschoss: feuerhemmend<br>– Kellergeschoss: feuerbeständig. | gewährleistet | |

**Tabelle 17** *(fortgesetzt)*

| Lfd. Nr. | § () | Forderung nach NBauO/DVNBauO/*SchulbauR* | Bestand/Planung | Bemerkung |
|---|---|---|---|---|
| **3** | **Außenwände** | | | |
| 3.1 | 6 DVNBauO (zu 30 NBauO) | Außenwände: bestehend aus nichtbrennbaren Baustoffen (A) oder einschl. ihrer Halterungen, Befestigungen und Stoßfugen mind. 30 min. widerstandsfähig gegen Feuer | gewährleistet | Grundlagenanforderung an alle Fassaden<br>in Planung durchsetzen |
| **4** | **Trennwände** | | | |
| 4.1 | 7 (1, 2) DVNBauO (zu 30 NBauO) | Trennwände ... nur feuerhemmend bei Gebäuden geringer Höhe und im obersten Geschoss im Dachraum | gewährleistet | in Ausführung durchsetzen |
| 4.2 | 7 (4) DVNBauO (zu 30 NBauO) | Trennwände bis zur Rohdecke, im Dachraum bis zur Dachhaut führen | gewährleistet | Prüfung vor Ort vornehmen, in Planung durchsetzen |
| 4.3 | 7 (5) DVNBauO (zu 30 NBauO) | Öffnungen in Trennwänden sind nur zulässig, wenn die Nutzung der Räume dies erfordert, sie müssen mind. feuerhemmend und selbstschließend sein. | nicht gewährleistet | Erleichterung,<br>Ausführung des Öffnungsabschlusses gem. baulicher, räumlicher und funktioneller Anforderung als textile, begehbare Rauchschürze (z. B. „Stripecoil" – Fa. Stöbich), aus sachverst. Sicht und weiterer Ausgleichsmaßnahmen |
| **5** | **Brandwände** | | | |
| 5.1 | *Nr. 2 SchulbauR* | *Brandwände in Abständen von höchstens 60 m* | *gewährleistet* | *durch vorhandene Längenausführung keine BW erforderlich* |

**Tabelle 17** *(fortgesetzt)*

| Lfd. Nr. | § () | Forderung nach NBauO/DVNBauO/*SchulbauR* | Bestand/Planung | Bemerkung |
|---|---|---|---|---|
| **6** | **Decken** | | | |
| 6.1 | 10 (1) DVNBauO (zu 31 NBauO) | Decken ... nur feuerhemmend in Gebäuden geringer Höhe, Decken über Kellergeschossen feuerbeständig | gewährleistet | kein Kellergeschoss vorhanden |
| 6.2 | 10 (4) DVNBauO (zu 31 NBauO) | In Decken, die mind. feuerhemmend sein müssen, sind nur Öffnungen zulässig:<br>– für notwendige Treppen, Aufzugsanlagen sowie Schächte, an die Anforderungen hinsichtlich des Brandschutzes gestellt werden<br>– für andere Zwecke, wenn die Nutzung des Gebäudes dies erfordert und die Öffnungen mit selbstschließenden Abschlüssen versehen sind, deren Feuerwiderstandsdauer der der Decken entspricht. | nicht gewährleistet | Erleichterung,<br>Ausführung der Öffnung gemäß räumlicher und funktioneller Anforderung erforderlich aus sachverst. Sicht und weiterer Ausgleichsmaßnahmen wegen zuständiger Brandmeldung, vorhandener Rettungswege direkt ins Freie aus jeder Ebene der Nutzungseinheiten sowie zusätzlicher Ausbildung von Rauchabzügen |
| **7** | **Dächer** | | | |
| 7.1 | 32 (1) NBauO (zu 11 (1) DVNBauO) | Bedachungen gegen Brandbeanspruchung von außen ausreichend lang durch Flugfeuer und strahlende Wärme widerstandsfähig (harte Bedachung) | gewährleistet | Bestand vor Ort prüfen, in Planung durchsetzen |
| 7.2 | 32 (3) NBauO | Dachaufbauten, Glasdächer und Oberlichter müssen so angeordnet und hergestellt sein, dass Feuer nicht auf andere Gebäudeteile oder Nachbargebäude übertragen werden kann. | gewährleistet | Abstand von > 5 m nach Planung zu weiteren Dachaufbauten/ Giebelbereichen vorh. |

**Tabelle 17** *(fortgesetzt)*

| Lfd. Nr. | § () | Forderung nach NBauO/DVNBauO/*SchulbauR* | Bestand/Planung | Bemerkung |
|---|---|---|---|---|
| **8** | **Verkleidungen und Dämmschichten** | | | |
| 8.1 | 12 (1) DVNBauO (zu 30, 31, 34a NBauO) | Verkleidungen einschließlich Dämmschichten, Unterkonstruktionen, Halterungen und Befestigungen müssen in Treppenräumen notwendiger Treppen, in notwendigen Fluren und in Laubengängen aus nichtbrennbaren (A) Baustoffen bestehen. | nicht vorhanden | Kein notwendiger Treppenraum bzw. notwendiger Flur vorhanden, sondern in Anlehnung an Entwurf zur NBauO sowie zur MBO Ausführung von Nutzungseinheiten |
| 8.2 | 12 (2) DVNBauO (zu 30, 31, 34a NBauO) | Verkleidungen von Außenwänden einschließlich Dämmschichten, Unterkonstruktionen, Halterungen und Befestigungen müssen aus mind. schwerentflammbaren (B1) Baustoffen bestehen.<br>Außenwandverkleidungen, von denen Teile brennend abtropfen oder brennend abfallen können, sind bei Gebäuden mit mehr als zwei Geschossen unzulässig, dabei bleiben Kellergeschosse außer Betracht. | gewährleistet | |
| **9** | **Rettungswege** | | | |
| 9.1 | *Nr. 4 SchulbauR* | *Für jeden Unterrichtsraum in demselben Geschoss: mindestens zwei voneinander unabhängige Rettungswege zu Ausgängen ins Freie oder zu notwendigen Treppenräumen;*<br>*→ an Stelle eines dieser Rettungswege ein Rettungsweg über Außentreppen ohne Treppenräume möglich* | *gewährleistet* | *Unter Beachtung der brandschutztechnischen Gliederung in Nutzungseinheiten aus jedem Geschoss unmittelbar ins Freie sowie zusätzlicher Übergang in benachbarte Nutzungseinheit weiterer Rettungsweg vorhanden* |

**Tabelle 17** *(fortgesetzt)*

| Lfd. Nr. | § () | Forderung nach NBauO/DVNBauO/*SchulbauR* | Bestand/Planung | Bemerkung |
|---|---|---|---|---|
| 9.2 | 13 (3) DVNBauO (zu 20 NBauO) | Von jeder Stelle jedes Aufenthaltsraumes muss in demselben Geschoss mind. ein Treppenraum oder notwendige Treppe oder ein Ausgang ins Freie in höchstens 35 m Entfernung erreichbar sein. | gewährleistet | |
| 9.3 | 13 (1) DVNBauO (zu 20 NBauO) | 1. Rettungsweg über mind. eine notwendige Treppe,<br>2. Rettungsweg über eine mit Rettungsgeräten der Feuerwehr erreichbare Stelle oder über eine weitere notwendige Treppe;<br>wenn über Rettungsgeräte, dann muss die Feuerwehr über diese Geräte auch verfügen. | gewährleistet | Keine Anleiterung über Rettungsgeräte der Feuerwehr erforderlich, da zwei bauliche Rettungswege vorhanden |
| **10** | **Treppen** | | | |
| 10.1 | 14 (1) DVNBauO (zu 34 NBauO) | Notwendige Treppen in einem Zuge zu allen angeschlossenen Geschossen | gewährleistet | Außentreppen, zus. innere Verbindungstreppe vorhanden |
| 10.2 | 14 (2) DVNBauO (zu 34 NBauO) | tragende Teile notwendiger Treppen: feuerhemmend bzw. nichtbrennbar | gewährleistet | |
| 10.3 | *Nr. 6+7 SchulbauR* | *nutzbare Breite 1 m je 150 darauf angewiesene Personen, mind. jedoch 1,25 m, max. 2,5 m* | *gewährleistet* | |

**Tabelle 17** *(fortgesetzt)*

| Lfd. Nr. | § () | Forderung nach NBauO/DVNBauO/*SchulbauR* | Bestand/Planung | Bemerkung |
|---|---|---|---|---|
| 10.3 *(fortgesetzt)* | 14 (4) DVNBauO (zu 34 NBauO); | nutzbare Laufbreite notwendiger Treppen und deren Absätze müssen mind. 1 m breit sein | gewährleistet | |
| 10.4 | 34 (6) NBauO | beiderseits Handläufe für notwendige Treppen | gewährleistet | |
| **11** | **Treppenräume** | | | |
| 11.1 | 15 (1) DVNBauO (zu 34a NBauO) | Treppenräume notwendiger Treppen müssen an einer Außenwand liegen. | nicht vorhanden | Ausschließlich direkte Ausgänge, im OG über Außentreppen vorhanden, innere Verbindungstreppe in der Nutzungseinheit ohne Treppenraum |
| 11.4 | 15 (4) DVNBauO (zu 34a NBauO) | Der obere Abschluss von Treppenräumen notwendiger Treppen muss feuerbeständig sein. Das gilt nicht, wenn der obere Abschluss von Treppenräumen das Dach ist und die Wände der Treppenräume bis unter eine harte Bedachung reichen. | gewährleistet | |
| **12** | **Flure, Laubengänge** | | | |
| 12.1 | 17 (1) DVNBauO (zu 35 NBauO) | Notwendige Flure und Laubengänge müssen mind. 1,25 m breit sein. | nicht vorhanden | keine notwendigen Flure im bauordnungsrechtlichen Sinne vorhanden, ausschließlich Gemeinschaftsflächen in Nutzungseinheit |

**Tabelle 17** *(fortgesetzt)*

| Lfd. Nr. | § () | Forderung nach NBauO/DVNBauO/*SchulbauR* | Bestand/Planung | Bemerkung |
|---|---|---|---|---|
| 12.3 | *Nr. 5 SchulbauR* | *Stichflurlänge max. 10 m* | *gewährleistet* | *In jeder Nutzungseinheit sind Aus- und Übergänge an den Außenbereichen und damit Rettungswege in beiden Richtungen vorhanden → keine Stichflure mit nur einer Fluchtrichtung vorhanden* |
| **13** | **Fenster, Türen und Lichtschächte** | | | |
| 13.1 | Nr. 8 SchulbauR | selbstschließende Türen nur offen halten, wenn sie Feststellanlagen haben, die bei Raucheinwirkung ein selbsttätiges Schließen der Türen bewirken;<br>müssen auch von Hand geschlossen werden können.<br>Aufschlag der Türen im Zuge von Rettungswegen, ausgenommen Türen von Unterrichtsräumen und sonstigen Aufenthaltsräumen, in Fluchtrichtung des ersten Rettungsweges,<br>müssen von innen leicht in voller Breite zu öffnen sein | gewährleistet | s. Zeichnungsteil, NA-Verschlüsse bzw. Blindzylinder ausführen |
| **14** | **Leitungen, Lüftungsleitungen, Installationsschächte und -kanäle** | | | |
| 14.1 | 21 (1) DVNBauO (zu 39 NBauO) | Leitungen, Installationsschächte und -kanäle durch raumabschließende ... Wände, Trennwände und Decken nur hindurchführen, wenn eine Übertragung von Feuer und Rauch nicht zu befürchten ist oder Vorkehrungen dagegen getroffen sind. | zu gewährleisten | Ausführungen nach LAR und LüAR, Herstellerrichtlinien gem. neuer Abschnittsbildung |

**Tabelle 17** *(fortgesetzt)*

| Lfd. Nr. | § () | Forderung nach NBauO/DVNBauO/*SchulbauR* | Bestand/Planung | Bemerkung |
|---|---|---|---|---|
| 14.2 | 21 (2), (6) DVNBauO (zu 39 NBauO) | Lüftungsleitungen, Installationsschächte und -kanäle sowie deren Verkleidungen und Dämmstoffe aus nichtbrennbaren (A) Baustoffen.<br>Zugangstüren und -klappen feuerhemmend | zu gewährleisten | Einhaltung der LüAR |
| 14.3 | 21 (3), (4) DVNBauO (zu 39 NBauO) | Lüftungsleitungen nicht an Schornsteine angeschlossen;<br>Nicht zu Lüftungsanlagen gehörende Einrichtungen in Lüftungsleitungen unzulässig. | zu gewährleisten, Überprüfung veranlassen | Einhaltung der LüAR |
| **15** | **Feuerungsanlagen, Wärme- und Brennstoffversorgungsanlagen** | | | |
| 15.1 | 40 (1), (2) NBauO | Feuerstätten und Abgasanlagen wie Schornsteine, Abgasleitungen und Verbindungsstücke (Feuerungsanlagen), Anlagen zur Abführung von Verbrennungsgasen sowie Behälter und Rohrleitungen für brennbare Gase und Flüssigkeiten | nicht vorhanden | |
| **16** | **Technische Anlagen** | | | |
| 16.1 | *Nr. 10 SchulbauR* | *Sicherheitsbeleuchtung: in notwendigen Fluren, notwendigen Treppenräumen und fensterlosen Aufenthaltsräumen* | *zu gewährleisten* | *Auch wenn kein notwendiger Flur bzw. Treppenraum vorhanden ist.*<br>*Übernahme in Fachplanung der ausgewiesenen Bereiche, die mit Sicherheitsbeleuchtung auszuführen sind* |

**Tabelle 17** *(fortgesetzt)*

| Lfd. Nr. | § () | Forderung nach NBauO/DVNBauO/*SchulbauR* | Bestand/Planung | Bemerkung |
|---|---|---|---|---|
| 16.2 | *Nr. 11 SchulbauR* | *Vorhandensein von Alarmierungsanlagen, durch die im Gefahrenfall die Räumung der Schule oder einzelner Schulgebäude eingeleitet werden kann (Hausalarmierung).*<br>*Unterscheidung des Alarmsignals vom Pausensignal und Hörbarkeit in jedem Raum der Schule gewährleisten*<br>*Möglichkeit zur Auslösung des Alarmsignals mindestens an einer während der Betriebszeit der Schule ständig besetzten oder an einer jederzeit zugänglichen Stelle innerhalb der Schule (Alarmierungsstelle)*<br>*Telefon an mindestens einer Alarmierungsstelle, mit dem jederzeit Feuerwehr und Rettungsdienst unmittelbar alarmiert werden können* | *zu gewährleisten* | *Übernahme in Fachplanung*<br>*Alarmierung auch nach Auslösung der Rauchmelder sowie Betätigen der manuell zu betätigenden Druckknopfmelder* |
| 16.3 | *Nr. 12 SchulbauR* | *Sicherheitsstromversorgung für Sicherheitsbeleuchtung und Alarmierungsanlage* | *zu gewährleisten* | *Übernahme in Fachplanung*<br>*Sicherheitsstromversorgung auch für Brandmeldung sowie Rauchabzüge und Rettungswegekennzeichnung gewährleisten, wenn nicht akkugepuffert ausgeführt* |

**Tabelle 17** *(fortgesetzt)*

| Lfd. Nr. | § () | Forderung nach NBauO/DVNBauO/*SchulbauR* | Bestand/Planung | Bemerkung |
|---|---|---|---|---|
| 16.4 | *Nr. 14 SchulbauR* | *Regelmäßige Überprüfung:*<br>*– Lüftungsanlagen einschl. Absperrvorrichtungen darin*<br>*– Rauchabzugsanlagen*<br>*– Brandmelde- und Alarmierungsanlagen*<br>*– Sicherheitsstromversorgungsanlagen einschl. Sicherheitsbeleuchtung* | *zu gewährleisten* | *Übernahme in Fachplanung* |
| 16.5 | *Nr. 9 SchulbauR* | *Blitzschutzanlagen* | *zu gewährleisten* | *Übernahme in Fachplanung* |
| 16.6 | 32 (1) Nr. 4 DVNBauO (zu 87 NBauO) | Wiederkehrende bauaufsichtliche Sicherheitsüberprüfungen von Sonderbauten | zu gewährleisten | Aufgabe für Betreiber |
| 16.7 | 32 (2) DVNBauO (zu 87 NBauO) | Prüfungen vor der ersten Inbetriebnahme sowie jeweils mindestens alle drei Jahre durch einen nach Bauordnungsrecht anerkannten Sachverständigen<br>a) maschinelle und thermische Rauchabzugsanlagen<br>b) Sicherheitsstromversorgungsanlagen, einschl. der Sicherheitsbeleuchtung<br>c) Alarmierungsanlagen | zu gewährleisten | Erstellung der Bestandteile der Brandschutzordnung mit Einweisung des Personals sowie der jeweiligen Flucht- und Rettungspläne und entsprechender Aushang |

**Tabelle 17** *(fortgesetzt)*

| Lfd. Nr. | § () | Forderung nach NBauO/DVNBauO/*SchulbauR* | Bestand/Planung | Bemerkung |
|---|---|---|---|---|
| **17** | **Sonstiges** | | | |
| 17.1 | *Nr. 14 SchulbauR* | *Brandschutzordnung, Feuerwehrpläne erstellen bzw. aktualisieren*<br>*Flucht- und Rettungsplan erstellen* | *gewährleistet* | *Erstellung der Bestandteile der Brandschutzordnung mit Einweisung des Personals sowie der jeweiligen Flucht- und Rettungspläne und entspr. Aushang* |
| 17.2 | BGVA 8 | Sicherheitszeichen | gewährleistet | Ausführung in Zusammenhang mit Flucht- und Rettungsplänen überarbeiten |
| 17.3 | 13 ArbStättV | Ausstattung mit Feuerlöschern und Rettungsgeräten | gewährleistet | Ausstattung nach BGR 133, Prüfungsturnus beachten |

## Fazit

Bei der vorgestellten Schulerweiterung gelang eine zeitgemäße, dem pädagogischen Schulkonzept angemessene Lösung, die auch aus der Sicht des Brandschutzes zwar nicht als alltäglich, aber als vertretbar eingeschätzt werden kann.

Trotz aller vorbeugender Brandschutzmaßnahmen bei der Sanierung von bestehenden Schulgebäuden sollten auch die Anregungen der Schüler nicht vergessen werden (s. Abbildung 98).

**Abbildung 98:** Wünsche von Schülern zum neuen Schuljahr, aufgenommen in einem bestehenden Schulgebäude, das demnächst brandschutztechnisch saniert werden soll ...

# Anhänge 7

## Handlungsempfehlung zum Vorbeugenden Brandschutz für den Bau und Betrieb von Tageseinrichtungen für Kinder (HE-Kita, Fassung Mai 2012) 7.1

Im Mai 2012 gab das Hessische Ministerium vor dem Hintergrund des notwendigen Ausbaus von Kindertageseinrichtungen umfassende Handlungsempfehlungen zum vorbeugenden Brandschutz für Kindertageseinrichtungen heraus.

Mit den Empfehlungen werden zum einen die modernen funktionalen Anforderungen an solche Einrichtungen aufgegriffen, zum anderen Lösungen für einen angemessenen Brandschutz und die folgenden regelmäßig bei der brandschutztechnischen Planung auftretenden abweichenden Tatbestände bei derartigen ungeregelten Sonderbauten gegenüber den „klassischen“ bauaufsichtlichen Regelungen für Standardgebäude angeboten:

- Entfall der notwendigen Flure innerhalb von Kindertagesstätten und Schaffung von Spielfluren
- Hinweise zur sinnvollen brandschutztechnischen Abschnittsbildung
- Kindgerechte Gestaltung von Rettungswegen, z. B. über offene Gänge
- Ausbildung von zweigeschossigen Hallen
- Verwendung von hölzernen Baustoffen

Vorangestellt wird den Handlungsempfehlungen eine Konkretisierung des Schutzziels für Kindertageseinrichtungen, die grundlegend zum Ziel hat, dass eine Rettung der Kinder durch das Personal schnellstmöglich erfolgen kann. Die möglichen Erleichterungen für die Tageseinrichtungen für Kinder werden deswegen folgerichtig mit unbedingt notwendigen Anforderungen an den organisatorischen Brandschutz verknüpft.

Demzufolge bietet sich das Heranziehen dieser Handlungsempfehlungen auch für die brandschutztechnische Planung einer Sanierung bzw. einer Umgestaltung oder Erweiterung von bestehenden Kindertageseinrichtungen an.

# Handlungsempfehlung zum Vorbeugenden Brandschutz für den Bau und Betrieb von Tageseinrichtungen für Kinder – HE-Kita –

Stand: Mai 2012

(Hessisches Ministerium für Wirtschaft, Verkehr und Landesentwicklung)

## Allgemeines

In den kommenden Jahren ist der weitere Ausbau von Kindetageseinrichtungen notwendig. Im Fokus der bauordnungsrechtlichen Betrachtung steht die besondere Hilfsbedürftigkeit von Kindern im Gefahrenfall und daraus resultierend die Sicherung geeigneter Rettungswege. Um dies zu gewährleisten sind Kindertageseinrichtungen mit Aufenthaltsräumen für Kinder außerhalb des Erdgeschosses nach § 2 Abs. 8 Nr. 8 Hessische Bauordnung (HBO) Sonderbauten.

Das Standardfluchtwegkonzept „notwendiger Flur" nach HBO widerspricht einer offenen Raumgestaltung und der Ausbildung von Spielfluren. Daneben erfordert die Zunahme von Betreuungsplätzen für Kinder unter drei Jahren besondere Maßnahmen zur Gewährleistung einer sicheren Räumung. Dieses Papier gibt Hinweise für die Beurteilung möglicher Rettungswegkonzepte für Kindertageseinrichtungen im Baugenehmigungsverfahren.

Sofern nicht ausdrücklich andere Anforderungen empfohlen werden, liegen die Regelanforderungen der HBO zugrunde. Diese Empfehlungen ersetzen nicht die für die Beurteilung von Sonderbauten nach § 45 HBO erforderliche Ermessensentscheidung durch die Bauaufsichtsbehörde. Alternative Konzepte sind hiermit ausdrücklich nicht ausgeschlossen.

Aufgrund des besonderen Einzelfalls können höhere Anforderungen, wie beispielsweise der Einbau einer Brandmeldeanlage, erforderlich sein. Insbesondere bei kleineren Einrichtungen können auch geringere Anforderungen ausreichend sein. Die Einhaltung der Schutzziele des § 3 Abs. 1 HBO sind in jedem Fall sicherzustellen.

## 1 Geltungsbereich

Diese Handlungsempfehlungen geben Empfehlungen für besondere Anforderungen und Erleichterungen nach § 45 Abs. 1 HBO für Tageseinrichtungen für Kinder im Sinne des Hessischen Kinder- und Jugendhilfegesetzbuches (HKJGB), sofern diese nach § 2 Abs. 8 Nr. 8 HBO Sonderbauten sind.

## 2 Schutzziel

In Tageseinrichtungen für Kinder muss im Gefahrenfall eine Rettung der Kinder durch das Personal jederzeit schnellstmöglich durchgeführt werden können.

# 3 Bauliche Anforderungen

## 3.1 Bauteil- und Baustoffanforderungen

3.1.1 Tragende und aussteifende sowie raumabschließende Bauteile des Gebäudes müssen den Anforderungen der §§ 25 – 33 HBO in Abhängigkeit von der zugehörigen Gebäudeklasse nach § 2 Abs. 3 HBO entsprechen, jedoch mindestens die Anforderungen an Gebäude der Gebäudeklasse 3 erfüllen.

3.1.2 Werden über einen offenen Gang mit zwei Fluchtrichtungen beide notwendigen Rettungswege (1. und 2. Rettungsweg) sichergestellt, so müssen die Oberflächen der Außenwände sowie die Außenwandbekleidung einschließlich der Dämmstoffe und Unterkonstruktion im Bereich der außen liegenden Flucht- und Rettungswege mindestens schwerentflammbar (Baustoffklasse B1 nach DIN 4102) sein und dürfen nicht brennend abtropfen. Der Verwendung von Holz als Oberfläche und Außenwandbekleidung sowie als Unterkonstruktion kann zugestimmt werden, sofern im Brandfall die Benutzung der offenen Gänge und Außentreppen ausreichend lange möglich ist.

3.1.3 Hallen, die mehrere Geschosse miteinander offen verbinden, sind zulässig. Die Wände dieser Hallen, ausgenommen der Außenwände, müssen raumabschließend sein und mindestens die Anforderungen an die Geschossdecken des Gebäudes erfüllen. Türen in den Umfassungswänden der Hallen müssen mindestens feuerhemmend, rauchdicht und selbstschließend (T30-RS nach DIN 4102/DIN 18095) sein.

## 3.2 Rettungswege

3.2.1 Geschosse von Tageseinrichtungen für Kinder mit dem Aufenthalt von Kindern dienenden Räumen müssen über mindestens zwei voneinander unabhängige bauliche Rettungswege verfügen. Diese müssen über Ausgänge ins Freie, über notwendige Treppenräume oder über Außentreppen geführt werden. Einer der beiden Rettungswege darf durch eine Halle führen.

3.2.2 Tragende Teile von Außentreppen müssen aus nichtbrennbaren Baustoffen bestehen.

3.2.3 Notwendige Treppen sollten keine gewendelten Läufe haben.

## 3.3 Flucht- und Rettungswegkonzept

3.3.1 Notwendiger Flur

In Geschossen mit dem Aufenthalt von Kindern dienenden Räumen sind notwendige Flure mit zwei Fluchtrichtungen vorzusehen. Die Flure sind in jeweils zwei möglichst gleichgroße Rauchabschnitte durch Rauchschutztüren (RS nach DIN 18095) zu unterteilen. Türen in Wänden notwendiger Flure müssen mindestens dicht- und selbstschließend sein und sind mit Freilauftürschließern zu versehen.

3.3.2 Offener Gang

Die Ausbildung von notwendigen Fluren ist nicht erforderlich, sofern jeder dem Aufenthalt von Kindern dienende Raum über einen unmittelbaren Ausgang ins Freie, bei Räumen über dem Erdgeschoss über einen direkten Zugang zu einer Außentreppe oder auf einen offenen Gang verfügt und dort ein kurzzeitiger Aufenthalt der Kinder möglich ist. Offene Gänge müssen unmittelbar zu einer Außentreppe oder zu einem notwendigen Treppenraum führen.

Für offene Gänge genügt die Ausführung aus nichtbrennbaren Baustoffen, wenn ein weiterer baulicher Rettungsweg im Gebäude erreichbar ist. Besondere Anforderungen an diesen Rettungsweg bestehen nicht, d. h. dieser kann über eine Halle, einen Spielflur oder eine interne notwendige Treppe führen.

Sofern Gründe des abwehrenden Brandschutzes nicht entgegenstehen, müssen die Wände von Hallen in Kindertageseinrichtungen, die über offene Gänge mit zwei Fluchtrichtungen (1. und 2. Rettungsweg) verfügen, nicht raumabschließend sein. Dies gilt nur für Gebäude bis zu der Gebäudeklassen 3 mit Hallen, die nicht mehr als zwei Geschosse verbinden.

3.3.3 Abschnittsbildung

Die Ausbildung von notwendigen Fluren ist nicht erforderlich, wenn die Nutzungseinheit innerhalb des Geschosses durch Trennwände in mindestens zwei, möglichst gleich große Abschnitte von höchstens 200 m² Brutto-Grundfläche unterteilt ist. Jeder Abschnitt muss einen Ausgang ins Freie, einen Zugang zu einem notwendigen Treppenraum oder zu einer Außentreppe haben. Die Abschnitte sind über mindestens eine Türöffnung, die als Rettungsweg dient, miteinander zu verbinden. Die Türabschlüsse müssen mindestens feuerhemmend, rauchdicht und selbstschließend (T 30-RS nach DIN 4102/DIN 18095) sein.

## 4 Anlagentechnische Anforderungen

### 4.1 Brandfrüherkennungssysteme

Alle Räume von Tageseinrichtungen für Kinder sind in Anlehnung an DIN 14676 mit Rauchwarnmeldern gem. DIN EN 14604 auszustatten. Die Rauchwarnmelder sind miteinander zu vernetzen. Abschnitte nach 3.3.3 sind getrennt zu alarmieren. In jedem Alarmierungsabschnitt ist eine Handauslösung an zentraler Stelle vorzusehen.

Sind großflächige Deckenhohlräume oder Doppelböden mit Brandlasten vorhanden, können weitergehende Anforderungen an die Brandfrüherkennung notwendig sein.

### 4.2 Rauchableitung

Hallen müssen an oberster Stelle Rauchableitungsöffnungen mit einer freien Öffnungsfläche im Dach von insgesamt 1 % der Grundfläche aber mindesten 1 m² oder im oberen Drittel der Außenwand von insgesamt 2 % der Grundfläche haben. Jede Rauchableitungsöffnung muss von geeigneten Stellen bedient werden können.

### 4.3 Rettungswegbeleuchtung

Hallen durch die Rettungswege führen, notwendige Flure, offene Gänge, notwendige Treppenräume und Außentreppen sowie fensterlose Aufenthaltsräume sind mindestens mit netzgepufferte Einzelbatterieleuchten in Bereitschaftsschaltung zu versehen, so dass das Gebäude sicher verlassen werden kann.

### 4.4 Blitzschutzanlagen

Tageseinrichtungen für Kinder sollen Blitzschutzanlagen haben.

## 5 Betriebliche Anforderungen

### 5.1 Rettungswege

5.1.1 Während des Betriebs müssen Türen im Zuge von Rettungswegen von innen leicht in voller Breite zu öffnen sein.

5.1.2 Die Rettungswege sind durch Sicherheitskennzeichen ausreichend zu kennzeichnen.

### 5.2 Feuerlöscher

Es sind geeignete Feuerlöscher vorzuhalten.

### 5.3 Prüfung und Wartung

Die Funktion von Sicherheitseinrichtungen nach Nr. 4 ist dauerhaft sicherzustellen. Bezüglich Wartung und Prüfung der Einrichtungen wird auf die einschlägigen DIN-Normen bzw. die Herstellerangaben verwiesen.

Rauchwarnmelderanlagen nach Nr. 4.1 sind mindestens halbjährlich entsprechend der DIN 14676 durch den Betreiber zu warten und auf ihre Funktionsfähigkeit zu prüfen.

Alle Wartungen und Prüfungen sind zu dokumentieren und im Rahmen der wiederkehrenden Sicherheitsüberprüfung der Bauaufsichtsbehörde vorzulegen.

### 5.4 Brandschutzordnung

Der Betreiber (Träger im Sinne des SGB VIII) der Kindertageseinrichtung hat im Einvernehmen mit der Brandschutzdienststelle eine Brandschutzordnung A und B nach DIN 14096 aufzustellen und bekannt zu machen. Die Brandschutzordnung soll insbesondere

- die gebäudespezifischen Besonderheiten und die sichere Nutzbarkeit der Rettungswege im Betrieb berücksichtigen und Festlegungen treffen über
- die Wartungs- und Prüfintervalle sowie die Dokumentation nach Nr. 5.3,
- die Aufgaben für das Personal mit Schwerpunkt der Rettung der Kinder,
- Inhalt und die zeitlichen Abständen von regelmäßigen Unterweisungen des Personals,
- die regelmäßige Durchführung von Räumungsübungen zusammen mit den Kindern,
- die Dokumentation der durchgeführten Unterweisungen und Übungen.

Anlage: Evaluierungsbogen

Evaluierungsbogen zur
**Handlungsempfehlung zum Vorbeugenden Brandschutz für den Bau und Betrieb von Tageseinrichtungen für Kinder (HE-Kita) – Stand Mai 2012**

## HE-Kita – Evaluierungsbogen

Juli 2012 bis Juni 2013

Dieser Evaluierungsbogen richtet sich an Bauaufsichtsbehörden und Brandschutzdienststellen. Mitthilfe der Fragen soll die Praxistauglichkeit der HE-Kita und eventueller Änderungsbedarf ermittelt werden.

Alle Fragen beziehen sich auf Tageseinrichtungen für Kinder die im oben genannten Zeitraum im Sonderbauverfahren in Ihrem Zuständigkeitsbereich geprüft wurden.

**Raumkonzept**

Wurden Einrichtungen genehmigt, die sich über mehr als zwei Geschosse erstrecken?

Nein ☐ Ja ☐

**Fluchtwegkonzept**

Die HE-Kita beschränkt sich auf die Beschreibung drei möglicher Fluchtwegkonzepte. Wurden Kindertageseinrichtungen mit alternativen Fluchtwegkonzeptionen beantragt bzw. genehmigt?

Nein ☐ Ja ☐

(wenn ja, bitte die alternativen Fluchtwegkonzepte in Stichpunkten erläutern)

**Anforderungsniveau**

1. Haben sich im Rahmen Ihrer einzelfallbezogenen Ermessensentscheidungen die Anforderungen der HE-Kita als

   angemessen ☐

   zu hoch ☐

   zu gering ☐ herausgestellt?

(Bitte ggf. abweichende Anforderungen kurz erläutern)

Evaluierungsbogen zur
**Handlungsempfehlung zum Vorbeugenden Brandschutz für den Bau und Betrieb von Tageseinrichtungen für Kinder (HE-Kita) – Stand Mai 2012**

2. Sehen Sie in Bezug auf das Anforderungsniveau der HE-Kita Änderungsbedarf?
   Nein ☐ Ja ☐

| (Wenn ja, bitte Änderungsvorschläge kurz erläutern) |
|---|

**Lüftungsanlagen**

Sofern Kindertageseinrichtungen in Gebäuden nach Passivhausstandard mit Lüftungsanlagen errichtet wurden: Ergaben sich daraus in der Anwendung der HE-Kita besondere Probleme?

Nein ☐ Ja ☐

| (Wenn ja, bitte die Problemstellung kurz erläutern) |
|---|

**Redaktion**

Gibt es Verständnisprobleme oder redaktionelle Änderungsvorschläge?

Nein ☐ Ja ☐

| (Wenn ja, bitte die Änderungsvorschläge kurz erläutern) |
|---|

**Hinweis**

Ein Formular zum Ausfüllen steht Ihnen in der Mediathek des Beuth Verlages zum Download zur Verfügung (Zugangscode siehe gelbes Blatt).

# Muster über Bauaufsichtliche Richtlinien für Schulen (M-SchulbauR, Fassung Juni 1976) einschließlich Musterentwurf eines Einführungserlasses (Fassung März 1974) 7.2

Zum Juni des Jahres 1976 veröffentlichte die Fachkommission „Bauaufsicht“ der ARGEBAU erstmals eine Muster-Richtlinie über bauaufsichtliche Anforderungen für Schulen. In dieser sind insbesondere ganzheitlich die brandschutztechnischen Regelungen für Schulen enthalten.

Zur Veröffentlichung der vorgenannten Muster-Richtlinie aus dem Jahr 1976 wurde bereits im Jahr 1974 ein Muster-Einführungserlass erarbeitet, mit dem erläutert wird, wie diese anzuwenden ist, wann ergänzend die Anwendung der Versammlungsstättenverordnung notwendig ist und wie der Maßstab der „Gefahr im Verzug“ bei bestehenden Schulen anzuwenden sei.

Besonders interessant sind die „Bauaufsichtlichen Richtlinien für Schulen“ für die Beurteilung bestehender Schulen der Errichtungszeit zwischen 1976 und 1998. Anhand der Richtlinien kann die Einhaltung der während der Errichtungszeit geltenden Vorschriften überprüft werden. Dies insbesondere vor dem Hintergrund der damals zulässigen Geschossverbindungen, den spezifischen Regelungen zur Ausführung von Rettungswegen, die sich teilweise erheblich von den heutigen Anforderungen unterscheiden, den brandschutztechnischen Anforderungen an Türen oder den bereits damals geltenden Vorschriften zur regelmäßigen Prüfung von technischen Anlagen.

# Musterentwurf eines Einführungserlasses **Bauaufsichtliche Richtlinien für Schulen (BSchulR)** (Fassung März 1974)[1]

## 1 Allgemeines

1.1 Schulen müssen wegen ihrer Art und Nutzung besonderen bauaufsichtlichen Anforderungen genügen. Um für die Beurteilung von Schulen eine einheitliche Grundlage zu schaffen, hat die Fachkommission „Bauaufsicht" der Arbeitsgemeinschaft der für das Bau-, Wohnungs- und Siedlungswesen zuständiger Minister der Länder (ARGEBAU)

Bauaufsichtliche Richtlinien für Schulen (BSchulR)
– Fassung 1974 –

ausgearbeitet. Diese Richtlinien sind u. a. in Zusammenarbeit mit der Länderarbeitsgemeinschaft Hochbau, Arbeitsgruppe Schulbau (LAG-Hochbau) und dem Schulbauinstitut der Länder (SBL) in Berlin, des Ausschusses Vorbeugender Brandschutz der Arbeitsgemeinschaft der Leiter der Berufsfeuerwehren der Länder (AVB der AGBF), der Bundesarbeitsgemeinschaft der gemeindlichen Unfallversicherungsträger (BAGUV), den Kommunalen Spitzenverbänden, der Arbeitsgemeinschaft der leitenden Gewerbeaufsichtsbeamten der Länder und Sachverständigen aufgestellt worden. Sie werden hiermit bekanntgemacht.*

1.2 Die von den Mitgliedern der Bundesarbeitsgemeinschaft der gemeindlichen Unfallversicherungsträger e. V. (BAGUV) erlassenen Unfallverhütungsvorschriften bleiben unberührt.

## 2 Verfahrensregelungen

2.1 Die Richtlinien sind bei der bauaufsichtlichen Genehmigung von Schulen im Sinne des Abschnittes 1 der BSchulR zugrunde zu legen. Die Forderungen können im Einzelfall gemäß § 72 Abs. 1 und 3 Nr. 5 der Musterbauordnung (MBO)* gestellt werden. Von Vorschriften der MBO und des Musters der 1. Durchführungsverordnung zur MBO (1. DVO zur MBO)*, die diesen Richtlinien entgegenstehen, können Ausnahmen gestattet und unter den Voraussetzungen des § 91 Abs. 2 MBO* Befreiungen erteilt werden, wenn die Schulen den Richtlinien entsprechen; einer Zustimmung der oberen Bauaufsichtsbehörde bedarf es in diesem Fall nicht. Die in den Richtlinien enthaltenen Bestimmungen über wiederkehrende Prüfungen (Abschnitt 5) sind als Auflagen in den Bauschein aufzunehmen. Soweit der Schulträger nicht Bauherr ist, sind dem Schulträger die wiederkehrenden Prüfungen durch besondere Verfügung aufzuerlegen.

2.2 Nach § 72 Abs. 2 MBO* können bei Schulen auch nach der Erteilung der Baugenehmigung Anforderungen gestellt werden, um bei der Genehmigung nicht vorausseh-

---

* Nach Landesrecht

1 Die Paragraphen beziehen sich auf die MBO 1960/1974

bare Gefahren oder unzumutbare Belästigungen von der Allgemeinheit oder Benutzern (Schüler, Lehrer, Personal oder Besucher) der Schule abzuwenden. Bei Gefahr im Verzug kann bis zur Erfüllung dieser Anforderungen die Benutzung der Schule untersagt werden.

## 3 Anwendung der Versammlungsstättenverordnung

3.1 Nach § 2 Abs. 1 des Musterentwurfs der Verordnung über den Bau und Betrieb von Versammlungsstätten (Versammlungsstättenverordnung – VStättVO –)* sind Versammlungsstätten bauliche Anlagen oder Teile baulicher Anlagen, die für die gleichzeitige Anwesenheit vieler Menschen bei Veranstaltungen erzieherischer, geselliger, kultureller, künstlerischer, politischer, sportlicher oder unterhaltender Art oder zum Verzehr von Speisen und Getränken bestimmt sind.

In § 1 Abs. 4 Satz 2 der Verordnung (Geltungsbereich) ist festgelegt, daß die Vorschriften bei Schulen und ähnlichen Gebäuden nur für die Versammlungsräume gelten, die einzeln mehr als 200 Besucher fassen.

In Abschnitt 2.1.2 des Musterentwurfs der Ausführungsanweisung zur Versammlungsstättenverordnung – Fassung des Arbeitskreises Januar 1969 – ist klargestellt, daß Schulen von der Verordnung nicht erfaßt werden, obwohl sie begrifflich Versammlungsstätten sein können. In diesen Gebäuden werden nur Versammlungsräume, die einzeln mehr als 200 Besucher fassen, von der Verordnung erfaßt (Vortragssäle, Aulen, Foren).

Sporthallen fallen im allgemeinen nicht unter die Versammlungsstättenverordnung.

Können in einer solchen Halle jedoch außerhalb der Sportflächen mehr als 200 Besucher untergebracht werden, so gelten die Vorschriften der Versammlungsstättenverordnung. Sie ist ebenso auf Sporthallen anzuwenden, die auch für andere Zwecke, z. B. als Aula, Konzert- oder Vortragssaal (Mehrzweckhalle) vorgesehen sind und mehr als 200 Besucher fassen.

Auf Speiseräume (Mensen) ist die Versammlungsstättenverordnung anzuwenden, wenn die Räume einzeln oder zusammen mehr als 400 Besucher fassen.

3.2 Häufig soll ein Forum, das als Versammlungsraum genutzt werden kann, nicht durch Wände von anderen Räumen und von Fluren abgetrennt werden. Nach § 16 Abs. 2 des Musterentwurfs der Versammlungsstättenverordnung müssen Wände von Versammlungsräumen und Fluren, soweit sie Trennwände sind, feuerbeständig sein. Es kann gestattet werden, daß Wände eingeschossiger Gebäude mit Versammlungsräumen von nicht mehr als 6 m lichter Höhe aus brennbaren Baustoffen hergestellt werden, wenn die Wände mindestens feuerhemmend sind (§ 16 Abs. 3 des Musters der VStättVO). Abweichend von dieser Vorschrift kann auf derartige Trennwände verzichtet werden, wenn sichergestellt ist, daß das Forum nur für schulische Zwecke genutzt

* Nach Landesrecht

wird. Werden diese Versammlungsräume auch außerschulisch genutzt, so kann auf die Trennwände nur unter günstigen Verhältnissen verzichtet werden (z. B. Lage im Erdgeschoß an der Außenwand, kürzere Rettungswege als vorgeschrieben).

3.3 Gegen die Herstellung einer Sichtverbindung in feuerbeständig geforderten Trennwänden zwischen Versammlungsräumen (z. B. Mensa/Sporthalle/Forum) bestehen keine Bedenken, wenn gegen Feuer widerstandsfähige Verglasungen nach DIN 4102 Blatt 3 Abschnitt 7 – Ausgabe Februar 1970 – verwendet werden.

## 4 Stellplätze für Kraftfahrzeuge

Die für Schulen erforderlichen Stellplätze sind anhand der mit Runderlaß vom ... * bekanntgemachten Richtzahlen für den Stellplatzbedarf von Kraftfahrzeugen zu ermitteln.

* Nach Landesrecht

# Muster
# Bauaufsichtliche Richtlinien für Schulen (BASchulR)
## – Fassung Juni 1976[1] –

## Inhalt



[1] Die Paragraphen beziehen sich auf die Musterbauordnung – MBO – von 1960/1974

## 1 Geltungsbereich

1.1 Diese Richtlinien gelten für allgemeinbildende und berufsbildende Schulen aller Art, in denen gleichzeitig eine größere Zahl von Personen regelmäßig unterrichtet wird (Schulen). Hierzu gehören insbesondere:

Grundschulen,
Hauptschulen,
Realschulen,
Gymnasien,
Gesamtschulen,
Sonderschulen,
Berufs- und Fachschulen.

1.2 Diese Richtlinien gelten nicht für Gebäude und Räume, die*

1.2.1 der wissenschaftlichen Ausbildung dienen, wie Wissenschaftliche Hochschulen, Gesamthochschulen, Fachhochschulen;

1.2.2 der theologischen Ausbildung dienen, wie Priesterseminare, Ordenskollegien, Missionsschulen;

1.2.3 der höheren technischen, betriebswirtschaftlichen oder sozialpädagogischen Ausbildung dienen, wie höhere Fachschulen;

1.2.4 der fachtechnischen Ausbildung dienen, wie Polizeischulen und Feuerwehrschulen;

1.2.5 dem körperlichen oder musischen Unterricht dienen, wie Sportschulen, Gymnastik- und Ballettschulen, Schauspielschulen, Musikschulen, Kunstschulen;

1.2.6 nur vorübergehend dem Unterricht einer geringeren Zahl von Personen in einzelnen Fächern dienen, wie Fahrschulen, Sprachschulen, Gesangschulen, Tanzschulen.

## 2 Allgemeine Anforderungen

2.1 Lage der Räume

Unterrichtsräume und zugehörige Nebenräume dürfen mit ihrem Fußboden nicht mehr als 22 m über der festgelegten Geländeoberfläche liegen.

2.2 Rettungswege auf dem Grundstück

2.2.1 Schüler, Lehrer, Personal und Besucher (Benutzer) müssen aus dem Schulgebäude unmittelbar oder zügig über Flächen des Grundstücks auf eine öffentliche Verkehrsfläche gelangen können. Für die Breite der Rettungswege gilt Abschnitt 3.7.8 entsprechend. Kann das Grundstück nicht zügig verlassen werden, so müssen ausreichend große Flächen, z. B. Pausen- oder Sportflächen, vorhanden sein, auf denen die Benutzer im Gefahrenfall (z. B. im Brandfall) in Sicherheit sind. Für die Berechnung dieser Flächen muß je 4 Benutzer mindestens 1 $m^2$ angesetzt werden.

---

* Nach Landesrecht

2.2.2 Schulen für die gleichzeitige Unterrichtung von mehr als 2 500 Schülern müssen mindestens nach zwei Richtungen zur öffentlichen Verkehrsfläche verlassen werden können.[1)]

2.2.3 Zufahrten und Durchfahrten im Zuge von Rettungswegen müssen mindestens 3 m breit sein und zusätzlich einen mindestens 1 m breiten Gehsteig haben. Sind die Gehsteige von der Fahrbahn durch Pfeiler, Stützen oder Mauern getrennt, so muß die Fahrbahn mindestens 3,50 m breit sein. Durchfahrten müssen eine lichte Höhe von mindestens 3,50 m haben.

2.2.4 Wände und Decken von Durchfahrten und Durchgängen müssen feuerbeständig sein und dürfen keine Öffnungen haben.

2.2.5 Beläge und Freiflächen zur Benutzung in Pausen sollen möglichst staubfrei sein. Splitt-, Schlacken- oder Grobkiesbeläge sind unzulässig.

2.2.6 Auf Rettungswegen sowie auf Bewegungsflächen für die Feuerwehr ist das Abstellen von Kraftfahrzeugen und das Lagern von Gegenständen verboten. Auf das Verbot ist an geeigneten Stellen durch Schilder hinzuweisen.

2.3 Übersichtspläne

An gut sichtbarer Stelle im Erdgeschoß sind ein Lageplan und Grundrißpläne anzubringen, in denen die Rettungswege, die für die Brandbekämpfung freizuhaltenden Flächen, die Feuermelde- und Feuerlöscheinrichtungen sowie die Bedienungseinrichtungen der sicherheitstechnischen Anlagen ersichtlich sind (z. B. von Rauchabzugseinrichtungen, Lüftungsanlagen).

## 3 Bauliche Anforderungen

3.1 Wände[2)]

3.1.1 Tragende und aussteifende Wände, ihre Unterstützungen (Unterzüge) sowie Pfeiler und Stützen sind in Gebäuden mit mehr als zwei Vollgeschossen mindestens feuerbeständig herzustellen.

3.1.2 Tragende und aussteifende Wände, ihre Unterstützungen (Unterzüge) sowie Pfeiler und Stützen sind in Gebäuden mit zwei Vollgeschossen mindestens feuerhemmend aus nichtbrennbaren Baustoffen nach DIN 4102 Blatt 2 Abschnitt 3.3.2 Sätze 1 bis 4 – Ausgabe Februar 1970 – herzustellen. Bei Gebäuden mit einer Grundfläche von nicht mehr als 300 m² genügt eine feuerhemmende Bauart auch aus brennbaren Baustoffen.

3.1.3 Tragende und aussteifende Wände, ihre Unterstützungen (Unterzüge) sowie Pfeiler und Stützen in eingeschossigen Gebäuden sind mindestens feuerhemmend herzustellen, wenn die Rettungswege bis zum Freien mehr als 15 m, bei Sporthallen mehr als 25 m lang sind.

---

1) Anlage 1

2) Anlage 4

3.1.4 An Außenwänden müssen zwischen Öffnungen verschiedener Geschosse Brüstungen oder Kragplatten so angeordnet werden, daß der Überschlagsweg für Feuer von Geschoß zu Geschoß mindestens 1 m beträgt. Die Brüstungen müssen mindestens der Widerstandsklasse W30 entsprechen, die Kragplatten müssen der gleichen Feuerwiderstandsklasse angehören wie die dazugehörigen Decken. Die Abschnitte 3.1.1 bis 3.1.3 bleiben unberührt.

3.1.5 Glaswände müssen so ausgebildet (z. B. Sicherheitsglas) oder so gesichert sein (z. B. Geländer), daß sie im Brüstungsbereich einem Druck vor mindestens 100 kp/m widerstehen.

3.2 Decken und Dächer[2)]

3.2.1 Decken sind in Gebäuden mit mehr als zwei Vollgeschossen feuerbeständig herzustellen.

3.2.2 Decken in Gebäuden mit zwei Vollgeschossen sind mindestens feuerhemmend aus nichtbrennbaren Baustoffen nach DIN 4102 Blatt 2 Abschnitt 3.3.2 Sätze 1 bis 4 – Ausgabe Februar 1970 – herzustellen. Bei Gebäuden mit einer Grundfläche von nicht mehr als 300 $m^2$ genügt eine feuerhemmende Bauart auch aus brennbaren Baustoffen.

3.2.3 Decken in eingeschossigen Gebäuden sind mindestens feuerhemmend herzustellen, wenn die Rettungswege bis zum Freien mehr als 15 m, bei Sporthallen mehr als 25 m lang sind.

3.2.4 Decken über Kellergeschossen sind feuerbeständiger Bauart herzustellen.

3.2.5 In Gebäuden mit mehr als einem Vollgeschoß muß das Tragwerk von Dächern mindestens feuerhemmend sein. Bei Überdeckungen von lichthofähnlichen innenliegenden Räumen (wie Hallen) kann hiervon abgewichen werden, wenn keine Bedenken wegen des Brandschutzes bestehen und die Rauchabführung gesichert ist. Satz 1 gilt nicht, wenn die Räume durch mindestens feuerhemmende Decken gegen einen nicht nutzbaren Dachraum abgeschlossen sind.

3.3 Dämmschichten, Wand- und Deckenverkleidungen

Dämmschichten, Wand- und Deckenverkleidungen müssen den Anforderungen des Musterentwurfs der

Richtlinien für die Verwendung brennbarer Baustoffe im Hochbau[3)]
– Fassung Mai 1970 –

entsprechen, die durch Runderlaß vom ...* bauaufsichtlich bekanntgemacht worden sind, soweit in den folgenden Abschnitten 3.3.1 bis 3.3.5 nicht weitergehende Anforderungen gestellt werden.

---

* Nach Landesrecht

2) Anlage 4

3) Die Richtlinien für die Verwendung brennbarer Baustoffe im Hochbau – Fassung Mai 1970 – sind inzwischen gegenstandslos, da die MBO 1981 andere Regelungen getroffen hat.

3.3.1 Dämmschichten auf oder in Wänden und Decken sowie Wand- und Deckenverkleidungen in allgemein zugänglichen Fluten, die als Rettungswege dienen (Abschnitt 3.8), in Vorräumen von Aufzügen und Treppen und in Treppenräumen (Abschnitt 3.10) müssen aus nichtbrennbaren Baustoffen hergestellt sein.

3.3.2 Abschnitt 5.2.2.2 der Richtlinien für die Verwendung brennbarer Baustoffe im Hochbau gilt auch für Gebäude mit zwei Vollgeschossen.

3.3.3 Wand- und Deckenverkleidungen sind in Räumen mit erhöhter Brandgefahr (z. B. Übungsräume für Chemie, Werkräume nach Abschnitt 3.16.2) aus nichtbrennbaren Baustoffen herzustellen.

3.3.4 Verkleidungen und Dämmschichten von Schächten und Kanälen müssen aus nichtbrennbaren Baustoffen (Klasse A) bestehen.

3.3.5 Bei Dächern, die an ein höheres Gebäude angrenzen, dürfen in einem 5 m breiten Streifen Dämmstoffe unterhalb der Dachhaut nur aus nichtbrennbaren Baustoffen bestehen.

3.4 Schallschutz

Unterrichtungsräume müssen hinsichtlich des Schallschutzes den schulischen Erfordernissen genügen. Von den in Tabelle 1 Nr. 1.5 des durch Runderlaß vom ...* bauaufsichtlich bekanntgemachten Normblattes

DIN 4109 Blatt 2 – Schallschutz im Hochbau; Anforderungen
(Ausgabe September 1962)

angegebenen Werte kann abgewichen werden. Die Mindestanforderungen nach der Tabelle, die mit Runderlaß vom ...* veröffentlicht worden ist, dürfen jedoch nicht unterschritten werden.

3.5 Brandabschnitt[4)]

3.5.1 Nach § 36 Abs. 2 Nr. 2 zweiter Halbsatz MBO* können größere Abstände der Brandwände als 40 m gestattet werden, wenn die Nutzung des Gebäudes es erfordert und wegen des Brandschutzes Bedenken nicht bestehen. Es bestehen keine Bedenken, größere Brandwandabstände bzw. Flächen der Brandabschnitte nach den Abschnitten 3.5.2 und 3.5.3 zuzulassen; das gilt nicht, wenn Wände und Decken überwiegend aus brennbaren Baustoffen bestehen.

3.5.2 Die Fläche eines Brandabschnittes darf in einem Vollgeschoß zusammen 3 000 m² nicht überschreiten; sie kann auch auf höchstens drei Vollgeschosse verteilt sein, die in offener Verbindung stehen. Ist der Brandabschnitt mit einer selbsttätigen Feuerlöschanlage versehen, so darf seine Fläche 6 000 m² nicht überschreiten:

3.5.3 Brandabschnitte mit einer Fläche bis zu 5 000 m² sind zulässig

a) bei erdgeschossigen Gebäuden oder Gebäudeteilen,

---

* Nach Landesrecht

4) Anlagen 2 und 3

b) bei mehrgeschossigen Gebäuden oder Gebäudeteilen in Hanglage, wenn die Rettungswege in jedem Geschoß zu ebener Erde ins Freie führen.

3.6 Öffnungen in Wänden und Decken von Brandabschnitten

3.6.1 Geschosse innerhalb eines Brandabschnittes dürfen durch andere als notwendige Treppen oder sonstige Öffnungen in Decken (z. B. in mehrgeschossigen Hallen mit Umgängen) miteinander in offener Verbindung stehen, wenn die Öffnungen zu angrenzenden Räumen und Fluren mit dicht- und selbstschließenden Türen versehen sind. Überdeckungen dieser Geschoßteile (z. B. Hallen) sind mit ständig wirksamen Rauchabzugsvorrichtungen zu versehen, deren freier Querschnitt mindestens 1 v. H. der Grundfläche, jedoch mindestens 1 $m^2$ haben muß.

3.6.2 In inneren Brandwänden dürfen Öffnungen vorhanden sein, wenn die Nutzung des Gebäudes dies erfordert. Die Öffnungen müssen mit selbstschließenden feuerbeständigen Abschlüssen versehen sein, wenn die Wände und Decken angrenzender Räume aus nichtbrennbaren Baustoffen hergestellt sind. Liegen diese Öffnungen im Zuge von Fluren, so ist es vertretbar, wenn dicht- und selbstschließende Türen aus nichtbrennbaren Baustoffen verwendet werden; Glasfüllungen dieser Türen müssen aus mindestens 6 mm dickem Drahtglas mit verschweißtem Netz oder entsprechend widerstandsfähigem Glas bestehen. Die Flurwände sind in einem Bereich von mindestens 2,50 m auf beiden Seiten der Türen mindestens feuerhemmend aus nichtbrennbaren Baustoffen herzustellen und dürfen keine Öffnungen haben. Die Türen dürfen offengehalten sein, wenn sie bei Raucheinwirkung selbsttätig schließen.

3.6.3 In inneren Brandwinden dürfen kleine Teilflächen aus lichtdurchlässigen nichtbrennbaren Baustoffen hergestellt sein, wenn diese widerstandsfähig gegen Feuer sind und Rettungswege nicht gefährdet werden. Die Einbauten sind widerstandsfähig gegen Feuer, wenn sie den Bestimmungen des Normblattes DIN 4102 Blatt 3 Abschnitt 7 – Ausgabe Februar 1970 – entsprechen.

3.7 Rettungswege der Gebäude

3.7.1 Rettungswege sind die Hauptgänge in Räumen, Ausgänge zu den Fluren, Flure, notwendige Treppen und Ausgänge ins Freie. Sie müssen in solcher Zahl und Breite vorhanden und so verteilt sein, daß die Benutzer auf kürzestem Wege leicht und gefahrlos ins Freie und auf öffentliche Verkehrsflächen gelangen können. Die Rettungswege sollen den für den Schulbetrieb erforderlichen Erschließungswegen entsprechen.

3.7.2 Von jedem Unterrichtsraum in Gebäuden mit mehr als zwei Vollgeschossen sowie in Gebäuden mit zwei Vollgeschossen, deren Gesamtgeschoßfläche mehr als 1 600 $m^2$ beträgt, müssen mindestens zwei voneinander unabhängige Rettungswege erreichbar sein, die unmittelbar oder über notwendige Treppen und Flure ins Freie führen; Flure mit nur einer einseitigen Fluchtrichtung, z. B. Stichflure, sind jedoch bis zu 10 m Länge zulässig. Von jeder Stelle des Unterrichtsraumes muß mindestens ein Treppenraum mit einer notwendigen Treppe in 25 m Entfernung erreichbar sein; die Entfernung wird in der Luftlinie gemessen.

3.7.3 Von jeder Stelle eines im Obergeschoß liegenden Unterrichtsraumes in Gebäuden mit zwei Vollgeschossen, deren Gesamtschoßfläche nicht mehr als 1 600 $m^2$ beträgt, muß mindestens ein Treppenraum mit einer notwendigen Treppe in 25 m Entfernung erreichbar sein. Die Entfernung wird in der Luftlinie gemessen.

3.7.4 Von jeder Stelle eines zu ebener Erde liegenden Unterrichtsraumes muß mindestens ein unmittelbar ins Freie führender Ausgang in höchstens 25 m, bei Sporthallen in höchstens 35 m Entfernung vorhanden sein; die Entfernung wird in der Luftlinie gemessen.

3.7.5 Einer der Rettungswege kann auch über außen angeordnete Treppen und Gänge (Rettungsbalkone), Terrassen und begehbare Dächer in Verbindung mit Treppen führen. Balkone, Terrassen und begehbare Dächer müssen dieselbe Feuerwiderstandsfähigkeit wie die anschließenden Geschoßdecken haben.

3.7.6 Der Rettungsweg aus einem Aufenthaltsraum darf durch einen anderen Aufenthaltsraum nur führen, wenn ausreichende Sichtverbindung zu diesem Raum hergestellt ist. Dies ist nicht erforderlich, wenn von den gefangenen Aufenthaltsräumen außen angeordnete Treppen und Gänge (Rettungsbalkone) Terrassen oder begehbare Dächer nach Abschnitt 3.7.5 in Verbindung mit Treppen unmittelbar erreichbar sind.

3.7.7 Innenliegende Unterrichtsräume, Unterrichtsräume mit mehr als 180 $m^2$ Grundfläche (Unterrichtsgroßräume), Versammlungsräume, Räume mit erhöhter Brandgefahr (z. B. Schülerübungsräume für Chemie oder Werkräume nach Abschnitt 3.16.2) müssen mindestens zwei voneinander unabhängige Ausgänge haben. Ein Ausgang darf auch zu einem benachbarten Raum führen, wenn von diesem ein Rettungsweg unmittelbar erreichbar ist.

3.7.8 Die lichte Breite von Rettungswegen muß mindestens 1 m je 150 darauf angewiesene Benutzer betragen. Folgende Mindestbreiten dürfen jedoch nicht unterschritten werden:

| | |
|---|---|
| a) Flure in Unterrichtsbereichen | 2,00 m |
| b) Flure in Unterrichtsbereichen, auf die weniger als 180 Benutzer angewiesen sind | 1,25 m |
| c) Treppen in Unterrichtsbereichen | 1,25 m |
| d) sonstige Rettungswege | 1,00 m |

3.7.9 An den Kreuzungen und Abzweigungen der Hauptgänge sowie an allen Ausgängen und Türen, die im Zuge von Rettungswegen liegen, sind Hinweise auf die Ausgänge und die notwendigen Treppen anzubringen. Ist eine Sicherheitsbeleuchtung erforderlich (Abschnitt 3.13), so müssen die Hinweise beleuchtet und in Dauerschaltung an die Batterie oder an das selbsttätig anlaufende Stromerzeugungsaggregat angeschlossen sein. Rettungswege, die Versammlungsräumen zugehören, sind durch Richtungspfeile zu kennzeichnen.

3.8 Flure[2]

3.8.1 Allgemein zugängliche Flure, die als Rettungswege dienen, müssen in Gebäuden mit mehr als zwei Vollgeschossen und mit zwei Vollgeschossen, deren Geschoßfläche mehr als 1 600 m² beträgt, durch mindestens feuerhemmende Bauteile aus nichtbrennbaren Baustoffen nach DIN 4102 Blatt 2 Abschnitt 3.3.2 Sätze 1 bis 4 – Ausgabe Februar 1970 – von anderen Räumen getrennt sein. Die Wände müssen entweder an die Geschoßdecke oder an einen unterhalb der Decke angeordneten oberen Raumabschluß (untergehängte oder aufgelagerte Decke) dicht anschließen, deren Feuerwiderstandsfähigkeit Satz 1 entspricht.

3.8.2 Allgemein zugängliche Flure, die als Rettungswege dienen, dürfen in Gebäuden bis zu zwei Vollgeschossen, deren Gesamtgeschoßfläche nicht mehr als 1 600 m² beträgt, durch Bauteile aus nichtbrennbaren Baustoffen oder in feuerhemmender Bauart von anderen Räumen getrennt sein.

3.8.3 Allgemein zugängliche Flure, die als Rettungswege dienen, dürfen in eingeschossigen Gebäuden, wenn die Rettungswege bis zum Freien nicht mehr als 15 m, bei Sporthallen nicht mehr als 25 m lang sind, durch Bauteile aus mindestens normalentflammbaren Baustoffen von anderen Räumen getrennt sein.

3.8.4 Wird das Gebäude in allen Geschossen durch feuerbeständige Decken ohne Öffnungen und Treppenräume mit feuerbeständigen Wänden in waagerechte Brandabschnitte unterteilt und sind auch die tragenden Bauteile feuerbeständig hergestellt, so dürfen die Wände der Flure im Erdgeschoß aus nichtbrennbaren Baustoffen bestehen, wenn die Unterrichtsräume unmittelbar ins Freie führende Ausgänge haben. Das gilt nicht für Wände von Räumen mit erhöhter Brandgefahr (z. B. Schülerübungsräume für Chemie oder Werkräume nach Abschnitt 3.16.2). Abschnitt 3.10.6 bleibt unberührt.

3.8.5 Lichtöffnungen in Innenwänden von Fluren nach Abschnitt 3.8.1 müssen ausreichend widerstandsfähig gegen Feuer nach DIN 4102 Blatt 3 Abschnitt 7 – Ausgabe Februar 1970 – und mit ihrer Unterkante mindestens 1,80 m über dem Fußboden angeordnet sein.

3.8.6 Türen in Flurwänden nach den Abschnitten 3.8.1 bis 3.8.3 müssen dichtschließend ausgebildet sein.

3.8.7 Rampen im Zuge von Fluren dürfen höchstens 6 v. H. geneigt sein.

3.8.8 Die erforderliche Breite der Flure darf durch Einbauten und Möbel nicht eingeengt werden. Einbauten und Möbel müssen überwiegend aus nichtbrennbaren Baustoffen nach DIN 4102 – Ausgabe Februar 1970 – bestehen.

3.8.9 Während des Betriebes dürfen Türen in Rettungswegen nicht verschlossen sein; die Türen dürfen nur solche Feststellungsvorrichtungen haben, daß sie sich bei Raucheinwirkung selbsttätig schließen.

[2] Anlage 4

3.9 Treppen

3.9.1 Die nutzbare Breite notwendiger Treppen im Gebäude darf 2,50 m nicht überschreiten. Für andere als notwendige Treppen, die mehr als 5 m breit sind und mehr als 5 Stufen haben, können Zwischenhandläufe verlangt werden.

3.9.2 Notwendige Treppen in Gebäuden mit mehr als zwei Vollgeschossen müssen feuerbeständig und an ihrer Unterseite geschlossen sein. Die tragenden Teile aller anderen Treppen sind aus nichtbrennbaren Baustoffen herzustellen.

3.9.3 Treppen müssen auf beiden Seiten Handläufe ohne freie Enden haben. Die inneren Handläufe sollen über die Treppenabsätze fortgeführt werden.

3.9.4 Die Stufenhöhe der Treppen darf nicht mehr als 17 cm, die Auftrittbreite nicht weniger als 28 cm betragen. Bei gebogenen Läufen darf die Auftrittbreite der Stufen an der schmalsten Stelle nicht kleiner als 23 cm, von der inneren Treppenwange 1,25 m entfernt nicht größer als 40 cm sein. Bei Treppen mit geringer Benutzung, insbesondere wenn sie nicht zu Unterrichtsräumen führen, kann von diesen Maßen abgewichen werden.

3.9.5 Wendeltreppen sind als notwendige Treppen unzulässig. Sie können für untergeordnete Treppen, die nur der innerbetrieblichen Verbindung von höchstens zwei Geschossen dienen, gestattet werden.

3.9.6 Ist der Abstand zwischen Treppengeländern am Treppenauge sowie zwischen äußeren Treppengeländern und Wänden größer als 20 cm, so müssen die Geländer so ausgebildet werden, daß das Rutschen auf den Geländern erschwert wird.

3.9.7 Geländer von Treppen und Treppenabsätzen müssen mindestens 1 m hoch sein.

3.10 Treppenräume

3.10.1 Nach § 43 Abs. 1 MBO* muß jede notwendige Treppe in einem eigenen, durchgehenden und an einer Außenwand angeordneten Treppenraum liegen. Innenliegende Treppenräume können gestattet werden, wenn ihre Benutzung durch Raucheintritt nicht gefährdet werden kann und wegen des Brandschutzes Bedenken nicht bestehen. Diese bestehen bei Gebäuden bis zu drei Vollgeschossen nicht, wenn die Forderungen der Abschnitte 3.10.4 und 3.10.8 erfüllt werden. In einem Gebäude mit mehreren notwendigen Treppen braucht von je zwei Treppenräumen nur einer an einer Außenwand zu liegen.

3.10.2 Ein eigener durchgehender Treppenraum ist dann vorhanden, wenn er von anderen Räumen und Fluren abgetrennt und seine Wände ohne Versatz durch die Geschosse geführt sind.

3.10.3 Treppenräume sind dann an einer Außenwand angeordnet, wenn Treppenläufe oder Treppenabsätze unmittelbar an der Außenwand eines Gebäudes liegen. Diese Treppenräume müssen je Geschoß Fenster haben, die geöffnet werden können.

* Nach Landesrecht

3.10.4 Jeder Treppenraum nach Abschnitt 3.10.1 muß auf möglichst kurzem Wege einen unmittelbaren Ausgang ins Freie haben. Ein unmittelbarer Ausgang ist auch dann vorhanden, wenn zwischen dem Treppenraum und dem Freien ein Vorraum angeordnet ist, der ausschließlich als Windfang dient. Der Vorraum darf außer den Türen zum Freien und zum Treppenraum nur noch Türen zu einer Halle oder zu einem Flur haben.

3.10.5 Treppenräume, die keinen unmittelbaren Ausgang ins Freie haben, sind zulässig, wenn sie

a) über eine Halle (z. B. Eingangshalle) mit dem Freien verbunden sind und die Entfernung von der untersten Treppenstufe bis zum Freien nicht mehr als 20 m beträgt; die Halle muß durch feuerbeständige Wände von anderen Räumen abgetrennt sein; Türen zu diesen Räumen müssen mindestens feuerhemmend und selbstschließend sein. Türen zu allgemein zugänglichen Fluren müssen dicht- und selbstschließend sein und aus nichtbrennbaren Baustoffen bestehen. Glasfüllungen dieser Türen müssen aus mindestens 6 mm dickem Drahtglas mit verschweißtem Netz oder entsprechend widerstandsfähigem Glas bestehen, oder

b) im Untergeschoß durch einen Rettungstunnel mit dem Freien verbunden sind. Er ist gegen andere Räume feuerbeständig ohne Öffnungen abzutrennen. Der Rettungstunnel muß ausreichend zu beleuchten und zu lüften sein. Die Länge des Rettungstunnels bis ins Freie darf 50 m nicht überschreiten.

3.10.6 Nach § 43 Abs. 3 MBO* müssen die Wände von Treppenräumen nach Abschnitt 3.10.1 feuerbeständig und in Gebäuden mit mehr als zwei Vollgeschossen so dick wie Brandwände sein.

3.10.7 Öffnungen in Wänden von Treppenräumen zu Fluren müssen mit dicht- und selbstschließenden Türen versehen sein.

3.10.8 Treppenräume notwendiger Treppen, die durch mehr als zwei Vollgeschosse führen, sowie alle innenliegenden Treppenräume müssen an ihrer obersten Stelle eine Rauchabzugseinrichtung mit einer Öffnung von mindestens 5 v. H. der Grundfläche des dazugehörigen Treppenraumes, mindestens jedoch 1 $m^2$ haben. Die Vorrichtungen zum Öffnen der Rauchabzüge müssen vom Erdgeschoß aus bedient werden können und an der Bedienungsstelle die Aufschrift „Rauchabzug“ haben. Es kann verlangt werden, daß die Rauchabzugseinrichtungen auch von anderer Stelle aus bedient werden können. An der Bedienungsvorrichtung muß erkennbar sein, ob die Rauchabzugsöffnungen offen oder geschlossen sind. Fenster dürfen als Rauchabzüge ausgebildet werden, wenn sie hoch genug liegen.

3.11 Fenster und Türen

3.11.1 Lüftungsflügel sind mit Feststellvorrichtungen zu versehen, die verhindern, daß die Flügel in geöffnetem Zustand in den Gehbereich hineinragen.

3.11.2 Schiebefenster von Unterrichtsräumen müssen Vorrichtungen haben, durch die der Schließvorgang so abgebremst wird, daß Personen nicht eingeklemmt werden können.

---

* Nach Landesrecht

3.11.3 Türen im Zuge von Rettungswegen dürfen nur in Fluchtrichtung aufschlagen. Von dieser Forderung kann bei Türen von Unterrichtsräumen mit weniger als 80 Benutzern abgewichen werden. Türen in Flurwänden müssen dichtschließend sein. Schiebe-, Pendel- und Drehtüren sind in Rettungswegen unzulässig. Türflügel dürfen höchstens 15 cm in die Flure vorspringen. Türen zu Treppenräumen sind so anzuordnen, daß sie beim Öffnen und im geöffneten Zustand die Laufbreite nicht einengen.

3.11.4 Werden Räume durch Faltwände unterteilt, so müssen für jeden abgeteilten Raum eigene Türen angeordnet werden.

3.11.5 Türen im Zuge von Rettungswegen müssen von innen durch einen einzigen Griff in voller Breite zu öffnen sein. Ausgangstüren in Rettungswegen, die gegen Öffnen von außen gesichert sein sollen, müssen mit von innen leicht zu öffnenden Verschlüssen versehen sein, die auch von Kindern geöffnet werden können. Diese Verschlüsse dürfen in keiner Stellung zu Verletzungen führen können.

3.11.6 Verglasungen müssen gegen mechanische Einwirkungen ausreichend widerstandsfähig sein.

3.12 Elektrische Anlagen

3.12.1 Die Beleuchtung der Schulgebäude, ihrer Zugänge und der Verkehrswege auf dem Grundstück muß elektrisch sein. Die Beleuchtungsanlagen müssen fest angebracht sein.

3.12.2 Unterrichtsräume, die wegen ihrer Abmessungen (Höhe, Breite, Länge) nicht ausreichend durch Tageslicht belichtet werden können, müssen eine elektrische Beleuchtung haben, die das Tageslicht ergänzt (Tageslichtergänzungsbeleuchtung).

3.12.3 Die elektrischen Anlagen sind nach den anerkannten Regeln der Technik herzustellen, zu ändern, zu unterhalten und zu betreiben. Als anerkannte Regeln der Technik gelten die Bestimmungen des Verbandes Deutscher Elektrotechniker (VDE-Bestimmungen).

3.12.4 Das Schaltschema der elektrischen Licht- und Kraftanlagen und der Feuermeldeeinrichtungen ist in unmittelbarer Nähe der Hauptschalttafel deutlich sichtbar auszuhängen.

3.13 Sicherheitsbeleuchtung

3.13.1 Schulen, in denen mindestens ein Geschoß eine Fläche von mehr als 3 000 $m^2$ hat, müssen eine Sicherheitsbeleuchtung haben. Die Sicherheitsbeleuchtung muß so beschaffen sein, daß sich die Benutzer auch bei Versagen der Allgemeinbeleuchtung bis zu öffentlichen Verkehrsflächen hin gut zurechtfinden können.

3.13.2 Eine Sicherheitsbeleuchtung nach Abschnitt 3.13.1 müssen haben:

a) Flure, die als Rettungswege dienen, einschließlich ihrer Ausgänge ins Freie,

b) Treppenräume einschließlich ihrer Ausgänge ins Freie,

c) Unterrichtsgroßräume, die als Versammlungsstätten dienen können,

d) fensterlose Unterrichtsräume und

e) alle Räume für Hauptverteilungen.[4]

3.13.3 Die Sicherheitsbeleuchtung muß eine vom Versorgungsnetz unabhängige, bei Ausfall des Nerzstromes sich selbsttätig einschaltende Batterie oder ein mindestens innerhalb von 15 Sekunden selbsttätig an laufendes Stromerzeugungsaggregat haben, die für einen mindestens dreistündigen Betrieb der Sicherheitsbeleuchtung ausgelegt sind.

3.13.4 Die Beleuchtungsstärke der Sicherheitsbeleuchtung muß in den Achsen der Rettungswege (Abschnitt 3.7) mindestens 1 Lux betragen

3.13.5 Die Sicherheitsbeleuchtung muß, soweit die Räume nicht durch Tageslicht ausreichend erhellt sind, in Betrieb sein

a) während des Schulbetriebes in den in Abschnitt 3.13.2a), b) und e) genannten Räumen und

b) während der Nutzung in den in Abschnitt 3.13.2c) und d) genannten Räumen.

Es genügt eine Sicherheitsbeleuchtung in Bereitschaftsschaltung, ausgenommen für Hinweise nach Abschnitt 3.7.9 Satz 2.

3.14 Lüftung

3.14.1 Nach § 47 MBO müssen Lüftungsrohre, -schächte und -kanäle (Lüftungsleitungen) aus nichtbrennbaren Baustoffen bestehen; Ausnahmen können gestattet werden, wenn Bedenken wegen des Brandschutzes nicht bestehen. Lüftungsleitungen in Gebäuden mit mehr als zwei Vollgeschossen und Lüftungsleitungen, die Brandabschnitt überbrücken, sind so herzustellen, daß Feuer und Rauch nicht in andere Geschosse oder Brandabschnitte übertragen werden können.

3.14.2 Lüftungsanlagen müssen den Normblättern

a) DIN 1946 Blatt 1 – Lüftungstechnische Anlagen (VDI-Lüftungsregeln); Grundregeln

b) DIN 1946 Blatt 5 – Lüftungstechnische Anlagen (VDI-Lüftungsregeln); Lüftung von Schulen

c) DIN 4102 Blatt 3 – Brandverhalten von Baustoffen und Bauteilen, Begriffe, Anforderungen und Prüfungen von Sonderbauteilen (Ausgabe Februar 1970)

Abschnitt 9 (Lüftungsleitungen, Installationsschächte und -kanäle, bei denen die Übertragung von Feuer und Rauch nicht möglich ist) und

d) dem Musterentwurf Richtlinien für die Verwendung brennbarer Baustoffe im Hochbau – Fassung Mai 1970 –[3]

entsprechen. Das Normblatt DIN 4102 Blatt 3 ist mit Runderlaß vom ...*, die Richtlinien, für die Verwendung brennbarer Baustoffe im Hochbau mit Runderlaß vom ...* bauaufsichtlich bekanntgemacht worden.

* Nach Landesrecht

[4] vgl, § 3b) Nr. 1.1 der VDE 0108-Bestimmungen für das Errichten und den Betrieb von Starkstromanlagen in Versammlungsstätten, Waren- und Geschäftshäusern, Hochhäusern, Beherbergungsstätten und Krankenhäusern – (Ausgabe 2.72)

3.15 Unterrichtsräume

3.15.1 Unterrichtsräume müssen eine lichte Höhe von mindestens 3 m haben. Unter einzelnen Unterzügen und Leitungen genügt eine lichte Höhe von mindestens 2,50 m.

3.15.2 Unterrichtsräume mit ansteigenden Platzreihen dürfen nur Stufengänge haben, wenn Rampengänge eine größere Steigung als 10 v. H. haben würden. Die Hauptgänge müssen mindestens 90 cm breit sein und die Stufe gleiche Auftrittsbreiten haben. Bei einem Höhenunterschied von mehr als 3 m zwischen der untersten und der obersten Platzreihe ist ein zweiter Ausgang im Bereich der obersten Platzreihe anzuordnen. Über dem Fußboden der obersten Platzreihe muß eine lichte Höhe von mindestens 2,30 m verbleiben.

3.15.3 In Räumen für naturwissenschaftlichen Unterricht müssen elektrische Anlagen und Gasleitungen für die Arbeitsplätze an zentraler Stelle abgeschaltet bzw. abgesperrt werden können.

3.15.4 Anlagen zur Beseitigung von Abwasser in Räumen für naturwissenschaftlichen Unterricht müssen den Normblättern,

DIN 1986 Blatt 1 – Grundstücksentwässerungsanlagen, Technische Bestimmungen für den Bau (Ausgabe Juni 1962) und

DIN 1986 Blatt 3 – Grundstücksentwässerungsanlagen, Bestimmungen für die Ermittlung der lichten Weiten der Rohrleitungen (Ausgabe Juni 1962)

entsprechen, die durch Runderlaß vom ...* bauaufsichtlich bekanntgemacht worden sind.

3.15.5 In Räumen mit erhöhter Brandgefahr (z. B. Schülerübungsräume für Chemie oder Werkräume nach Abschnitt 3.16.2) müssen zum Löschen von Kleiderbränden an geeigneten Stellen Löschdecken nach DIN 14155 – Löschdecken – bereitgehalten werden.

3.15.6 Räume oder Raumgruppen mit erhöhter Brandgefahr (z. B. Schülerübungsräume für Chemie) müssen von anderen Räumen und Fluren feuerbeständig abgetrennt sein; die Räume müssen mindestens zwei günstig gelegene Ausgänge haben. Die Türen müssen in Fluchtrichtung aufschlagen und mindestens feuerhemmend und selbstschließend sein. Die Chemikalienräume sind außerdem gegen den Zutritt unbefugter Personen zu sichern.

3.15.7 Nach § 62 Abs. 8 Satz 2 MBO* können Aufenthaltsräume, die nicht dem Wohnen dienen, ohne unmittelbar ins Freie führende und senkrecht stehende Fenster gestattet werden, wenn aus Gründen der Gesundheit und des Brandschutzes Bedenken nicht bestehen. Das gilt nur für folgende Unterrichtsräume, wenn die damit verbundenen Nachteile durch besondere Maßnahmen wie den Einbau von Klima- und Beleuchtungsanlagen sowie Rauchabzugseinrichtungen ausgeglichen werden:

Bild- und Tonstudios, Sprachlabore mit Nebenräumen, Fotolabore, naturwissenschaftliche Lehrräume (keine Übungsräume) und Turnhallen, wenn die Räume nicht länger als zwei Schulstunden insgesamt je Tag von denselben Schülern benutzt werden.

---

* Nach Landesrecht

3.15.8 Vorrichtungen, durch die Räume unterteilt werden können, müssen aus mindestens schwerentflammbaren Baustoffen bestehen.

3.16 Werk- und Lagerräume

3.16.1 Werkräume, die nicht länger als zwei Schulstunden je Tag von denselben Schülern benutzt werden, können im obersten Kellergeschoß angeordnet werden, wenn die damit verbundenen Nachteile durch besondere Maßnahmen, wie den Einbau von Lüftungs-, Klima- und Beleuchtungsanlagen, ausgeglichen werden.

3.16.2 Werkräume oder Werkraumgruppen mit erhöhter Brandgefahr wie Schreinereien und Schlossereien, sind von anderen Räume und Fluren feuerbeständig zu trennen. Die Räume müssen mindestens zwei günstig gelegene Ausgänge haben. Die Türen müssen in Fluchtrichtung aufschlagen und mindestens feuerhemmend und selbstschließend sein. Maschinen müssen Vorrichtungen haben, die dem Weiterleiten von Erschütterungen und dem Entstehen von Körperschall entgegenwirken.

3.16.3 In Werkräumen nach Abschnitt 3.16.2 müssen elektrische Anlagen und Gasleitungen an zentraler Stelle ausgeschaltet bzw. abgesperrt werden können.

3.16.4 Lagerräume mit brennbarem Lagergut (z. B. Werkstofflager, Stuhllager) und andere Räume, in denen leichtbrennbare Stoffe aufbewahrt werden, sind feuerbeständig von anderen Räumen und Fluren abzutrennen; ihre Türen müssen mindestens feuerhemmend und selbstschließend sein.

3.17 Maßnahmen für Körperbehinderte

3.17.1 Mindestens ein Zugang der Schule muß von einer öffentlichen Verkehrsfläche aus stufenlos erreichbar sein.[5] Es kann verlangt werden, daß die stufenlosen Zugänge besonders gekennzeichnet werden.

3.17.2 Ist der Zugang über eine Rampe erreichbar, so darf die Rampe höchstens 6 v. H. geneigt sein und muß eine lichte Breite von mindestens 1,50 m, haben. Rampen von mehr als 3 m Länge müssen auf beiden Seiten Handläufe ohne freie Enden haben. Rampen von mehr als 6 m Länge müssen einen Zwischenabsatz von mindestens 1,20 m Länge haben. Abschnitt 3.7.8 bleibt unberührt.

3.17.3 Der Zugang muß eine lichte Durchgangsbreite von mindestens 95 cm haben. Vor Zugangstüren müssen für Rollstuhlbenutzer ausreichende Bewegungsflächen liegen. Im Übrigen müssen Türen eine lichte Breite von mindestens 85 cm haben.

3.17.4 Werden für Körperbehinderte Aufzugsanlagen angeordnet, so müssen diese für Rollstuhlbenutzer geeignet sein. Vor den Aufzugszugängen ist eine Bewegungsfläche von mindestens 1,40 m × 1,40 m erforderlich.

3.17.5 Für Körperbehinderte muß je Geschoß mindestens ein geeigneter Abortraum vorhanden sein; er ist besonders zu kennzeichnen. Auf einer Seite des Spülklosetts muß eine 80 cm breite Bewegungsfläche vorhanden sein. Die freie Zufahrt zu dieser Bewegungsfläche muß gesichert sein.

[5] vgl. DIN 18024 Teil 2 – Bauliche Maßnahmen für Behinderte und alte Menschen im öffentlichen Bereich – Planungsgrundlagen – öffentlich zugängliche Gebäude

Vor dem Spülklosett ist eine 1,20 m tiefe Bewegungsfläche freizuhalten. Die Tür darf nicht nach innen aufschlagen.

3.17.6 Mindestens 3 v. H. der Stellplätze sind für Körperbehinderte (Gehbehinderte und Rollstuhlbenutzer) vorzusehen. Diese Stellplätze müssen mindestens 3,50 m breit und von der Schule stufenlos auf kürzestem Wege erreichbar sein. Es kann verlangt werden, daß diese Stellplätze besonders gekennzeichnet werden.[6]

3.18 Besondere Anforderungen an Sonderschulen

An Sonderschulen oder Unterrichtsbereiche für körperlich und geistig Behinderte können besondere Anforderungen gestellt werden. Die können sich insbesondere auf Maßnahmen für eine den Sonderheiten angepasste Benutzbarkeit und Sicherheit erstrecken.

3.19 Feuerlösch-, Feuermelde- und Alarmeinrichtungen

3.19.1 In Schulen müssen Feuerlöscher nach

DIN 14406 Blatt 1 – Feuerlöscher; tragbare Geräte, Bauarten, Anforderungen, Typenprüfung

gut sichtbar angebracht sein. Räume, die durch ihre Nutzung brandgefährdet sind, müssen mit mindestens je 1 Feuerlöscher ausgestattet sein, der für die entsprechende Brandklasse geeignet ist. Für je 5 Unterrichtsräume oder 300 m$^2$ Geschoßfläche sind 1 Feuerlöscher bereitzuhalten, mindestens jedoch 3 Feuerlöscher je Schulgebäude. Art und Größe der Feuerlöscher sind im Einvernehmen mit der für den Brandschutz zuständigen Dienststelle festzulegen.

3.19.2 In Treppenräumen notwendiger Treppen von Schulen mit mehr als zwei Vollgeschossen oder mit einer Fläche von mehr als 3 000 m$^2$ je Geschoß müssen nasse Steigleitungen mit einem lichten Durchmesser von mindestens 80 mm vorhanden sein, die je Geschoßtreppenabsatz mit einem Wandhydranten nach

DIN 14461 Blatt 1 – Feuerlösch-Schlauchanschlußeinrichtungen; Anschluß an Steigleitung „naß" (Wandhydrant)

auszustatten sind.

3.19.3 Schulen müssen Alarmeinrichtungen haben, durch die im Gefahrenfall die Räumung der Schule eingeleitet werden kann; in Schulen nach 3.19.2 müssen die Alarmeinrichtungen

DIN 14675 Blatt 4 – Feuermelde- und Alarmanlagen; Aufbau und Betrieb, private und öffentliche Alarmanlagen

entsprechen. Das Alarmsignal muß sich unmißverständlich von anderen Signalen unterscheiden. Auslösestellen sind in allen Geschossen an den Rettungswegen anzubringen. Der Alarm kann auch über eine Feuermeldeanlage nach

[6] vgl. DIN 18024 Teil 1 – Bauliche Maßnahmen für Behinderte und alte Menschen im öffentlichen Bereich – Planungsgrundlagen – Straßen, Wege und Plätze

DIN 14675 Blatt 2 – Feuermelde- und Alarmanlagen; Aufbau und Betrieb, private Feuermeldeanlagen

ausgelöst werden.

3.19.4 Bei größeren Schulanlagen, im allgemeinen für mehr als 1 500 Schüler, können Feuermeldeanlagen – auch mit selbsttätiger Auslösung – verlangt werden. In Gemeinden ohne öffentliche Feuermeldeanlagen ist die Alarmierung der Feuerwehr im Einvernehmen mit der für den Brandschutz zuständigen Dienststelle festzulegen.

3.19.5 Es kann verlangt werden, daß selbsttätige Feuerlöschanlagen so eingerichtet werden, daß jedes Auslösen der Feuerwehr selbsttätig gemeldet wird.

3.20 Blitzschutzanlagen

Schulen müssen Blitzschutzanlagen haben.

## 4 Zusätzliche Bauvorlagen

4.1 Die Bauvorlagen müssen zusätzlich zu den in der Bauvorlagenverordnung* vorgeschriebenen Bauvorlagen besondere Angaben enthalten über

1. die Art der schulischen und außerschulischen Nutzung der Gebäude und der Räume,
2. die Nutzung von Räumen für Versammlungszwecke,
3. die Gesamtzahl der gleichzeitig anwesenden Schüler und sonstigen Benutzer,
4. die erforderlichen Rettungswege und ihre Abmessungen mit rechnerischem Nachweis,
5. die in Abschnitt 3.8.8 genannten Einbauten und Möbel und
6. die Sicherheitsbeleuchtung.

Die Vorschriften der Versammlungsstättenverordnung über zusätzliche Bauvorlagen bleiben unberührt.

4.2 Im Lageplan müssen die Anordnung und der Verlauf der Rettungswege im Freien und die Bewegungsflächen für die Feuerwehr dargestellt sein.

4.3 Über Anlagen für Beheizung und Lüftung, über Feuerlösch-, Feuermelde- und Alarmeinrichtungen sowie über elektrische Anlagen und Sicherheitseinrichtungen sind auf Anforderung besondere Zeichnungen und Beschreibungen vorzulegen.

4.4 Werden zur Raumaufteilung versetzbare Wände verwendet, so ist die vorgesehene Anordnung von Rettungswegen darzustellen.

## 5 Prüfungen

5.1 Die Rauchabzugseinrichtungen nach den Abschnitten 3.6.1 und 3.10.8 sowie die Feuermelde-, Feuerlösch- und Alarmeinrichtungen nach den Abschnitten 3.19.1 bis 3.19.5 sowie die Rauchmeldeanlagen nach den Abschnitten 3.6.2 und 3.8.9 sind mindestens alle drei Jahre von einem Sachverständigen prüfen zu lassen; das ist nicht

* Nach Landesrecht

erforderlich, wenn andere amtliche Prüfungen durchgeführt werden. Der Feuerwehr ist Gelegenheit zu geben, an den Prüfungen teilzunehmen. Außerdem ist die selbsttätige Feuerlöschanlage nach Abschnitt 3.19.5 mindestens jährlich durch einen Sachverständigen prüfen zu lassen, es sei denn, daß ein Überwachungsvertrag mit einer technischen Prüfstelle besteht.

5.2 Die Lüftungsanlagen nach Abschnitt 3.14 und die elektrischen Anlagen der sicherheitstechnischen Einrichtungen, wie Rauchabzugseinrichtungen, Feuermelde-, Feuerlösch- und Alarmeinrichtungen, Sicherheitsbeleuchtung, sind mindestens alle drei Jahre durch einen anerkannten Sachverständigen prüfen zu lassen.

5.3 Die Lüftungsanlagen nach Abschnitt 3.14 und die elektrischen Anlagen einschließlich der Sicherheitsbeleuchtung nach den Abschnitten 3.12 und 3.13 sind mindestens alle drei Jahre durch einen anerkannten Sachverständigen prüfen zu lassen.

5.4 Die Blitzschutzanlagen sind mindestens alle fünf Jahre durch einen Sachverständigen prüfen zu lassen.

5.5 Die von den Sachverständigen festgestellten Mängel sind unverzüglich beseitigen zu lassen. Die Berichte der Sachverständigen sind der unteren Bauaufsichtsbehörde vorzulegen.

5.6 Sachverständige zur Prüfung der Lüftungsanlagen und der elektrischen Anlagen sind die Sachverständigen der technischen Überwachungsorganisationen, die nach der Verordnung über die Organisation der technischen Überwachung ...* anerkannt sind, und die vom Minister für ...* anerkannten Sachverständigen anderer technischer Organisationen, Stellen oder öffentlicher Verwaltungen.

5.7 Die untere Bauaufsichtsbehörde hat Schulen mit einer Fläche von mehr als 3 000 m, je Geschoß in Abständen von längstens drei Jahren zu prüfen. Sie hat der örtlich zuständigen Feuerwehr Gelegenheit zu geben, sich an der Prüfung zu beteiligen. Dabei ist auch festzustellen, ob die Prüfungen nach den Abschnitten 5.1 bis 5.4 fristgerecht durchgeführt und etwaige Mängel beseitigt worden sind.

* Nach Landesrecht

## Muster-Schulbau-Richtlinie (M-SchulbauR, Fassung Juli 1998) 7.3

Die aktuelle Muster-Richtlinie der Fachkommission „Bauaufsicht" der ARGEBAU über bauaufsichtliche Anforderungen an Schulen vom 10. Juli 1998 gibt auch für die Sanierungspraxis wertvolle Hinweise für den Umgang mit dem Brandschutz in Schulen. Sie kann als Leitfaden nicht nur für den Schulneubau dienen, sondern gibt auch Anhaltspunkte für die Sanierungsplanung. Es wird mit dieser Muster-Richtlinie insbesondere klargestellt, dass mit ihrer Anwendung gemäß § 51 Abs. 1 Musterbauordnung beim Schulbau nicht über Abweichungen, sondern über Erleichterungen zu sprechen ist; damit ist der Umgang mit diesen bei der Erarbeitung eines gebäude- und schutzzielorientierten Brandschutzkonzeptes einfacher und kann während der Prüfphase der Brandschutzkonzeptes bereits einvernehmlich mit der zuständigen Brandschutzdienststelle bzw. dem Prüfingenieur für Brandschutz durch den Aufsteller des Brandschutzkonzeptes abgeklärt werden, ohne dass im Nachhinein ein gesonderter Bescheid über Abweichungen notwendig wird.

Fachkommission Bauaufsicht

# Muster-Richtlinie über bauaufsichtliche Anforderungen an Schulen (Muster-Schulbau-Richtlinie – MSchulbauR)*

Stand 10. Juli 1998

## 1 Anwendungsbereich

Diese Richtlinie gilt für Anforderungen nach § 51 Abs. 1 MBO an allgemeinbildende und berufsbildende Schulen, soweit sie nicht ausschließlich der Unterrichtung Erwachsener dienen.

## 2 Anforderungen an Bauteile

### 2.1 Brandwände

[1]Brandwände gemäß § 28 Abs. 1 Nr. 2 MBO sind in Abständen von höchstens 60 m anzuordnen. [2]In Öffnungen in diesen Brandwänden im Zuge notwendiger Flure sind feuerhemmende, rauchdichte und selbstschließende Türen zulässig, wenn die angrenzenden Flurwände in einem Bereich von 2,5 m beiderseits der Tür keine Öffnungen haben.

### 2.2 Hallen

[1]Über mehrere Geschosse reichende Hallen sind zulässig. [2]Türen zwischen Hallen und notwendigen Treppenräumen, notwendigen Fluren und Aufenthaltsräumen müssen feuerhemmend, rauchdicht und selbstschließend sein.

## 3 Rettungswege

### 3.1 Allgemeine Anforderungen

[1]Für jeden Unterrichtsraum müssen in demselben Geschoß mindestens zwei voneinander unabhängige Rettungswege zu Ausgängen ins Freie oder zu notwendigen Treppenräumen vorhanden sein. [2]Anstelle eines dieser Rettungswege darf ein Rettungsweg über Außentreppen ohne Treppenräume, Rettungsbalkone, Terrassen und begehbare Dächer auf das Grundstück führen, wenn dieser Rettungsweg im Brandfall nicht gefährdet ist; dieser Rettungsweg gilt als Ausgang ins Freie.

### 3.2 Rettungswege durch Hallen

Einer der beiden Rettungswege nach Nummer 3.1 darf durch eine Halle führen, wenn die Halle eine Rauchabzugsanlage hat.

### 3.3 Notwendige Flure

Notwendige Flure mit nur einer Fluchtrichtung (Stichflure) dürfen nicht länger als 10 m sein.

---

* Hinweis: Die Verpflichtungen aus der Richtlinie 98134/EG des Europäischen Parlamentes und des Rates vom 22. Juni 1998 über ein Informationsverfahren auf dem Gebiet der Normen und technischen Vorschriften (ABl. EG Nr. L 204 S. 37) sind beachtet worden.

### 3.4 Breite der Rettungswege, Sicherheitszeichen

[1]Die nutzbare Breite der Ausgänge von Unterrichtsräumen und sonstigen Aufenthaltsräumen sowie der notwendigen Flure und notwendigen Treppen muß mindestens 1 m je 150 darauf angewiesener Benutzer betragen. [2]Es muß jedoch mindestens folgende nutzbare Breite vorhanden sein bei

| | |
|---|---|
| a) Ausgängen von Unterrichtsräumen und sonstigen Aufenthaltsräumen | 0,9 m |
| b) notwendigen Fluren, auf die mehr als 180 Benutzer angewiesen sind | 2,0 m |
| c) sonstigen notwendigen Fluren | 1,25 m |
| d) notwendigen Treppen | 1,25 m |

[3]Die erforderliche nutzbare Breite der notwendigen Flure und notwendigen Treppen darf durch offenstehende Türen, Einbauten oder Einrichtungen nicht eingeengt werden. [4]Ausgänge zu notwendigen Fluren dürfen nicht breiter sein als der notwendige Flur. [5]Ausgänge zu notwendigen Treppenräumen dürfen nicht breiter sein als die notwendige Treppe. [6]Ausgänge aus notwendigen Treppenräumen müssen mindestens so breit sein wie die notwendige Treppe. [7]An den Ausgängen zu notwendigen Treppenräumen oder ins Freie müssen Sicherheitszeichen angebracht sein.

## 4 Treppen, Geländer und Umwehrungen

[1]Die nutzbare Breite notwendiger Treppen darf 2,5 m nicht überschreiten. [2]Treppen müssen Tritt- und Setzstufen haben. [3]Notwendige Treppen dürfen keine gewendelten Läufe haben. [3]Geländer und Umwehrungen müssen mindestens 1,1 m hoch sein.

## 5 Türen

[1]Türen, die selbstschließend sein müssen, dürfen nur offengehalten werden, wenn sie Feststellanlagen haben, die bei Raucheinwirkung ein selbsttätiges Schließen der Türen bewirken; sie müssen auch von Hand geschlossen werden können. [2]Türen im Zuge von Rettungswegen müssen in Fluchtrichtung des ersten Rettungsweges aufschlagen. [3]Sie müssen von innen leicht in voller Breite zu öffnen sein.

## 6 Blitzschutzanlagen

Schulen müssen Blitzschutzanlagen haben.

## 7 Sicherheitsbeleuchtung

Eine Sicherheitsbeleuchtung muß in notwendigen Fluren, notwendigen Treppenräumen und fensterlosen Aufenthaltsräumen vorhanden sein.

## 8 Alarmierungsanlagen

[1]Schulen müssen Alarmierungsanlagen haben, durch die im Gefahrenfall die Räumung der Schule oder einzelner Schulgebäude eingeleitet werden kann (Hausalarmierung). [2]Das Alarmsignal muß sich vom Pausensignal unterscheiden und in jedem Raum der Schule gehört werden können. [3]Das Alarmsignal muß mindestens an einer während der Betriebszeit der Schule ständig besetzten oder an einer jederzeit zugänglichen Stelle

innerhalb der Schule (Alarmierungsstelle) ausgelöst werden können. [4]An den Alarmierungsstellen müssen sich Telefone befinden, mit denen jederzeit Feuerwehr und Rettungsdienst unmittelbar alarmiert werden können.

## 9 Sicherheitsstromversorgung

Sicherheitsbeleuchtung, Alarmierungsanlagen und Rauchabzugsanlagen müssen an eine Sicherheitsstromversorgungsanlage angeschlossen sein.

## 10 Feuerwehrplan, Brandschutzordnung

Der Betreiber der Schule muß im Einvernehmen mit der für den Brandschutz zuständigen Dienststelle Feuerwehrpläne und eine Brandschutzordnung anfertigen und der örtlichen Feuerwehr zur Verfügung stellen.

## Begründung:

Die Muster-Schulbau-Richtlinie (MSchulbauR) ist gegenüber der bisherigen „Bauaufsichtlichen Richtlinie für Schulen" – Fassung Juni 1976 – (BASchulR 1976) erheblich gestrafft und gekürzt. Die vorliegende Richtlinie beschränkt sich auf die besonderen bauaufsichtlichen Anforderungen oder auch Erleichterungen, die unter Anwendung des § 51 MBO aufgrund der schultypischen Nutzung an Schulen gestellt werden müssen oder zugelassen werden können.

Alle in der bisherigen BASchulR 1976 enthaltenen Verweise auf DIN-Normen, VDE-Bestimmungen, Unfallverhütungsvorschriften, andere bauaufsichtliche Richtlinien, eingeführte Technische Baubestimmungen und die als autonomes Recht erlassenen Unfallverhütungsvorschriften der Unfallversicherungsträger sind weggefallen. Aus diesem Grunde enthält die MSchulbauR keine speziellen sicherheitstechnischen und ergonomischen Aussagen zu Bauteilen, Einrichtungen und Arbeitsplätzen von Schulen. Die MSchulbauR enthält ferner keine Verweise auf andere bauaufsichtliche Vorschriften, da diese Vorschriften aus sich heraus gelten; so ist z. B. die Muster-Versammlungsstättenverordnung auf Aulen oder Hallen anzuwenden, die mehr als 200 Besucher fassen und damit Versammlungsräume sind. Desgleichen enthält die MSchulbauR keine Bestimmungen ausschließlich schulbetrieblicher Art. Regelungen über die Größe der Unterrichtsräume oder Betriebsvorschriften sind daher weggefallen. Soweit die MSchulbauR keine besonderen Regelungen trifft, gelten die Vorschriften der MBO. Soweit Unfallverhütungsvorschriften z. B. der Berufsgenossenschaften und der Gemeindeversicherungsverbände Vorschriften für Schulen enthalten, Regelungen der Arbeitsstättenverordnung greifen oder sich für Schulen Regelungen aus landesrechtlichen Vorschriften, insbesondere aus den Schulgesetzen oder aus Vorschriften aufgrund der Schulgesetze ergeben, gelten diese ebenfalls aus sich heraus.

Derartige auf Schulen anzuwendende Regelungen finden sich insbesondere in

- Richtlinien für Schulen – Bau und Ausrüstung –, GUV 16.3, Ausgabe Januar 1987,
- Regeln für Sicherheit und Gesundheitsschutz beim Umgang mit Gefahrstoffen im Unterricht, GUV 19.16, Ausgabe Januar 1998.

Für die Errichtung und den Betrieb von Schulen bedeutende allgemein anerkannte Regeln der Technik sind zum Beispiel

- DIN 58125 Schulbau – Bautechnische Anforderungen zur Verhütung von Unfällen, Ausgabe Dezember 1984
- die DIN-Reihe DIN 18032 Sporthallen, Teile 1 bis 6
- die DIN-Reihe: DIN 4844 Sicherheitskennzeichnung, Teile 1 bis 3
- DIN 66079 Grafische Symbole zur Information der Öffentlichkeit, Symbole für Behinderte, Entwurf Stand 1992

Die MSchulbauR enthält ferner keine über die MBO hinausgehende Regelungen über die Barrierefreiheit von Schulen. Ob und in welchem Umfang Schulen barrierefrei sein müssen, bestimmt sich nach § 52 MBO bzw. nach der entsprechenden landesrechtlichen Regelung über bauliche Maßnahmen für besondere Personengruppen oder nach den jeweiligen schulrechtlichen Bestimmungen des Landes. Soweit Schulen nach landesrechtlichen Vorschriften barrierrefrei errichtet werden müssen, kann dafür DIN 18024-2, Ausgabe November 1996, als Anhalt dienen, soweit sie nicht als Technische Baubestimmung gemäß § 3 Abs. 3 MBO eingeführt ist.

Zu den einzelnen Vorschriften:

**Zu Nummer 1 Anwendungsbereich:**

Der Anwendungsbereich entspricht der bisherigen Regelung der Nummer 1.1 BASchulR 1976. Der Anwendungsbereich umfaßt nur allgemeinbildende und berufsbildende Schulen, an denen Kinder und Jugendliche unterrichtet werden. Bildungseinrichtungen für Erwachsene fallen wie bisher nicht unter den Anwendungsbereich der MSchulbauR.

Die Richtlinie erfaßt daher Grundschulen, Hauptschulen, Realschulen, Gymnasien, Gesamtschulen, Sonderschulen, Berufsschulen und vergleichbare Schultypen. Die Richtlinie erfaßt nicht Fachhochschulen und Hochschulen, Akademien, Volkshochschulen, Musik-, Tanz- oder Fahrschulen oder vergleichbare Bildungseinrichtungen.

**Zu Nummer 2 Anforderungen an Bauteile:**

Für Schulen gelten grundsätzlich die sich aus der MBO ergebenden Anforderungen an Bauteile.

Schulen, an denen Kinder und Jugendliche unterrichtet werden, erfordern ein besonderes Rettungskonzept. Erwachsenen ist es zuzumuten, sich im Gefahrenfall selbst über einen ersten Rettungsweg in Sicherheit zu bringen oder einen zweiten Rettungsweg zu suchen und zu benutzen. Kindern und Jugendlichen kann dies nicht zugemutet werden. In Schulen müssen im Gefahrenfall eine größere Anzahl von Kindern und Jugendlichen gleichzeitig in Sicherheit gebracht und insbesondere auch Paniksituationen vermieden werden. Die Evakuierung ganzer Schulklassen über eine anleiterbare Stelle scheidet schon deswegen aus, weil die Rettung allein einer Person durch die Feuerwehr über eine Leiter je nach der Höhe der anleiterbaren Stelle zwischen einer und drei Minuten in Anspruch nimmt.

Der zweite Rettungsweg nach § 17 Abs. 4 Satz 1 MBO muß bei diesen Schulen immer ein zweiter baulicher Rettungsweg sein, da eine Rettung ganzer Schulklassen über eine Anleiterung (z. B. gemäß § 17 Abs. 4 Satz 4 MBO) in der im Gefahrenfall erforderlichen kurzen Zeit unrealistisch ist.

Da allgemein- und berufbildende Schulen nur tagsüber als Schulen genutzt werden und die Schulklassen, von den Pausen abgesehen, von Lehrkräften beaufsichtigt werden, ist im Gefahrenfall eine geordnete Evakuierung in kürzester Zeit unter Aufsicht der Lehrkräfte möglich. Dieses Rettungskonzept mit einem zwingenden zweiten baulichen Rettungsweg ermöglicht es, gegenüber der bisherigen BASchulR 1976 erhebliche Erleichterungen im baulichen Bereich zuzulassen; so werden an die tragenden Bauteile von Schulen künftig keine höheren Anforderungen an die Feuerwiderstandsdauer gestellt als nach den Vorschriften der MBO.

Abweichend von § 28 Abs. 1 Nr. 2 MBO, der einen Abstand für innere Brandwände im Gebäude von maximal 40 m vorschreibt, läßt Nummer 2.1 Satz 1 einen Abstand der Brandwände von 60 m zu. Die bisherige Ausnahme der BASchulR 1976 ist damit regelmäßig zulässig. Bei einer Grundfläche der Klassenräume von durchschnittlich 60 m$^2$ bis 70 m$^2$ können sich somit in einem Brandabschnitt bei einer einhüftigen Anlage maximal 5 bis 6, bei einer zweihüftigen Anlage maximal 10 bis 12 Klassenräume befinden. Abweichend von § 28 Abs. 8 Satz 2 MBO, der für Öffnungen in Brandwänden feuerbeständige Abschlüsse fordert, läßt Nummer 2.1 Satz 2 im Zuge notwendiger Flure in diesen Brandwänden feuerhemmende, rauchdichte und selbstschließende Türen unter der Voraussetzung zu, daß die Flurwände beiderseits der Brandwand auf einer Länge von 2,50 m keine Öffnung haben. Durch diese Anforderung wird verhindert, daß im Falle eines Brandes in einem direkt an die Brandwand angrenzenden Unterrichtsraum die Flurtür direkt durch Feuer beaufschlagt wird.

Abweichend von § 29 Abs. 9 MBO gestattet Nummer 2.2 Satz 1 über mehrere Geschosse reichende Hallen. Für die tragenden Bauteile, die Decken und die Trennwände dieser Halle gelten die Anforderungen der MBO; soweit es sich bei der Halle um eine Versammlungsstätte handelt, gelten ergänzend die Vorschriften der MVStättV. Abweichend von den Regelungen der MBO, die für Öffnungen in Brandwänden und in feuerbeständigen Wänden feuerbeständige und selbstschließende Türen vorschreibt, genügen nach Nummer 2.2. Satz 2 zwischen Hallen und diesen Räumen feuerhemmende, rauchdichte und selbstschließende Türen.

**Zu Nummer 3 Rettungswege:**

**Zu Nummer 3.1 Allgemeine Anforderungen:**

Die MSchulbauR geht von der bisherigen Konzeption der BASchulR 1976 ab, die den vorbeugenden Brandschutz von nach der Geschossigkeit und der Geschoßfläche bemessenen Brandabschnitten abhängig gemacht hat und übernimmt die Grundregel des § 28 Abs. 1 Nr. 2 MBO über Brandwände, läßt jedoch auf 60 m vergrößerte innere Brandwandabstände zu. Während nach der bisherigen Nummer 3.7.2 BASchulR 1976 ein zweiter baulicher Rettungsweg erst bei Schulen mit mehr als zwei Vollgeschossen und mehr als 1 600 m$^2$ Gesamtgeschoßfläche zwingend war, schreibt Nummer 3.1 Satz 1 den zweiten baulichen Rettungsweg nun für alle Schulen unabhängig von der Zahl der Geschosse oder der Geschoßfläche vor. Dies ist Folge des mit baulichen Erleichterungen verbundenen neuen Rettungskonzeptes. Es handelt sich bei dem zweiten Rettungsweg immer um einen baulichen Rettungsweg, da die Regelung auf die Erreichbarkeit der Ausgänge ins Freie oder in notwendige Treppenhäuser abstellt. Satz 2 beinhaltet eine Erleichterung, die bei kleineren Schulen in Betracht kommt.

**Zu Nummer 3.2 Rettungswege durch Hallen:**

Unter der Voraussetzung, daß die Halle eine Rauchabzugsanlage hat, darf einer der beiden Rettungswege durch eine Halle führen. Eine Rauchabzugsanlage wird damit für Hallen jedoch nicht vorgeschrieben.

**Zu Nummer 3.3 Notwendige Flure:**

Die Begrenzung der Rettungsweglänge auf maximal 35 m ergibt sich bereits aus § 32 Abs. 2 MBO. Die Rettungsweglänge ist in Lauflinie zu messen.

In Verbindung mit der Bemessungsregel der Nummer 3.4 und der Begrenzung der Breite notwendiger Treppen gemäß Nummer 4 auf maximal 2,5 m ergibt sich zwingend eine gleichmäßige Verteilung der notwendigen Treppen über das Gebäude, ohne daß es einer über § 32 Abs. 2 MBO hinausgehenden Reglementierung der Rettungsweglänge in notwendigen Fluren bedürfte. Die Anzahl der erforderlichen notwendigen Treppenräume ergibt sich faktisch aus der Grundregel der Nummer 3.1 sowie der Bemessungsvorschrift der Nummer 3.4 in Verbindung mit Nummer 4.

**Zu Nummer 3.4 Breite der Rettungswege, Sicherheitszeichen:**

Die Bemessung der nutzbaren Breite der Rettungswege entspricht im wesentlichen der bisherigen Nummer 3.7.8 BASchulR 1976. Die Mindestbreite der Türen von 0,9 m entspricht DIN 18024-2, Ausgabe November 1996.

Eine mehrgeschossige Schule mit nicht mehr als 60 m Länge und daher nur einem Brandabschnitt muß schon wegen Nummer 3.1 regelmäßig zwei notwendige Treppenräume haben. Da die nutzbare Breite einer notwendigen Treppe 2,5 m nicht überschreiten darf, dürfen auf eine notwendige Treppe mit 2,5 m nutzbare Breite maximal 375 Personen angewiesen sein. Sind einem Brandabschnitt zwei notwendige Treppen zugeordnet und wird die nutzbare Breite der notwendigen Treppen voll ausgeschöpft, so können sich in diesem Brandabschnitt maximal 750 Personen aufhalten, bei einer Klassenstärke von ca. 30 Schülern, sind dies 24 Schulklassen. Bei einer dreigeschossigen Bauweise ergibt dies maximal 8 Klassen je Geschoß in diesem Brandabschnitt.

**Zu Nummer 4. Treppen, Geländer und Umwehrungen:**

Nummer 4 Satz 1 begrenzt die Breite der notwendigen Treppen, da breitere Treppen wegen der höheren Sturzgefahr als Rettungsweg nicht geeignet sind. Die Regelungen der Sätze 2 und 3 dienen der Verkehrssicherheit. Satz 4 betrifft nur die Höhen der Geländer gemäß § 31 Abs. 8 MBO und Umwehrungen gemäß § 36 Abs. 5 MBO; hinsichtlich der Höhe der Fensterbrüstungen gilt unverändert die Regelung des § 36 Abs. 4 MBO (jeweils i. V. m. § 51 MBO).

**Zu Nummer 5 Türen:**

Die Regelung entspricht der bisherigen Nummer 3.8.9 BASchulR 1976. Die Regelung kommt schulbetrieblichen Belangen entgegen, wenn Türen im laufenden Schulbetrieb offen gehalten werden sollen.

**Zu Nummer 6 Blitzschutzanlagen:**

Die Vorschrift entspricht der bisherigen Regelung der Nummer 3.20 BASchulR 1976.

**Zu Nummer 7 Sicherheitsbeleuchtung:**

Eine Sicherheitsbeleuchtung wird abweichend von der bisherigen Regelung der Nummer 3.13.2 BASchulR 1976 nur noch für notwendige Flure, notwendige Treppenräume und fensterlose Aufenthaltsräume vorgeschrieben. Da der Schulbetrieb an allgemeinbildenden und berufsbildenden Schulen für Kinder und Jugendliche regelmäßig in der Zeit von 7.30 Uhr bis 17.30 Uhr stattfindet, ist eine allgemeine Sicherheitsbeleuchtung nicht erforderlich. Es ist entbehrlich, die Einzelheiten der Sicherheitsbeleuchtung vorzuschreiben, da dafür DIN VDE 0108 Teil 1 – Starkstromanlagen und Sicherheitsstromversorgung in baulichen Anlagen für Menschenansammlungen – Allgemeines –, Ausgabe Oktober 1989, herangezogen werden kann.

**Zu Nummer 8 Alarmierungsanlagen:**

Die Vorschrift entspricht der bisherigen Regelung der Nummer 3.19.3 BASchulR 1976. Auf die Möglichkeit der Nummer 3.19.4 BASchulR 1976, automatische oder nichtautomatische Brandmeldeanlagen bei größeren Schulanlagen verlangen zu können, wurde verzichtet. Das gleiche gilt für selbsttätige Feuerlöschanlagen nach Nummer 3.19.5 BA-SchulR – 1976.

**Zu Nummer 9 Sicherheitsstromversorgung:**

Wie eine Sicherheitsbeleuchtung im einzelnen beschaffen sein muß, ist nicht regelungsbedürftig, da insoweit DIN VDE 0108 Teil 1 – Starkstromanlagen und Sicherheitsstromversorgung in baulichen Anlagen für Menschenansammlungen – Allgemeines –, Ausgabe Oktober 1989, herangezogen werden kann.

**Zu Nummer 10 Feuerwehrplan, Brandschutzordnung:**

Die Vorschrift entspricht der Regelung des § 27 Abs. 3 MVkVO über Feuerwehrpläne. Feuerwehrpläne können sich an DIN 14095 Teil 1, Ausgabe Januar 1992 (der neue Entwurf der DIN 14095-1, Stand Januar 1997, ist noch nicht eingeführt) orientieren. Die Brandschutzordnung enthält Regelungen über das Verhalten bei Brand und Panik, insbesondere über die Alarmierung und die Evakuierung der Schule. Die Brandschutzordnung bestimmt auch, wie oft das Lehr- und Schulpersonal über die Brandschutzordnung zu belehren ist; eine solche Belehrung sollte jeweils nach längeren Schulferien, mindestens jedoch zu Beginn des Schuljahres, durchgeführt werden.

# Gemeinsamer Erlass der Ministerien der Finanzen, des Innern, für Bildung und Sport und für Umwelt über den Brandschutz in bestehenden Schulen (Saarland, Fassung 30. Oktober 1992) 7.4

Der folgende abgedruckte Erlass des Saarlandes wurde im Jahr 1992 wegen der Tatsache, dass es sich bei vielen Bauvorhaben im Schulbereich mittlerweile um Sanierungen handelt, eingeführt. Es wurden dabei, ausgehend vom Begriff der „konkreten Gefahr" für die öffentliche Sicherheit, detaillierte Regelungen für den Umgang mit bestehenden Schulgebäuden gegeben.

Vorangestellt wurde diesem Erlass eine Erörterung zum Thema des Bestandsschutzes; es erfolgte in diesem Zusammenhang die Klarstellung, dass auch nachträgliche Anforderungen aus Gründen des Brandschutzes an bestehende Schulen nur innerhalb von Grenzen (hier: auf der Grundlage des § 71 der Landesbauordnung) auf der Rechtsgrundlage der Landesbauordnung gestellt werden können. Das bedeutet, dass lediglich Brandschutzmaßnahmen, die zur Abwehr einer konkreten Gefahr erforderlich sind und die wegen der Änderung einer baulichen Anlage zweckmäßig und vertretbar sind, angeordnet werden dürfen.

Somit soll der Erlass dazu dienen, die bei bestehenden Schulen gegebenenfalls erforderlichen Brandschutzmaßnahmen nach einheitlichen Kriterien auf der Grundlage der zu erreichenden Schutzziele des Brandschutzes zu beurteilen.

Der Erlass hat eine Gültigkeit bis zum 05. Oktober 2017 und ist sowohl zur Diskussion des Themas „Bestandsschutz" als auch zur Bestimmung angemessener Maßnahmen des Brandschutzes in bestehenden Schulen geeignet.

# Gemeinsamer Erlaß der Ministerien der Finanzen, des Innern, für Bildung und Sport und für Umwelt über den Brandschutz in bestehenden Schulen

Vom 30. Oktober 1992

(GMBl. Saar 1992, S. 489)

Dieser gemeinsame Erlaß widmet sich der Tatsache, daß es sich bei den meisten Schulbauvorhaben in Deutschland mittlerweile um Sanierungen handelt. Es werden ausgehend vom Begriff der „konkreten Gefahr“ detaillierte Regelungen für den Umgang mit bestehenden Schulgebäuden gegeben.

Az.: C/5 – 10.392/92 lich.

Bestehende Schulen genießen grundsätzlich Bestandschutz, auch wenn sie nicht mehr dem geltenden Recht entsprechen. Nachträgliche Anforderungen aus Gründen des Brandschutzes können an bestehende Schulen deshalb nur auf der Rechtsgrundlage und innerhalb der Grenzen des § 71 der Landesbauordnung (LBO) gestellt werden.

Nach § 71 LBO wird unterschieden zwischen

- Maßnahmen, die zur Abwehr einer konkreten Gefahr erforderlich sind (§ 71 Abs. 1 LBO) und
- Maßnahmen, die wegen der Änderung einer baulichen Anlage zweckmäßig und vertretbar sind (§ 71 Abs. 2 LBO).

Ein Einschreiten nach § 71 Abs. 1 LBO setzt voraus, daß eine konkrete Gefahr für die öffentliche Sicherheit vorliegt. Unter dem Gesichtspunkt der Gefahrenabwehr sind nachträgliche Anforderungen aus Gründen des Brandschutzes an bestehende Schulen daher nur gerechtfertigt, wenn im einzelnen Fall die hinreichende Wahrscheinlichkeit besteht, daß in absehbarer Zeit ein Schaden für Leben oder Gesundheit eintreten wird.

Die Rechtsgrundlage des § 71 Abs. 2 LBO beinhaltet dagegen eine Ermessensentscheidung, die von technischen und wirtschaftlichen Gegebenheiten abhängig ist. Die Bauaufsichtsbehörde kann in diesen Fällen verlangen, daß auch die von der Änderung nicht unmittelbar berührten Teile der baulichen Anlage mit bestehenden bauaufsichtlichen Vorschriften in Einklang gebracht werden, wenn dies für den Bauherrn keine unzumutbaren Mehrkosten verursacht.

In jedem Fall müssen nachträgliche Maßnahmen den Grundsätzen der Verhältnismäßigkeit und des geringstmöglichen Eingriffs entsprechen.

Dieser Erlaß soll dazu dienen, die bei bestehenden Schulen gegebenenfalls erforderlichen Brandschutzmaßnahmen nach einheitlichen Kriterien zu beurteilen. Die Ausführungen orientieren sich an der Vorschrift des § 18 Abs. 1 LBO „Brandschutz“.

## A) Maßnahmen nach § 71 Abs. 1 LBO

Alle Gebäude müssen nach § 18 Abs. 1 LBO so beschaffen sein, daß der Entstehung eines Brandes und der Ausbreitung von Feuer und Rauch vorgebeugt wird. Ferner müssen die Benutzer der baulichen Anlage im Brandfall gerettet werden können und wirksame Löscharbeiten müssen möglich sein.

Wird durch die Beschaffenheit der baulichen Anlage eines dieser Ziele nicht erreicht, können konkrete Gefahren für Leben oder Gesundheit bestehen. Liegt eine konkrete Gefahr vor, sind aufgrund von § 71 Abs. 1 LBO bauaufsichtliche Maßnahmen zu treffen.

Im Folgenden werden Maßnahmen beschrieben, die geeignet sind, einer konkreten Gefahr für Leben oder Gesundheit zu begegnen. Werden mindestens die nachfolgenden Anforderungen erfüllt, liegt die Vermutung nahe, daß eine konkrete Gefahr nicht besteht. Müssen zur Erfüllung dieser Anforderungen Bauteile ersetzt oder neu eingebaut werden, müssen diese den geltenden Vorschriften und Normen entsprechen.

Weitergehende Anforderungen oder Erleichterungen sind nur in Einzelfällen gerechtfertigt. Es ist ferner möglich, einzelne der Anforderungen durch andere zu ersetzen, wenn diese nachweislich dem Zweck der Anforderung entsprechen.

**I. Bauliche Maßnahmen**

**1. Verhinderung der Entstehung eines Brandes**

1.1 Haustechnische Anlagen und Feuerungsanlagen müssen als Ganzes und in ihren Teilen betriebssicher und brandsicher sein. Gleiches gilt für sonstige Anlagen wie elektrische Anlagen, Ersatzstromversorgungsanlagen, Transformatoren etc.

1.2 Alle leichtentflammbaren Baustoffe sind, soweit sie nicht durch die Art ihres Einbaus ausreichend gegen Entflammen geschützt sind, zu entfernen, Das gilt auch für Baustoffe, die zum Zeitpunkt der Errichtung noch nicht als leichtentflammbar galten. Hierzu gehören Isolierungen ebenso wie Dämmstoffe oder Verkleidungen. Sollten die baulichen Gegebenheiten in Einzelfällen ein Entfernen der Baustoffe nicht ermöglichen, ist durch geeignete Ersatzmaßnahmen ein vergleichbares Sicherheitsniveau herzustellen.

1.3 Wenn durch normalentflammbare Baustoffe in Fluren eine Ausbreitung von Feuer und Rauch in Treppenräume, andere Rettungsabschnitte oder andere Geschosse zu befürchten ist, sind in Abhängigkeit von der insgesamt vorhandenen Brandlast und den Möglichkeiten der Personenrettung entweder

- die brennbaren Baustoffe ganz oder teilweise zu entfernen,
- die Türen zu Treppenräumen oder in Wänden von Rettungsabschnitten als mindestens rauchdichte Türen auszubilden oder
- es ist eine Brandmeldeanlage zu installieren.

**2. Verhinderung der Ausbreitung von Feuer und Rauch**

2.1 Haustechnische Leitungen, Lüftungsleitungen

2.1.1 Haustechnische Leitungen und Lüftungsleitungen, die durch Brandwände oder Wände notwendiger Treppenräume geführt werden, müssen entweder

- selbst eine Feuerwiderstandsdauer von 90 Minuten haben,
- in Kanälen geführt werden, die eine Feuerwiderstandsdauer von 90 Minuten ausweisen oder
- im Wandbereich mit Bauteilen abgeschottet sein, die eine Feuerwiderstandsdauer von 90 Minuten haben.

2.1.2 Haustechnische Leitungen und Lüftungsleitungen, die von Räumen oder Raumgruppen mit besonders hohem Brandrisiko wie Archive, Werkräume, Schülerübungsräume für Chemie in Rettungswege führen, müssen entweder

- selbst eine Feuerwiderstandsdauer von 30 Minuten haben,
- in Kanälen geführt werden, die eine Feuerwiderstandsdauer von 30 Minuten aufweisen oder
- im Wandbereich mit Bauteilen abgeschottet sein, die eine Feuerwiderstandsdauer von 30 Minuten haben.

2.1.3 In Gebäuden mit mehr als drei Vollgeschossen oder mit größeren Brandabschnitten als 3000 m² müssen haustechnische Leitungen und Lüftungsleitungen, die Geschoßdecken durchdringen,

- entweder in Schächten geführt werden, die eine Feuerwiderstandsdauer aufweisen, die der der vorhandenen Decken entspricht, die mindestens aber eine Feuerwiderstandsdauer von 30 Minuten haben,
- selbst eine Feuerwiderstandsdauer von 30 Minuten aufweisen oder
- im Deckenbereich mit Bauteilen in der Qualität der vorhandenen Deckenkonstruktion, mindestens aber mit Bauteilen, die eine Feuerwiderstandsdauer von 30 Minuten haben, abgeschottet sein.

Dies gilt generell für haustechnische Leitungen und Lüftungsleitungen, die Kellergeschoßdecken durchdringen. Eine rauchdichte Abschottung aus nichtbrennbaren formbeständigen Baustoffen ist ausreichend, wenn eine Brandübertragung von Geschoß zu Geschoß nicht stattfinden kann, wenn z.B. nur nichtbrennbare Leitungen mit nichtbrennbaren Medien abgeschottet werden müssen.

2.2 Flurwände im Zuge von Flucht- und Rettungswegen müssen in der gleichen brandschutztechnischen Qualität bis an die Rohdecke führen, es sei denn, daß die Wände mit der Unterdecke einen mindestens feuerhemmenden „Tunnel" bilden.

2.3 Öffnungen in Brandwänden müssen feuerbeständige Abschlüsse haben. Im Zuge von Flucht- und Rettungswegen können geringere Anforderungen ausreichen. Öffnungen in Wänden von Räumen oder Raumgruppen mit besonders hohem Brandrisiko müssen mindestens feuerhemmende Abschlüsse haben.

2.4 Öffnungen zu Kellergeschossen und nicht ausgebauten Dachgeschossen müssen mindestens feuerhemmende Abschlüsse haben.

2.5 Brandschutztechnisch erforderliche Türen, die aus betrieblichen Gründen offengehalten werden, müssen Feststellvorrichtungen haben, die auf Brandrauch ansprechen und im Verrauchungsfall selbsttätig schließen.

### 3. Sicherstellung der Personenrettung

3.1 Alle Schulen müssen Alarmeinrichtungen haben, durch die im Gefahrenfall die Räumung eingeleitet werden kann.

3.2 Schulen mit mehr als drei Vollgeschossen müssen über mindestens eine Treppe in einem abgeschlossenen Treppenraum verfügen. Dies gilt auch für Schulgebäude mit 3 Vollgeschossen, wenn die Brüstungen von Fenstern, die als Flucht- und Rettungswege dienen, mehr als 8 m über der mit tragbaren Feuerwehrleitern zugänglichen Geländeoberfläche liegen und Aufstellflächen für Hubrettungsfahrzeuge vor diesen Fenstern fehlen. Die Wände dürfen keine Öffnungen haben, und Türen zu diesem Treppenraum müssen mindestens dicht und selbstschließend sein, Verglasungen müssen aus 6 mm dickem Drahtglas mit geschweißtem Netz bestehen. Brennbare Baustoffe sind zu entfernen, soweit sie nicht der Nutzung des Treppenraumes dienen. Weitere Treppen müssen nur dann in eigenen Treppenräumen liegen, wenn die Länge der Flucht- und Rettungswege zu diesem Treppenraum erheblich mehr als 25 m in der Luftlinie gemessen beträgt. Bei offenen Treppen ist sicherzustellen, dass über sie eine Brandübertragung (z.B. durch brennbare Verkleidungen) in andere Geschosse nicht stattfinden kann.

3.3 Ausgedehnte Schulgebäude sind in Rettungsabschnitte zu unterteilen. Von jeder Stelle eines Aufenthaltsraumes muss ein anderer Rettungsabschnitt nach 25 m (Luftlinie) erreichbar sein. Verglasungen müssen aus 6 mm dickem Drahtglas mit geschweißtem Netz bestehen. Jeder Rettungsabschnitt muß über mindestens eine Treppe verfügen.

3.4 Schulen, die nicht über Treppen in abgeschlossenen Treppenräumen verfügen, müssen eine Brandmeldeanlage haben, die auf Brandrauch anspricht und einen Alarm auslöst, der eine frühzeitige Warnung und Räumung ermöglicht.

3.5 Über Treppen müssen Rauchabzugseinrichtungen angeordnet werden, gleiches gilt für mehrgeschossige Hallen (Aulen).

3.6 Mit der Feuerwehr ist abzustimmen, welche Bereiche des Gebäudes anleiterbar sein müssen.

**4. Sicherstellung wirksamer Löscharbeiten**

4.1 Mit der zuständigen Feuerwehr ist abzustimmen, welche Gebäudeteile und welche Gebäudeseiten die Feuerwehr erreichen muß. Die Zu- und Durchfahrten für die Feuerwehr sowie die Aufstellflächen müssen ausreichend befestigt und gekennzeichnet sein.

4.2 Mit der Feuerwehr ist abzustimmen, an welchen Stellen im Gebäude geeignete Feuerlöscher anzubringen sind.

4.3 Eine ausreichende Löschwasserversorgung ist zu gewährleisten.

**II. Betriebliche Maßnahmen**

**1. Verhinderung der Entstehung eines Brandes**

1.1 In Flucht- und Rettungswegen dürfen keine brennbaren Materialien, wie Bücher, Papier, Lehrmaterial, aufbewahrt werden. Sitzmöbel und Ausstellungsvitrinen sind nur zulässig, wenn sie die notwendige Breite der Flucht- und Rettungswege nicht einengen und überwiegend nichtbrennbar sind.

1.2 Abfallstoffe, wie z.B. Verpackungsmaterial, Altpapier u.ä., dürfen nur in dafür geeigneten Räumen und nur vorübergehend zwischengelagert werden.

1.3 Das Rauchen ist nur in Bereichen gestattet, die ständig kontrollierbar sind. In brandgefährdeten Räumen ist das Rauchen zu untersagen.

1.4 Offenes Feuer und Licht dürfen nur in dafür geeigneten Räumen und nur unter ständiger Kontrolle verwendet werden.

**2. Verhinderung der Ausbreitung von Feuer und Rauch**

2.1 Rauch- und brandschutztechnisch erforderliche Türen müssen selbstschließend sein, sie dürfen nicht festgestellt und im Bedarfsfall nur mit Einrichtungen offengehalten werden, die gewährleisten, daß die Türen im Gefahrenfall selbsttätig schließen.

2.2 Auch sonstige Türen, wie die von Klassenräumen, sind geschlossen zu halten. Unbenutzte Klassenzimmer sind verschlossen zu halten.

2.3 Technische Anlagen und Einrichtungen, wie Feuerstätten, Lüftungsanlagen, Ersatzstromversorgungsanlagen usw., sind zu unterhalten und in regelmäßigen Zeitabständen zu überprüfen.

**3. Sicherstellung der Personenrettung**

3.1 Türen im Zuge von Flucht- und Rettungswegen dürfen nicht verschlossen sein und müssen auch von Kindern durch einen einzigen Griff in voller Breite zu öffnen sein.

3.2 Die Flucht- und Rettungswege und Ausgänge sind zu kennzeichnen.

3.3 Die erforderliche Breite von Flucht- und Rettungswegen ist jederzeit von Gegenständen freizuhalten.

3.4 Die Funktionsfähigkeit von sicherheitstechnischen Einrichtungen ist regelmäßig zu überprüfen.

3.5 In Räumen mit erhöhter Brandgefahr – wie Schülerübungsräume für Chemie – müssen an geeigneten Stellen Löschdecken bereitgehalten werden.

**4. Sicherstellung wirksamer Löscharbeiten**

4.1 An gut sichtbarer Stelle im Erdgeschoß eines jeden Schulgebäudes sind ein Lageplan und Grundrisspläne anzubringen, aus denen die Rettungswege, die für die Brandbekämpfung freizuhaltenden Flächen, die Feuermelde- und Feuerlöscheinrichtungen sowie die Bedienungseinrichtungen der sicherheitstechnischen Anlagen ersichtlich sind.

4.2 Zufahrten sowie Aufstell- und Bewegungsflächen für die Feuerwehr sind stets freizuhalten. Hierauf ist durch Verbotsschilder hinzuweisen.

Ferner sind gemäß Erlaß des Ministers des Innern vom 20. Dezember 1973 (GMBl. 1974, S. 125), geändert durch Erlaß vom 1. August 1977 (GMBl. 1977, S. 534) vorbeugende Maßnahmen für das Verhalten bei Bränden und Katastrophen in Schulen zu treffen. Dazu gehören z.B. die Anbringung von Merkblättern in Klassenräumen ebenso wie die Durchführung eines jährlichen Probealarms.

**B) Maßnahmen nach § 71, Abs. 2 LBO**

Die Anordnung von Maßnahmen nach § 71, Abs. 2 LBO steht im Ermessen der Bauaufsichtsbehörde.

Diese kann für den Fall, daß eine bauliche Anlage wesentlich geändert wird, verlangen, daß auch von der Änderung nicht unmittelbar berührte Teile an bestehende Vorschriften angepaßt werden, wenn die Durchführung dieser Vorschriften bei den von den Arbeiten nicht unmittelbar berührten Teilen der baulichen Anlage für den Bauherrn keine unzumutbaren Mehrkosten verursacht.

Dabei ist zunächst zu berücksichtigen, daß eine „wesentliche" Änderung nicht ohne weiteres auch eine kostenträchtige Änderung sein muß, es kommt vielmehr darauf an, daß die bauliche Anlage in ihrer Substanz geändert wird. Auch reicht es allein nicht aus, daß die Maßnahme genehmigungspflichtig ist oder tragende Bauteile von dem Eingriff betroffen sind. Ferner stellt der bloße Ersatz einer bereits vorhandenen, z.B. haustechnischen Anlage keine wesentliche Änderung dar.

Als wesentliche Änderungen können z.B. folgende Maßnahmen angesehen werden:

- Erweiterungsbauten,
- der Ausbau eines Dachgeschosses,
- die Neuinstallation einer Klimaanlage,
- der Umbau von normalen Klassenräumen in Klassenräume für naturwissenschaftlichen Unterricht.

Ansonsten verlangt § 71 Abs. 2 LBO, daß die Durchführung des Anpassungsverlangens bei den von den Arbeiten nicht berührten Teilen der baulichen Anlage keine unzumutbaren Mehrkosten verursacht. Diese Formulierung stellt auch auf die wirtschaftliche Leistungsfähigkeit des Pflichtigen ab. Hier kann man davon ausgehen, daß Mehrkosten, die eine Höhe von ca. 20 % übersteigen, als unzumutbar angesehen werden müssen.

## Erläuterungen zum Erlaß über den Brandschutz in bestehenden Schulen

Vom 30. Oktober 1992

### I. Allgemeines

Um die Genehmigungsbehörden in die Lage zu versetzen, einheitliche Anforderungen an den Brandschutz in Schulen zu stellen, hat der Minister für Umwelt als Oberste Bauaufsicht die

**Bauaufsichtlichen Richtlinien für Schulen**

mit Erlaß vom 1. September 1977 eingeführt.

Die Bauvorschriften der Schulbaurichtlinien sind bei der Genehmigung von Schulneubauten sowie Umbau- und Erweiterungsmaßnahmen nach § 45 der Landesbauordnung zugrunde zu legen. Die Betriebsvorschriften der Richtlinie und die Vorschriften über die Prüfung brandschutztechnischer Anlagen und Einrichtungen sind auch auf bestehende Schulen anzuwenden.

Die SchulbauR ergänzen die Landesbauordnung und enthalten besondere Anforderungen oder Erleichterungen, die sich aus der besonderen Art oder Nutzung solcher baulichen Anlagen ergeben. Für Tatbestände, die nicht in den Schulbaurichtlinien geregelt sind, gelten die Vorschriften der Landesbauordnung.

### II. Brandschutzkonzepte nach den SchulbauR

Die Schulbaurichtlinien unterscheiden in ihren brandschutztechnischen Anforderungen im wesentlichen zwischen

- eingeschossigen Gebäuden (F 30 B),
- zweigeschossigen Gebäuden (F 30 AB) und
- höheren Gebäuden (F 90 AB).

Es sind ferner Erleichterungen möglich für Gebäude mit einer geringen Grundfläche (Grundfläche < 300 m² – F 30 B).

Die Brandabschnitte können in Schulen erheblich größer sein als dies die Landesbauordnung vorsieht. So sind

Brandabschnitte mit einer Fläche bis 3 000 m² (LBO 1 600 m²) möglich, die zudem noch auf max. drei in offener Verbindung miteinander stehende Geschosse verteilt sein dürfen.

Größere Abschnitte können zugelassen werden, wenn eine selbsttätige Feuerlöschanlage vorgesehen wird oder das Gebäude in Hanglage errichtet wird, die gewährleistet, daß Rettungswege in jedem Geschoß zu ebener Erde ins Freie führen.

Die Flucht- und Rettungswege selbst sind vergleichsweise kurz (25 m), die raumabschließenden Bauteile von Flucht- und Rettungswegen (Fluren) müssen feuerhemmend (F 30 B bzw. F 30 A) sein.

Zwei voneinander unabhängige bauliche Flucht- und Rettungswege werden verlangt bei Gebäuden, die mindestens 2-geschossig sind und deren Gesamtgeschoßfläche mehr als 1 600 m² beträgt. Bei kleineren Gebäuden (bis zu 2-geschossig mit max. 1 600 m² Gesamtgeschoßfläche) reicht nach den Richtlinien ein baulicher Flucht- und Rettungsweg.

Besondere Anforderungen werden gestellt an Räume mit erhöhter Brandgefahr wie Schulübungsräume für Chemie, Werkräume, innenliegende Unterrichtsräume.

## III. Anforderungen an bestehende Schulen

Grundsätzlich genießen rechtmäßig bestehende bauliche Anlagen Bestandsschutz, auch wenn sie nicht dem geltenden Recht entsprechen. Nachträgliche Anforderungen nach § 71 Abs. 1 LBO können jedoch selbst bei neueren Gebäuden darin begründet sein, daß eine Gefahr erst nachträglich erkannt oder anders beurteilt wird als zum Zeitpunkt der Genehmigung.

Bei Begehungen von Schulen werden daher – sei es durch Bauaufsichtsbehörden, Brandverhütungschaukommissionen, Sachverständige oder Betreiber – immer wieder brandschutztechnische Mängel festgestellt, deren Beseitigung wegen der Abwehr einer konkreten Gefahr erforderlich oder aus anderen Gründen – z.B. bei Umbaumaßnahmen – zweckmäßig ist.

Allerdings ergibt sich ein Mangel nicht schon deshalb, weil ein bestehendes Gebäude den geltenden Vorschriften nicht entspricht. Für ein Einschreiten nach § 71 Abs. 1 LBO ist es erforderlich, daß mit hinreichender Wahrscheinlichkeit in absehbarer Zeit mit dem Eintritt eines Schadens gerechnet werden kann.

Die anzuwendenden nachträglichen Maßnahmen müssen ferner geeignet sein, den festgestellten Mangel zu beheben, und sie müssen den geringstmöglichen Eingriff darstellen. Jedes neu einzubauende Bauteil muß dabei den zur Zeit des Einbaues geltenden Vorschriften entsprechen.

## IV. Brennbare Baustoffe in Flucht- und Rettungswegen

In bestehenden Schulen trifft man immer wieder brennbare Baustoffe in Flucht- und Rettungswegen an. Dabei kann es sich u.a. um Verkleidungen, Garderobenschränke, Garderobenleisten oder auch Teile von raumabschließenden Bauteilen handeln. Eine Entfernung ist in vielen Fällen aus architektonischen oder denkmalpflegerischen Gesichtspunkten unerwünscht, oder sie ist technisch sehr aufwendig und kostenträchtig. Schulen werden zudem erfahrungsgemäß in ganz wenigen Minuten geräumt, die Benutzer stehen unter ständiger Aufsicht und die Brandlast insgesamt ist in vielen Fällen äußerst gering, die Möblierung besteht z. B. aus Stahl und Holz, die Bauteile haben oft eine hohe Feuerwiderstandsdauer und sind nicht brennbar.

Bei bestehenden Schulen ist daher in jedem Einzelfall zu prüfen, ob durch das Vorhandensein von brennbaren Baustoffen oder Einbauten in Flucht- und Rettungswegen eine konkrete Gefahr für Leben oder Gesundheit im Sinne von § 71 Abs. 1 LBO besteht und mit welchen Maßnahmen ihr begegnet werden kann.

Als Anhaltspunkte für eine solche Beurteilung können beispielsweise die nachfolgend aufgeführten Kriterien dienen:

- Hat das Gebäude insgesamt oder in Teilen mehr als drei Vollgeschosse? Handelt es sich um ein ausgedehntes und/oder unübersichtliches Gebäude?
- Verfügt das Schulgebäude über abgeschlossene Treppenräume?
- Sind Stichflure vorhanden, die außergewöhnlich lang sind?
- Sind zwei bauliche Flucht- und Rettungswege vorhanden, mindestens einer davon in ausreichender Entfernung?
- Sind die Flucht- und Rettungswege ausreichend breit, überbreit, möglicherweise überhoch, sind sie ausreichend beleuchtet und belüftet? Wie hoch ist die Brandlast im Flucht- und Rettungsweg, handelt es sich z. B. lediglich um Garderobenleisten oder um abschließbare Garderobenschränke oder um Ausstellungsvitrinen, die vom Klassenraum zugänglich sind o. ä.?
- Wie hoch ist die Brandlast insgesamt, z. B. durch Möblierung der Klassenräume oder durch Anteile brennbarer Baustoffe in Bauteilen?
- Ist die Entflammbarkeit durch die Art des Einbaues eingeschränkt?
- Hat man ein im Sinne von § 71 Abs. 1 LBO vertretbares Sicherheitsniveau, indem man die Brandlast, z. B. weil sie auch im Gebäude insgesamt sehr gering ist, im Flucht- und Rettungsweg beläßt?
- Erreicht man ein vertretbares Sicherheitsniveau, indem man ein Frühwarnsystem installiert, das eine rechtzeitige Evakuierung ermöglicht.
- Reicht es aus, das Gebäude in (Rettungs-)Abschnitte zu unterteilen?
- Reicht es aus, die Nutzung von brennbaren Einbauten einzuschränken – nur nichtbrennbare Stoffe in Ausstellungsvitrinen –, zu untersagen oder zu verhindern – z. B. durch Verschließen von Garderobenschränken?
- Reicht es aus, die Brandlast nur in Teilbereichen der Schule oder des Flucht- und Rettungsweges zu entfernen?
- Reicht es aus, Rauch- und Wärmeabzugsanlagen zu installieren?
- u. ä. m.

## V. Entscheidungen nach pflichtgemäßem Ermessen

Aus rechtlichen Gründen ist es erforderlich, Entscheidungen nachvollziehbar darzustellen. Es empfiehlt sich entsprechende Niederschriften so abzufassen, daß

- zunächst der Bestand des zu beurteilenden Gebäudes beschrieben wird, wobei euch die ehemalige Genehmigung, nachträgliche bauliche Änderungen oder auch Nutzungsänderungen und vor allem das ursprüngliche Brandschutzkonzept erwähnt werden sollten,
- ferner sollte aufgelistet werden, inwieweit das bestehende Gebäude von heutigen Erkenntnissen (Vorschriften) abweicht,
- anhand der Ziele in § 18 Abs. 1 LBO sollte dann dargestellt werden, ob und warum die oben erwähnten Abweichungen oder der Zustand des Gebäudes eine an sich konkrete Gefahr für Leben oder Gesundheit darstellen,
- letztendlich sollten geeignete Mittel zur Abwehr der erkannten konkreten Gefahr vorgeschlagen werden, wobei uns der Wortlaut des § 71 Abs. 1 LBO erlaubt, auch nach Möglichkeiten außerhalb unserer Rechtsvorschriften zu suchen, wenn durch sie das entsprechende Ziel gleichermaßen erreicht werden kann.

Eine solche Vorgehensweise macht nicht nur den Entscheidungsprozeß nachvollziehbar, sie dient auch dem Nachweis, daß das in diesen Fällen stets erforderliche Ermessen pflichtgemäß zur Anwendung kam.

Saarland
Ministerium für Umwelt

Verteiler: Interne Bauaufsichtsbehörden des Saarlandes

Stadtverbandspräsident –
Untere Bauaufsichtsbehörde

Landräte – Untere Bauaufsichtsbehörde –
der Kreise
- Merzig-Wadern in Merzig
- Neunkirchen in Ottwelker
- Saarlouis
- Saar-Pfalz-Kreis in Homburg
- St. Wendel

Oberbürgermeister – Untere Bauaufsichtsbehörde –
der Städte

| | |
|---|---|
| Saarbrücken | Saarlouis |
| Homburg | St. Ingbert |
| Neunkirchen | Völkingen |

## Gemeinsamer Erlaß

### Berichtigung des Gemeinsamen Erlasses der Ministerien der Finanzen, des Innern, für Bildung und Sport und für Umwelt über den Brandschutz in bestehenden Schulen vom 30. Oktober 1992

(GMBl. Saar 1993, S. 8)

Im Gemeinsamen Ministerialblatt Saarland Nr. 22 vom 21. Dezember 1992 in der Veröffentlichung auf der Seite 489 muß in Abschnitt „3. Sicherstellung der Personenrettung", Unterabschnitt „3.3" ein ganzer Satz eingefügt werden. Unterabschnitt „3.3" muß richtig lauten:

„3.3 Ausgedehnte Schulgebäude sind in Rettungsabschnitte zu unterteilen. Von jeder Stelle eines Aufenthaltsraumes muß ein anderer Rettungsabschnitt nach 25 m (Luftlinie) erreichbar sein. **Die Wände des Rettungsabschnittes sind bis unter die Rohdecke zu führen, Türen müssen dicht- und selbstschließend sein.** Verglasungen müssen aus 6 mm dickem Drahtglas mit geschweißtem Netz bestehen. Jeder Rettungsabschnitt muß über mindestens eine Treppe verfügen."

## Muster-Schulbau-Richtlinie (M-SchulbauR, Fassung April 2009) 7.5

Im Jahr 2010 wurde eine überarbeitete Fassung der Muster-Richtlinie bekannt gemacht, die von der Fachkommission „Bauaufsicht“ der ARGEBAU mit Stand April 2009 verabschiedet wurde. Die wesentliche Änderung besteht darin, dass nunmehr konsequent alle Anforderungen an Schulen einschließlich der Anforderungen an die tragenden und aussteifenden Bauteile sowie die Wände notwendiger Treppenräume in der Richtlinie zusammengeführt werden und sich damit ein Bezug auf die jeweilige Landesbauordnung erübrigt.

Außerdem wurde die bereits seit längerem überfällige Angleichung der Rettungswegbreiten in Schulen an die in der Muster-Versammlungsstättenverordnung benannten vollzogen; somit wird auch in Schulen auf die Mindestbreite von 1,20 m für notwendige Flure und notwendige Treppen sowie die fortführende Staffelung im Raster von 0,60 cm abgestellt. Dem wurde auch mit 2,40 m die maximal zulässige nutzbare Breite von notwendigen Treppen angepasst.

Ein neu eingefügter Abschnitt widmet sich der Rauchableitung in Hallen und stellt eindeutig klar, dass diese der Unterstützung der Brandbekämpfung dient.

Das Erfordernis einer Sicherheitsbeleuchtung wurde auf die Hallen erweitert.

Diese neue Muster-Schulbau-Richtlinie 2009 kann aus der Sicht des Autors als geeigneter Leitfaden in Ergänzung der teilweise noch geltenden Muster-Schulbau-Richtlinie für eine Sanierungsplanung herangezogen werden. Es dürften sich damit viele Erleichterungen von Regelungen des Abschnitts 3 (Mindestbreite von Rettungswegen 1,25 m) erledigen.

# Muster-Richtlinie über bauaufsichtliche Anforderungen an Schulen (Muster-Schulbau-Richtlinie – MSchulbauR)

Fassung April 2009

## 1 Anwendungsbereich

Diese Richtlinie gilt für Anforderungen nach § 51 Abs. 1 MBO an allgemeinbildende und berufsbildende Schulen, soweit sie nicht ausschließlich der Unterrichtung Erwachsener dienen.

## 2 Anforderungen an Bauteile

### 2.1 Tragende und aussteifende Bauteile

[1]Auf tragende und aussteifende Bauteile sind

- in Gebäuden mit einer Höhe von bis zu 7 m die Anforderungen der MBO an diese Bauteile in Gebäuden der Gebäudeklasse 3,
- in Gebäuden mit einer Höhe von mehr als 7 m die Anforderungen der MBO an diese Bauteile in Gebäuden der Gebäudeklasse 5

anzuwenden.

[2]Abweichend von Satz 1 sind tragende und aussteifende Bauteile in hochfeuerhemmender Bauart gemäß § 26 Abs. 2 Satz 3 Nr. 2 MBO zulässig in Gebäuden,

- die eine Höhe bis zu 13 m haben und
- deren Geschosse entweder eine Fläche von jeweils nicht mehr als 400 $m^2$ haben oder durch Wände, die den Anforderungen des § 29 Abs. 3 bis 5 MBO entsprechen, in Abschnitte von jeweils nicht mehr als 400 $m^2$ unterteilt sind.

### 2.2 Brandwände

[1]Innere Brandwände gemäß § 30 Abs. 2 Nr. 2 MBO sind in Abständen von nicht mehr als 60 m anzuordnen. [2]In Gebäuden, deren tragende Bauteile hochfeuerhemmend oder feuerhemmend sein dürfen, sind anstelle von Brandwänden nach Satz 1 Wände, die auch unter zusätzlicher mechanischer Beanspruchung hochfeuerhemmend sind, zulässig. [3]In Wänden nach Satz 1 und 2 sind im Zuge notwendiger Flure jeweils feuerhemmende, rauchdichte und selbstschließende Türen zulässig, wenn die angrenzenden Flurwände in einem Bereich von 2,5 m beiderseits der Tür keine Öffnungen haben.

### 2.3 Wände notwendiger Treppenräume

In Gebäuden der Gebäudeklassen 1 und 2 müssen die Wände notwendiger Treppenräume als raumabschließende Bauteile feuerhemmend sein.

### 2.4 Wände und Türen von Hallen

[1]Über mehrere Geschosse reichende Hallen sind zulässig. [2]Die Wände dieser Hallen, ausgenommen Außenwände, müssen die Anforderungen an die Geschossdecken des Gebäudes erfüllen. [3]Türen zwischen Hallen und notwendigen Treppenräumen, notwendigen Fluren und Aufenthaltsräumen müssen feuerhemmend, rauchdicht und selbstschließend sein.

# 3 Rettungswege

## 3.1 Allgemeine Anforderungen

[1]Für jeden Unterrichtsraum müssen in demselben Geschoss mindestens zwei voneinander unabhängige Rettungswege zu Ausgängen ins Freie oder zu notwendigen Treppenräumen vorhanden sein. [2]Anstelle eines dieser Rettungswege darf ein Rettungsweg über Außentreppen ohne Treppenräume, Rettungsbalkone, Terrassen und begehbare Dächer auf das Grundstück führen, wenn dieser Rettungsweg im Brandfall nicht gefährdet ist; dieser Rettungsweg gilt als Ausgang ins Freie.

## 3.2 Rettungswege durch Hallen

Einer der beiden Rettungswege nach Nummer 3.1 darf durch eine Halle führen; diese Halle darf nicht als Raum zwischen einem notwendigen Treppenraum und dem Ausgang ins Freie dienen.

## 3.3 Notwendige Flure

Notwendige Flure mit nur einer Fluchtrichtung (Stichflure) dürfen nicht länger als 10 m sein.

## 3.4 Breite der Rettungswege, Sicherheitszeichen

[1]Die nutzbare Breite der Ausgänge von Unterrichtsräumen und sonstigen Aufenthaltsräumen sowie der notwendigen Flure und notwendigen Treppen muss mindestens 1,20 m je 200 darauf angewiesener Benutzer betragen. [2]Staffelungen sind nur in Schritten von 0,60 m zulässig. [3]Es muss jedoch mindestens folgende nutzbare Breite vorhanden sein bei

a) Ausgängen von Unterrichtsräumen und sonstigen Aufenthaltsräumen 0,90 m
b) notwendigen Fluren 1,50 m
c) notwendigen Treppen 1,20 m.

[3]Die erforderliche nutzbare Breite der notwendigen Flure und notwendigen Treppen darf durch offenstehende Türen, Einbauten oder Einrichtungen nicht eingeengt werden. [4]Ausgänge zu notwendigen Fluren dürfen nicht breiter sein als der notwendige Flur. [5]Ausgänge zu notwendigen Treppenräumen dürfen nicht breiter sein als die notwendige Treppe. [6]Ausgänge aus notwendigen Treppenräumen müssen mindestens so breit sein wie die notwendige Treppe. [7]An den Ausgängen zu notwendigen Treppenräumen oder ins Freie müssen Sicherheitszeichen angebracht sein.

# 4 Treppen, Geländer und Umwehrungen

[1]Die nutzbare Breite notwendiger Treppen darf 2,40 m nicht überschreiten. [2]Treppen müssen Tritt- und Setzstufen haben. [3]Notwendige Treppen dürfen keine gewendelten Läufe haben. [3]Geländer und Umwehrungen müssen mindestens 1,1 m hoch sein.

## 5 Türen

[1]Türen, die selbstschließend sein müssen, dürfen nur offengehalten werden, wenn sie Feststellanlagen haben, die bei Raucheinwirkung ein selbsttätiges Schließen der Türen bewirken; sie müssen auch von Hand geschlossen werden können. [2]Türen im Zuge von Rettungswegen, ausgenommen Türen von Unterrichtsräumen, müssen in Fluchtrichtung des ersten Rettungsweges aufschlagen. [3]Sie müssen von innen leicht in voller Breite zu öffnen sein.

## 6 Rauchableitung

[1]Hallen müssen zur Unterstützung der Brandbekämpfung entraucht werden können. [2]Dies gilt als erfüllt, wenn sie entweder an der höchsten Stelle Rauchableitungsöffnungen mit einer freien Öffnungsfläche von insgesamt 1 Prozent der Grundfläche oder im oberen Drittel der Außenwände Fenster oder Türen mit einer freien Öffnungsfläche von insgesamt 2 Prozent der Grundfläche haben.

## 7 Blitzschutzanlagen

Schulen müssen Blitzschutzanlagen haben.

## 8 Sicherheitsbeleuchtung

Eine Sicherheitsbeleuchtung muss in Hallen, durch die Rettungswege führen, in notwendigen Fluren und notwendigen Treppenräumen sowie in fensterlosen Aufenthaltsräumen vorhanden sein.

## 9 Alarmierungsanlagen

[1]Schulen müssen Alarmierungsanlagen haben, durch die im Gefahrenfall die Räumung der Schule oder einzelner Schulgebäude eingeleitet werden kann (Hausalarmierung). [2]Das Alarmsignal muss sich vom Pausensignal unterscheiden und in jedem Raum der Schule gehört werden können. [3]Das Alarmsignal muss mindestens an einer während der Betriebszeit der Schule ständig besetzten oder an einer jederzeit zugänglichen Stelle innerhalb der Schule (Alarmierungsstelle) ausgelöst werden können. [4]An den Alarmierungsstellen müssen sich Telefone befinden, mit denen jederzeit Feuerwehr und Rettungsdienst unmittelbar alarmiert werden können.

## 10 Sicherheitsstromversorgung

Sicherheitsbeleuchtung, Alarmierungsanlagen und elektrisch betriebene Einrichtungen zur Rauchableitung müssen an eine Sicherheitsstromversorgungsanlage angeschlossen sein.

## 11 Feuerwehrplan, Brandschutzordnung

Der Betreiber der Schule muss im Einvernehmen mit der für den Brandschutz zuständigen Dienststelle Feuerwehrpläne und eine Brandschutzordnung anfertigen und der örtlichen Feuerwehr zur Verfügung stellen.

# Muster-Brandschutzordnung für eine Schule 7.6

In diesem Anhang wird eine Muster-Brandschutzordnung vorgestellt, die sich in der Gliederung an DIN 14096 hält und der Anwendung bei Schulbausanierungen oder denkmalpflegerischen Behandlungen zugrunde gelegt werden kann.

**Hinweis**

Ein Formular zum Ausfüllen steht Ihnen in der Mediathek des Beuth Verlages zum Download zur Verfügung (Zugangscode siehe gelbes Blatt).

# Brandschutzordnung

## Schule ______________________________

Adresse ______________________________

# NOTRUF 112

ERSTELLT NACH DIN 14096
Stand: ________ (XX Seiten)

## Brandschutzordnung nach DIN 14096

# INHALTSVERZEICHNIS





Schule: ____________________

**Brandschutzordnung nach DIN 14096**

# Vorwort

Die Sorge um die Sicherheit der Menschen und die Notwendigkeit der Erhaltung des Gebäudes, aber auch die Verantwortung gegenüber der Allgemeinheit gebieten, dem Brandschutz die gebührende Aufmerksamkeit zu widmen.

Insbesondere gilt es, Brandgefahren rechtzeitig zu erkennen und Brände zu verhindern, um das Leben, die Gesundheit und das Eigentum aller Bürger zu erhalten.

Alle Personen, Mitarbeiter und Schüler sowie auch Fremdfirmen sind verpflichtet, durch größte Vorsicht zur Verhütung von Bränden und anderen Schadensfällen beizutragen.

Sie haben sich über die Brandgefahr ihres Arbeitsplatzes und der Umgebung sowie Maßnahmen bei Gefahr genau zu informieren.

Das Denken und Handeln aller muss von der These erfüllt sein:

**BRÄNDE SIND GRUNDSÄTZLICH VERMEIDBAR!**
**MENSCHENRETTUNG GEHT VOR BRANDBEKÄMPFUNG!**

Die vorliegende Brandschutzordnung soll dazu beitragen, allen Personen der Schule ______________________ in ______________________ die notwendigen Verhaltensregeln im Brandschutz aufzuzeigen, um sie in der Praxis richtig anwenden zu können.

2

Schule: ______________________

## Brandschutzordnung nach DIN 14096

# Brandschutzordnung Teil A nach DIN 14096-2:2000-01

## Brände verhüten

Feuer, offenes Licht und Rauchen verboten

## Verhalten im Brandfall

**Ruhe bewahren**

**Brand melden**

**Feuerwehr 112**

oder Druckknopfmelder

WER meldet ?

WAS ist passiert ?

WO ist es passiert ?

**In Sicherheit bringen**

Gefährdete Personen warnen, helfen und mitnehmen

Türen schließen

Gekennzeichnetem Fluchtweg folgen

Aufzug nicht benutzen

Auf Anweisungen achten

Erste Hilfe leisten

**Löschversuch unternehmen**

Feuerlöscher benutzen

Feuerlöscheinrichtung benutzen

3

Schule: ____________________

## Brandschutzordnung nach DIN 14096

# Brandschutzordnung Teil B nach DIN 14096-2:2000-01

### a) Brandschutzordnung Teil A

**Brände verhüten**

Feuer, offenes Licht und Rauchen verboten

**Verhalten im Brandfall**

**Ruhe bewahren**

**Brand melden** – **Feuerwehr 112**
oder Druckknopfmelder
WER meldet ?
WAS ist passiert ?
WO ist es passiert ?

**In Sicherheit bringen** – Gefährdete Personen warnen, helfen und mitnehmen
Türen schließen
Gekennzeichnetem Fluchtweg folgen
Aufzug nicht benutzen
Auf Anweisungen achten
Erste Hilfe leisten

**Löschversuch unternehmen** – Feuerlöscher benutzen
Feuerlöscheinrichtung benutzen

Diese Brandschutzordnung gilt für alle Personen (Mitarbeiter sowie auch Fremdfirmen), die in dem Objekt in irgendeiner Form tätig sind.

Sie haben sich über die Brandgefahr ihres Arbeitsplatzes und der Umgebung sowie Maßnahmen bei Gefahr genau zu informieren.

Die Schulleitung, die Hortleitung, die Stadtverwaltung und im Einzelfall andere Nutzer/Betreiber sind jeweils für die Verteilung der vollständigen Brandschutzordnung und die laufende Information der Mitarbeiter bzw. Nutzer verantwortlich.

Für die Unterweisung der Mitarbeiter ist der jeweilige Brandschutzbeauftragte (Schulleitung/Hortleitung/Stadtverwaltung) zuständig.

4

Schule: ____________________

## Brandschutzordnung nach DIN 14096

### b) Brandverhütung

Jeder Mitarbeiter sowie Mitarbeiter von „Fremdfirmen“ sind verpflichtet, mit Zündmitteln, Feuer, brandgefährlichen Geräten, Gegenständen und Stoffen sorgfältig umzugehen, so dass Brände verhindert werden.

Die „Fremdfirmen“ sind durch den jeweiligen Brandschutzbeauftragten bzw. gemäß Zuständigkeit und Beauftragung durch die Stadtverwaltung (für den täglichen Betrieb und Wartung von Einrichtungen und Anlagen), auf die Einhaltung der Brandschutzordnung und einen dementsprechend sorgsamen Umgang während ihrer Arbeiten hinzuweisen, diese Brandschutzordnung ist ihnen gegen Unterschrift auszuhändigen und zu belehren. Verantwortlich sind dafür die Brandschutzbeauftragten der Schulleitung, der Hortleitung und der Stadtverwaltung.

Auch die Mitarbeiter von Fremdfirmen und externen Dienstleistern sind mit dieser Brandschutzordnung und dem Aushang vertraut zu machen, um dadurch einen effektiven, vorbeugenden Brandschutz und ein umsichtiges, rasches Handeln im Brandfall zu ermöglichen.

**Der Umgang mit offenem Feuer oder Licht sowie das Rauchen ist grundsätzlich im gesamten Gebäudekomplex untersagt!**

**Brennbare Flüssigkeiten** niemals in Ausgüsse oder Toiletten schütten! Es sind die Gefahrstoff- und BG-Verordnungen zu beachten sowie Explosionsgefahren zu minimieren. Die Lagerung brennbarer Flüssigkeiten oder Chemikalien in Durchgängen, Einfahrten, Treppenräumen, Fluren und auf Dachböden ist untersagt. In Werkstätten/Fachkabinetten dürfen feuer- und explosionsgefährliche Stoffe nur in den für den Unterricht bzw. Fortgang der Arbeiten erforderlichen Mengen bereitgehalten werden. Sie müssen in geeigneten, bruchsicheren, dichtschließenden und gekennzeichneten Behältern aufbewahrt werden. Brennbare Flüssigkeiten/Stoffe dürfen nicht in der Nähe von Feuerstellen/Heizelnrichtungen gelagert werden. Übergelaufene oder verschüttete gefährliche Stoffe und Güter sind unverzüglich durch die Feuerwehr umweltgerecht aufzunehmen und zu entsorgen.

**ACHTUNG!!!**
**ES GIBT STOFFE, DIE ZUR SELBSTENTZÜNDUNG NEIGEN**
**BZW. MIT ANDEREN STOFFEN REAGIEREN**

Beim Transport bzw. bei der Lagerung von unter Druck stehenden Gegenständen sind unbedingt die gesetzlichen Vorschriften einzuhalten.

Soweit Raucherinseln vorhanden sind und geraucht werden darf, dürfen Streichhölzer, Zigarren, Zigaretten, Pfeifenglut oder Asche nur in dafür bereitgestellte nichtbrennbare Behälter geworfen werden und nicht nahe brennbarer Materialien abgelegt, weggeworfen oder ausgeschüttet werden.

5

Schule: ______________________

## Brandschutzordnung nach DIN 14096

Die Verwendung von Feuerwerkskörpern (auch von Scherzartikeln) in Gebäuden, Anlagen und Einrichtungen der ______________________________ ist verboten.

**Elektrische Anlagen** oder Geräte sind nur von unterwiesenen Personen entsprechend den Hinweisen des Herstellers zu betreiben und müssen den VDE-Bestimmungen entsprechen. Die Benutzung schadhafter Elektrogeräte ist verboten.

Elektrische Anlagen und Geräte dürfen nur gemäß den Hinweisen der Hersteller und in einem technisch einwandfreien Zustand betrieben werden. Bei Störungen sind sie durch den Betreiber vom Netz zu trennen.

Beim Verlassen der Räume ist darauf zu achten, dass alle elektrischen Geräte (soweit sie betriebsmäßig nicht auf Dauerbetrieb geschaltet sein müssen) abgeschaltet bzw. abgesteckt sind.

Fest installierte Elektrogeräte (ortsfeste Elektrogeräte) dürfen nur von Elektrofachkräften angeschlossen werden.

Koch- und Heizgeräte sind unter Aufsicht so zu betreiben, dass kein Brand entstehen kann.

Der Betrieb privater Elektrogeräte ist nicht zulässig.

Jeder ist verpflichtet, festgestellte Mängel an Geräten, Einrichtungen und Elektroinstallationen unverzüglich der Schulleitung/Hortleitung/Stadtverwaltung mitzuteilen.

Die Objekte der Schule ______________________________ sind ausreichend mit Feuerlöschgeräten nach den gesetzlichen Vorschriften auszustatten. Bei der Bemessung ist ein entspechend Sachkundiger hinzuzuziehen.

Durchgebrannte Sicherungen, schadhafte Steckdosen und elektrische Leitungen sind nur durch Fachkräfte zu reparieren.

Bei Dienstschluss ist dafür zu sorgen, dass Licht und alle elektrischen Geräte abgeschaltet sind. Vorhandene Einbruchmelde-/Fernmelde- und Brandmeldeanlagen bleiben dauernd betriebsbereit und dürfen nicht abgeschaltet werden.

Unbeaufsichtigt brennende Kerzen, z. B. an Adventskränzen und -gestecken, sind in den Betriebsräumen verboten. Für sonstige Veranstaltungen sind Absprachen mit der Feuerwehr über den Einsatz von Brandsicherheitswachen zu führen.

**Feuergefährliche Arbeiten** wie Schweiß-, Brennschneid- und ähnliche Arbeiten (wie z. B. Löten, Glühen oder Auftauen) und Trennschleifarbeiten dürfen in jedem Einzelfall nur mit schriftlicher Genehmigung vorgenommen werden. In der Schweißerlaubnis aufgeführte Sicherheitsvorkehrungen sind einzuhalten.

6

Schule: ______________________________

## Brandschutzordnung nach DIN 14096

Vor dem Ausstellen der Genehmigung ist sorgfältig zu prüfen, welche Brandgefahr an der vorgesehenen Arbeitsstelle und ihrer Umgebung besteht. Die Arbeitsstelle und ihre Umgebung (etwa 10 m Umkreis) sind von brennbaren Stoffen freizuhalten. Die Gefahr durch Funkenflug, Spritzer und dergleichen beachten!

Brennbare Stoffe, die nicht aus dem gefährdeten Umkreis entfernt werden können, wie fest eingebaute Teile, sind so zu schützen, dass sie nicht durch Flammen, Lichtbogen, Funken, Schweißperlen, Wärmestrahlung oder Wärmeleitung in Brand gesetzt werden können.

Außer dem Schweißer und seinen Helfern muss ausreichendes Personal – mindestens eine mit der Brandbekämpfung vertraute Person – als Brandwache mit geeigneten Löschgeräten, wie Feuerlöscher, an der Arbeitsstelle zur Verfügung stehen.

In der schriftlichen Genehmigung zur Durchführung der Arbeiten sind die erforderlichen Schutzmaßnahmen festzulegen. Dazu gehören:

- Benennung einer Aufsichtsperson und Bereitstellung der Brandwache
- Anordnung der im Einzelfall erforderlichen Maßnahmen, z. B. Freimachen der Arbeitsstelle, Abdecken fest eingebauter Teile
- Angabe der bereitzustellenden Löschgeräte und Löschmittel
- Kontrolle der Arbeitsstelle nach Beendigung der Arbeit.

Die Arbeitsstelle und ihre Umgebung (Nachbarräume sowie Räume über und unter der Arbeitsstelle) sind von der Brandwache

- während der Arbeit
- über mehrere Stunden wiederholt nach Beendigung der Arbeit

sorgfältig auf Glimmstellen, kleine Brandnester sowie verdächtige Erwärmung und verdächtigen Geruch zu überprüfen.

Die Schweißstelle und ihre Umgebung müssen mindestens in den ersten drei Stunden nach Beendigung der Schweißarbeiten überwacht werden. Die Überwachung darf jedoch erst eingestellt werden, wenn keine verdächtige Erwärmung und kein verdächtiger Geruch mehr vorhanden sind. Im Zweifelsfall ist die Feuerwehr zu alarmieren.

### c) Brand- und Rauchausbreitung

Die Anhäufung von Abfallstoffen und leicht brennbaren Stoffen ist zu vermeiden.

Alle Feuerschutztüren und rauchabschließende Türen sind geschlossen zu halten, insbesondere Türen zu Fluren und Treppenräumen, wenn keine zugelassene Offenhaltung vorhanden ist.

Dementsprechend ist bis zum Eintreffen der Feuerwehr jede unnötige Luftzufuhr zum Brandherd zu vermeiden.

7

Schule: ______

## Brandschutzordnung nach DIN 14096

Beim Verlassen der jeweiligen Räumlichkeiten ist durch den letzten Nutzer auch die jeweilige Zimmertür zu schließen.

Rauch- bzw. Brandschutztüren in den Fluren und Treppenräumen dienen dazu, die Treppenhäuser frei von Rauch und anderen gefährlichen Brandgasen zu halten und sind daher ständig geschlossen zu halten (ausgenommen Brand- und/oder Rauchschutztüren mit brandfallgesteuerten Feststelleinrichtungen). Die Türen dürfen nicht verkeilt werden!

Jeder ist verpflichtet, z. B. Keile aus Rauch- und Brandschutztüren oder Gegenstände aus deren Schließweg zu entfernen. Schäden an den vorgenannten Einrichtungen sind dem Brandschutz- bzw. Sicherheitsbeauftragten oder dem Verantwortlichen im Bereich zu melden.

Rauchabzugseinrichtungen befinden sich in den Treppenhäusern. Die Hinweise zur Betätigung der mechanischen Rauchabzugsanlagen sind zu befolgen. Vorhandene Anlagen für die Rauch- und Wärmeabführung sind ständig funktionsbereit zu halten und nach den gesetzlichen Vorschriften zu kontrollieren und zu warten.

### d) Flucht- und Rettungswege

Flucht- und Rettungswege sind Gänge/Flure oder Treppen, welche zu den Ein- und Ausgängen bzw. zu den Notausgängen führen und durch Hinweisschilder (grafische Symbole sowie Flucht- und Rettungspläne) gekennzeichnet sind. Sicherheitszeichen, Flucht- und Rettungspläne sowie sämtliche Feuerlösch- und Meldemöglichkeiten dürfen nicht verdeckt oder verstellt werden. Flucht- und Rettungswege sind von Gegenständen jeglicher Art freizuhalten.

Fahrzeuge dürfen nur auf den angewiesenen Flächen z. B. Parkplätze bzw. gekennzeichnete Flächen abgestellt werden. Flächen für die Feuerwehr sind unbedingt freizuhalten.

Das betrifft auch die notwendigen Zufahrten.

Türen in Rettungswegen und Notausgänge dürfen während der Nutzungszeit/Betriebszeit nicht verschlossen werden.

Alle im Objekt Beschäftigten sind über den Verlauf von Rettungswegen entsprechend den Darstellungen und Betrachtungen im gebäudeorientierten Brandschutzkonzept zu unterrichten.

Die Flucht- und Rettungswege des jeweiligen Arbeitsbereiches (auch bei temporären Arbeiten) sind sich einzuprägen. Dieses gilt auch für Mitarbeiter von temporär anwesenden Fremdfirmen. Diesem Personenkreis sind ausführlich die Rettungswegsituationen einschließlich aller direkten Ausgänge aus ihrem Arbeitsbereich zu erläutern.

Fahrzeuge, die in Anfahrtszonen für die Feuerwehr parken, müssen aus diesem Bereich entfernt werden.

# Brandschutzordnung nach DIN 14096

## e) Melde- und Löscheinrichtungen

Die Brandmeldeeinrichtungen sind Druckknopfmelder bzw. automatische Brandmelder, die direkt mit der Berufsfeuerwehr verbunden sind.

Über die dem jeweiligen Arbeitsplatz nahe gelegenen Standorte und die Wirkungsweise von Feuerlöschern und Brandmeldeeinrichtungen sowie das Verhalten im Brandfall sind alle in dem Objekt Beschäftigten zu unterweisen.

Einrichtungen, Mittel und Geräte, die der Verhütung, Meldung und Bekämpfung von Bränden bzw. der Verhinderung der Brandausbreitung dienen – einschließlich deren Kennzeichnung –, dürfen nicht beschädigt, unbefugt entfernt, verstellt bzw. in ihrer Funktion beeinträchtigt werden.

Die Mitarbeiter sind in der Handhabung von Feuerlöschgeräten einzuweisen und auszubilden. Jeder ist verpflichtet, sich mit Lage und Funktion der in seinem Arbeitsbereich befindlichen Melde- und Löscheinrichtungen vertraut zu machen.

Der Austausch benutzter oder defekter Feuerlöscher und das Fehlen von Feuerlöschern ist sofort zu melden.

Handabsperreinrichtungen für Gas, Wasser, elektrische Anlagen und Hydranten, auch im Bereich der umgebenden Freianlagen, dürfen nicht verstellt werden.

## f) Verhalten im Brandfall

Hausalarm wird bei Brandmeldung bzw. durch Einschlagen der Scheibe des Feuermelders und Drücken des Tasters grundsätzlich automatisch ausgelöst.

Grundsätzlich gilt:

**Rettung von Menschenleben geht vor Brandbekämpfung!**
**Ruhe bewahren – unüberlegtes Handeln kann zu Panik führen!**

Anfahrten und Zugänge für die Feuerwehr sind freizuhalten, die Feuerwehr ist zu erwarten. Sofern notwendig und möglich, sind folgende Maßnahmen zu treffen:

- elektrische Anlagen abschalten,
- wichtige Unterlagen und Güter sicherstellen.

Jeder Brand ist sofort zu melden, es ist sofort eine entsprechende Meldung an die Feuerwehr unter dem Telefon Notruf 112 zu veranlassen. Telefonstandort von ________ bis ________ Uhr sowie von ________ Uhr bis ________ Uhr und während der Betriebszeit des (Hortes z. B.) in den Ferienzeiten ganztägig ist ________________________. In der Zeit von ________ Uhr bis ________ Uhr ist der Telefonstandort das Sekretariat der Schule im ________________________.

9

Schule: ____________________________________________

## Brandschutzordnung nach DIN 14096

Während der Elternversammlungen, der Elternratssitzungen und vergleichbarer Veranstaltungen innerhalb des Schulbetriebs übernehmen jeweils in die Brandschutzordnung eingewiesene Mitarbeiter der Schule die Meldung. Bei Abendveranstaltungen außerhalb des Schulbetriebs ist eine verantwortliche Person zu benennen, die Zugang zu den Telefonen hat. (Optional: Zusätzlich zu den vorgenannten Regelungen läuft jede Störungsmeldung bzw. Alarmierung der Brandmeldeanlage beim ______________________ auf.) Dieser nimmt in jedem Fall ganztägig den Kontakt mit der Feuerwehr auf und fährt das Objekt an. Zu beachten ist stets der Hinweis „Verhalten im Brandfall“, Brandschutzordnung Teil A gemäß DIN 14096-1 (gesonderter Aushang).

Weitere Alarmierungen sind gemäß der Alarmtafel aus der Brandschutzordnung Teil C nach DIN 14096-3:2000-01 vorzunehmen. Nach der Alarmierung ist Folgendes zu beachten:

**ACHTUNG!!!**
**MENSCHENLEBEN SIND WICHTIGER ALS SACHWERTE.**

- Ruhe und Besonnenheit bewahren!
- Fenster und Türen schließen!
- Gefahrenbereich verlassen!
- Gekennzeichneten Rettungswegen folgen!
- Hilfsbedürftigen helfen!
- Brandbekämpfungsmaßnahmen aufnehmen, ohne sich dabei in Gefahr zu bringen!
- Angriffswege der Feuerwehr freihalten!
- Einweisung der Feuerwehr durch einen Objektkundigen!
- Anordnungen der Feuerwehr Folge leisten!
- Aufzüge nicht als Rettungswege benutzen!
- Festgelegte Sammelplätze aufsuchen!
- Vollzähligkeit durch die Verantwortlichen feststellen und dem Einsatzleiter der Feuerwehr melden!

Können Räume nicht mehr verlassen werden (Rauch, Unpassierbarkeit), müssen die Türen abgedichtet und sich am Fenster aufgehalten werden. Es ist ruhig auf die Feuerwehr zu warten.

10

Schule: ______________________

# Brandschutzordnung nach DIN 14096

## g) Brandmeldung

Beim Bemerken eines Brandes ist jeder Mitarbeiter verpflichtet, sofort Hausalarm auszulösen. Dazu muss die Scheibe des Feuermelders eingeschlagen und der Taster gedrückt werden, je nach Nutzungszeit ist nach Alarmierung der Feuerwehr die Schulleitung, die ______________________________ zu benachrichtigen. Jeder Brand, auch der kleinste, ist meldepflichtig.

Nach Möglichkeit sind bei der Alarmierung über Telefon-Notruf 112 folgende weitere Angaben an die Feuerwehr zu übermitteln:

1. **Wer meldet?**
2. **Was brennt/ist passiert?**
3. **Wie viele sind betroffen/verletzt?**
4. **Wo ist was passiert?**
5. **Warten auf Rückfragen!**

Nach erfolgter Meldung nicht sofort auflegen, sondern auf Rückfragen der Feuerwehr warten.

## h) Alarmsignale und Anweisungen beachten

Wenn das Warnsignal ertönt, ist das Arbeitsumfeld auf Unregelmäßigkeiten zu überprüfen (z. B. Brandgeruch, Verrauchung der Rettungswege, Verrauchung der Flure und Treppenräume usw.). Weitere Mitarbeiter im Arbeitsumfeld sind sofort zu warnen und aufmerksam zu machen.

Daraufhin ist sofort das Gebäude zu räumen bzw. sind die genauen Anweisungen zu beachten. Bis zum Eintreffen der Feuerwehr sind die Anweisungen der zuständigen Leiter zu befolgen.

Den Anweisungen der Feuerwehr ist Folge zu leisten. Gefährdete Personen sind ohne Eigengefährdung in Sicherheit zu bringen. Die Türen sind zu schließen, den gekennzeichneten Rettungswegen ist zu folgen.

## I) In Sicherheit bringen

Sich im Gebäude befindende Besucher müssen aufgefordert werden, das Objekt unverzüglich, entsprechend den gekennzeichneten Rettungswegen, auf dem kürzesten Weg zu verlassen. Dabei ist Verletzten, Behinderten oder anderen gefährdeten Personen zu helfen, niemand darf zurückbleiben (z. B. in WCs und Nebenräumen).

Vor Verlassen der Räumlichkeiten sind Ausweis, Schlüssel, Handy mitzunehmen, sofern keine direkte Gefahr für das Leben besteht.

11

Schule: ______________________________

## Brandschutzordnung nach DIN 14096

**Im Brandfall ist die Benutzung des Aufzuges verboten.**

Die Räumung muss ruhig und besonnen durchgeführt werden.

Wenn notwendig, sind „ERSTE-HILFE"-Maßnahmen einzuleiten.

Bei versperrten Flucht- und Rettungswegen machen Sie sich bitte lautstark bemerkbar. Stark verqualmte Räume sind so schnell als möglich gebückt oder kriechend zu verlassen.

Der Brandschutzbeauftragte koordiniert in Absprache mit der Einsatzleitung der Feuerwehr die Gebäuderäumung und vergewissert sich, dass keiner zurückbleibt.

Auf die Anwesenheit aller Mitarbeiter, Schüler und Besucher auf den Sammelplätzen ist zu achten.

Die Vollzähligkeit ist festzustellen und der Feuerwehr zu melden.

Als Sammelplatz nach Verlassen des Gebäudes wird ______________________________ festgelegt.

Bei Einsturzgefahr des Gebäudes ist sofort die Feuerwehr zu verständigen. Die Gefahrstelle ist sofort abzusperren.

Zur Absperrung können technische Hilfsmittel, wie Leitern, Seile u. Ä. benutzt werden.

Verschüttete Personen sind vorsichtig zu bergen, auf Verletzungen zu prüfen, wenn dies ohne Gefahr für den eigenen Leib und das Leben möglich ist. Bei Notwendigkeit ist mit der Ersten Hilfe zu beginnen.

### j) Löschversuche unternehmen

Beachten Sie immer bei Ihren Handlungen, dass Sie sich selbst nicht unnötig in Gefahr bringen, denn Sie verfügen nicht über die erforderlichen Schutzausrüstungen wie die Feuerwehr.

**ACHTUNG!** Löschversuche sind nur ohne Gefährdung der eigenen Person durchzuführen. Der Rückzugsweg muss immer sicher sein. Brennende Personen sind am Fortlaufen zu hindern. Wenn ein Mensch in Flammen steht, kommt es auf schnellstmögliche Hilfe an!

Werfen Sie die betroffene Person auf den Boden und ersticken Sie die Flammen mit Hilfe von Brandschutzdecken bzw. Mänteln, Jacken oder Ähnlichem (keine synthetischen Stoffe!). Löschen Sie die Person mit einem Feuerlöscher ab. Denken Sie vor allem daran, dass das Gesicht geschützt werden muss. Bei Einsatz eines Feuerlöschers genügt meist schon ein kurzer Löschstrahl.

Bei Bränden an elektrischen Anlagen ist der Strom abzuschalten bzw. die Abschaltung zu veranlassen. Der Brand sollte möglichst mit dem nächstgelegenen geeigneten Löschgerät (Feuerlöscher) bekämpft werden.

12

Schule: ______________________________

## Brandschutzordnung nach DIN 14096

Entstehungsbrände sind meist in den ersten Minuten mit einfachen Feuerlöschgeräten zu löschen. Es sollte hierbei immer versucht werden, dass möglichst mehrere Personen gleichzeitig die Brandbekämpfung aufnehmen. Bei kleinen Entstehungsbränden ist vor der Alarmierung der Feuerwehr ein Löschversuch zu unternehmen, falls niemand für die Alarmierung zur Verfügung steht.

Fenster und Türen in den Zimmern sind zu schließen, insbesondere dann, wenn keine selbstschließende Funktion vorhanden ist oder diese bei den dementsprechend ausgestatteten Türen ausfallen sollte.

Die Angriffswege der Feuerwehr sind freizuhalten, die Feuerwehr sollte von ortskundigem Personal eingewiesen werden.

### Umgang mit Feuerlöschern

Es gibt verschiedene Modelle von Feuerlöschern. Die Bedienungsanleitung ist auf jedem Feuerlöscher aufgedruckt. Bei Bränden in Bereichen, in denen mit gefährlichen Stoffen gearbeitet wird (giftige oder explosive Stoffe), sind Personen besonderen Gefahren ausgesetzt. Wenn Sie mit den Gefahren bei den Schutzvorkehrungen nicht vertraut sind, verzichten Sie auf jegliche Brandbekämpfung mit Feuerlöschern oder anderen Selbsthilfeeinrichtungen.

Das Personal ist jährlich hinsichtlich der Handhabung der Feuerlöscheinrichtungen zu unterweisen. Die Feuerlöscher sind entsprechend den vorgegebenen Wartungsintervallen überprüfen zu lassen. Benutzte und/oder unbrauchbare Löschgeräte sind umgehend dem Brandschutzbeauftragten der Schulleitung, Hortleitung, Stadtverwaltung zu melden.

**SICH NIEMALS SELBST ÜBERSCHÄTZEN!!!**

Unternehmen Sie Löschversuche gezielt. Entstehende Brände und kleine Brände können Sie selbst mit dem Feuerlöscher bekämpfen. Folgendes ist dabei zu beachten:

- Feuerlöscher erst am Brandort in Betrieb setzen
- Feuerlöscher beim Löschen senkrecht halten
- von unten nach oben und von vorne nach hinten löschen
- Feuer in Windrichtung angreifen
- Tropfbrände von unten nach oben bekämpfen
- möglichst mehrere Löscher gleichzeitig – nicht hintereinander – einsetzen
- auf die Gefahr der Wiederentzündung achten (Löschreserve).



Schule: ______________________________

## Brandschutzordnung nach DIN 14096

Übersicht über Klassifizierung der Brandklassen und die jeweils geeigneten Löschmittel:

| Brandklasse | Kennzeichnende brennbare Stoffe | Geeignete Löschmittel |
|---|---|---|
| A | Holz, Papier, Kunststoffe | Wasser, ABC-Pulverlöscher, Schaumlöscher |
| B | Öle, Fette, Lösungsmittel, Benzin | Kohlendioxidlöscher, ABC-Pulverlöscher, Schaumlöscher |
| C | alle brennbaren Gase | Kohlendioxidlöscher, ABC-Pulverlöscher |
| D | Metallbrände | Metallbrand-Pulverlöscher |

### k) Besondere Verhaltensregeln

Wurde der Brand durch Mitarbeiter gelöscht, so ist die Brandstelle bis zum Eintreffen der Feuerwehr zu sichern. Die Mitarbeiter haben sich vor Ort zur Verfügung zu halten.

Bei notwendiger Unabkömmlichkeit haben sie ihren Namen und ihre Erreichbarkeit zu hinterlassen.

Es ist zu veranlassen, dass für benutzte Alarmierungs- und/oder Brandbekämpfungseinrichtungen unverzüglich die Einsatzbereitschaft wieder hergestellt wird.



Schule: ______________________________

# Brandschutzordnung nach DIN 14096

## Schlussbemerkungen

Über diese Brandschutzordnung sind alle Mitarbeiter der Schule und des Hortes, die verantwortlichen Mitarbeiter der Stadtverwaltung und im Bedarfsfall auch der Fremdfirmen bzw. Fremdnutzer aktenkundig zu belehren.

Diese Brandschutzordnung ist eine verbindliche Anweisung der Schulleitung, der Hortleitung und der Stadtverwaltung, die von allen Mitarbeitern einzuhalten ist.

Die Einhaltung der vorstehend aufgeführten Bestimmungen gehört zu den arbeitsrechtlichen Verpflichtungen nach geltendem Recht.

Verstöße gegen diese Brandschutzordnung können auf Grundlage des geltenden Rechts geahndet werden.

Die Brandschutzordnung mit dem Stand ______________________ tritt mit Wirkung vom ______________________ in Kraft.

Ort, Datum ______________________________

______________________________

Direktor(in)

______________________________

Brandschutzbeauftragter

______________________________

Stadtverwaltung

15

Schule: ______________________________

**Brandschutzordnung nach DIN 14096**

# Brandschutzordnung Teil C nach DIN 14096-3

Diese Brandschutzordnung Teil C richtet sich an Verantwortliche und Personen mit besonderen Brandschutzaufgaben, die in dem Objekt tätig sind und denen über ihre allgemeinen Pflichten hinaus besondere Aufgaben im Brandschutz übertragen wurden.

## a) Brandverhütung

Für die Schule ______________________________ wurde als

**Brandschutzbeauftragter für den Schulbetrieb:**
**______ Uhr bis ______ Uhr und bei schulbedingten Veranstaltungen außerhalb dieser Zeit**

______________________

(Tel. ______________)

**Brandschutzbeauftragter für den Hortbetrieb:**
**______ Uhr bis ______ Uhr und ______ Uhr bis ______ Uhr, Betriebszeiten in Ferien**

______________________

(Tel. ______________)

**Brandschutzbeauftragter für nicht schulbedingte Veranstaltungen/Nutzer, für die Stadtverwaltung:**

______________________

(Tel. ______________)

benannt.

Aufgaben und Zuständigkeiten, die mit dem täglichen Betrieb bzw. der Wartung von Einrichtungen und Anlagen in Verbindung stehen, werden durch die Stadtverwaltung im Rahmen von Wartungsverträgen etc. veranlasst und kontrolliert.

Festgestellte Mängel sind in einem in der Schule ausliegenden Mängelbuch einzutragen und an die Stadtverwaltung unverzüglich weiterzuleiten.

Der Ansprechpartner der Stadtverwaltung ist:

______________________

(Tel. ______________)

Als zuständiger

**Notfallkoordinator für Schulbetrieb**

wurde

______________________

(Tel. ______________)

benannt.

16

Schule: ______________________________

## Brandschutzordnung nach DIN 14096

Die jeweiligen Brandschutzbeauftragten haben folgende Aufgaben:

- Beratung der Geschäfts- bzw. Dienststellenleitung hinsichtlich des abwehrenden, vorbeugenden und organisatorischen Brandschutzes
- Aufstellen und Aktualisieren/Fortschreiben der Brandschutzordnungen, der Alarm-, Feuerwehreinsatz- und ggf. Räumungspläne (Katastrophenpläne), Flucht- und Rettungspläne
- Einhalten der Brandschutzbestimmungen bei geänderten Nutzungskonzepten
- Festlegen und Überwachen von Brandschutzeinrichtungen, Rettungswegen, festgelegten Flächen für die Feuerwehr
- Anbringen, Überwachen und Aktualisieren von Hinweis- und Sicherheitsschildern
- Genehmigen von Arbeiten mit besonderen Gefahren (feuergefährliche Arbeiten) nur nach Ausstellung eines dafür geeigneten Erlaubnisscheines (mit Festlegung von zutreffenden Schutzmaßnahmen)
- Überwachen des ausgewiesenen Rauchverbotes, insbesondere in den Arbeitsräumen
- Organisation und Überwachung der Brandschutzkontrollen im Betrieb
- Beschäftigte (auch von Fremdfirmen) im Brandschutz unterweisen
- Anweisung und Überwachung der Beseitigung brandschutztechnischer Mängel
- Festlegen von Ersatzmaßnahmen bei Ausfall oder Außerbetriebsetzen von Brandschutzeinrichtungen, Entsprechendes auch nach Kontrollen im Rahmen von Brandverhütungsschauen
- Beratung in Fragen des Brandschutzes, z. B. bei Planung von Umbauten, Betriebsveränderungen
- Brandschutz- und/oder Räumungsübung durchführen (auch in Teilbereichen)
- Ansprechpartner für die Sicherheitsbeauftragten u. a. zu Problemen des Brandschutzes
- Verantwortung für den ständigen Kontakt zur zuständigen Feuerwehr und für gemeinsame Begehungen und Übungen
- Alarmierung der zuständigen Personen und Institutionen gem. Alarmplan und Mithilfe bei Koordinierung der Maßnahmen

Des Weiteren wurde von der Stadtverwaltung ______________________ mit der Beaufsichtigung der Einhaltung der Maßnahmen zur Brandverhütung bestimmt:

- ____________________________________

  (Tel. ________________)

17

Schule: ____________________________________________________________

## Brandschutzordnung nach DIN 14096

Diese(r) hat bereichsbezogen folgende beratende Aufgaben für das Gesamtobjekt:

- Einhalten der Brandschutzbestimmungen der Teile A und B während des Betriebes, bei baulichen Änderungen und bei Nutzungsänderungen
- Überwachen von Brandschutzeinrichtungen, Flächen für die Feuerwehr (nach DIN 14090) und Rettungswegen regelmäßig durchführen
- Kontrolle zur Einhaltung der vorgegebenen Prüfintervalle von klassifizierten Brandschutzeinrichtungen (Feuerschutztüren, Rauchabzüge, BMA etc.)
- Überwachen und aktuell halten von Hinweis- und/oder Sicherheitsschildern (nach DIN 4066, BGV A8 bzw. GUV 0.7)
- Teilnahme am Genehmigungsverfahren von Arbeiten mit besonderen Gefahren (z. B. feuergefährlichen Arbeiten) nur nach Ausstellung eines dafür geeigneten Erlaubnisscheines (Erlaubnisschein für feuergefährliche Arbeiten mit Festlegung von zutreffenden Schutzmaßnahmen, s. Anlage)
- Überwachen feuergefährdeter und explosionsgefährdeter Bereiche
- Überwachen des Rauchverbots in den ausgewiesenen Bereichen
- Hinweise zum Fortschreiben von Feuerwehrplänen nach DIN 14095 und Flucht- und Rettungsplänen nach § 55 der Arbeitsstättenverordnung (ArbStättV) sowie der Brandschutzordnung
- Beschäftigte (auch von Fremdfirmen) im Brandschutz informieren
- Weiterleitung aller Mängel zur Brandverhütung schriftlich oder telefonisch an den Brandschutzbeauftragten

Rauchverbot und ein Verbot des Umgangs mit offenem Licht besteht grundsätzlich in allen Bereichen.

Diese Brandschutzordnung ist jedem Mitarbeiter/Nutzer zur Kenntnis bekannt zu geben und in die regelmäßigen Unterweisungen einzubeziehen. Die Mitarbeiter sind angehalten, über alle anfallenden Missstände des Brandschutzes unverzüglich den Brandschutzbeauftragten zu informieren und sie dabei in der Arbeit zu unterstützen.

Auszubildende, neu eingestellte oder auf anderen Arbeitsplätzen eingesetzte Mitarbeiter werden vor der Arbeitsaufnahme vom zuständigen Leiter über die betreffenden Brandschutzmaßnahmen unterrichtet.

**Überwachung des Brandschutzes:**

Alle Brandschutzausrüstungen und deren Instandhaltung/Ergänzung werden durch den Brandschutzbeauftragten der Stadtverwaltung oder dessen Vertreter überwacht.

## Brandschutzordnung nach DIN 14096

**Verantwortlichkeiten:**

Die Brandschutzbeauftragten oder deren Vertreter sind für die praktische Ausbildung der Mitarbeiter in der Handhabung der vorhandenen Feuerlöschgeräte zuständig.

Über alle Unterweisungen, Übungen und die Ausgabe von Merkblättern ist ein Nachweis mit Angaben zum Inhalt, Datum und Teilnahme zu führen.

### b) Alarmplan

| | dienstlich | privat | mobil |
|---|---|---|---|
| **Feuerwehr** | | | |
| **Polizei** | | | |
| **Rettungsdienst/Krankenhaus** | | | |
| **Brandschutzbeauftragter Schule:**<br>......................<br>Stellv. .................<br>**Brandschutzbeauftragter Hort:**<br>......................<br>Stellv. .................<br>**Brandschutzbeauftragter Stadtverwaltung:**<br>......................<br>**Notfallkoordinator Schule:**<br>...................... | | | |

### c) Sicherheitsmaßnahmen für Personen, Tiere, Umwelt und Sachwerte

Nach der Alarmauslösung sind folgende Maßnahmen durchzuführen:

- Sofortige **UNTERBRECHUNG** des Betriebes wird durch Brandschutzbeauftragte bzw. durch seine Vertreter angeordnet.
- Die Mitarbeiter sind zu informieren.

19

Schule: ______________________________

## Brandschutzordnung nach DIN 14096

- Alle begonnenen Tätigkeiten sind umgehend einzustellen, alle Personen sind ohne Hervorrufen einer Paniksituation auf den gekennzeichneten Rettungswegen aus dem Gebäude zu leiten und zum Sammelplatz ______________________ zu bringen.
- Die Brandschutzbeauftragten kontrollieren die Vollzähligkeit.
- Stark verqualmte Räume sind gebückt oder kriechend zu verlassen.
- Nach Sichtung der Situation: Räumung (auch weiterer Teilbereiche) durchführen und Örtlichkeiten überprüfen. Ortskundige müssen Behinderte oder verletzte Personen betreuen.
- Besondere technische Einrichtungen (wie z. B. Versorgungsleitungen, elektrische Anlagen) sind außer Betrieb zu setzen oder in einen sicheren Betriebszustand (Spannungslosigkeit) zu bringen (verantwortl. ______________________).

### d) Löschmaßnahmen

Jeder Mitarbeiter hat sich im zumutbaren Umfang an der Brandbekämpfung zu beteiligen, soweit dies ohne Gefahr für Leib und Leben möglich ist.

Löschversuche, wenn möglich, nur von mehreren Personen gleichzeitig vornehmen.

### e) Vorbereitung für den Einsatz der Feuerwehr

Die Einweisung der Feuerwehr über vorhandene Besonderheiten wird durch die Verantwortlichen übernommen.

Das Freihalten der Brandstelle, der Feuerwehrbewegungsflächen und der Löschwasserentnahmestellen wird überwacht.

Die Brandschutzbeauftragten bzw. dafür eingeteilte Bedienstete übermitteln der eintreffenden Feuerwehr Hinweise zu derzeitigen besonderen Gefahren oder vermissten Personen und stellen so weit wie möglich Hilfs- bzw. Informationsmittel zur Verfügung.

### f) Nachsorge

Die Brandschutzbeauftragten oder deren Vertreter veranlassen das Wiederherstellen der Einsatzbereitschaft von sämtlichen Brandschutzeinrichtungen bzw. weitere Sicherungsarbeiten an der Einsatzstelle und entscheiden über notwendige Entsorgungsarbeiten nach den gesetzlichen Vorschriften.

# Anmerkungen

1 Muster über Bauaufsichtliche Richtlinien für Schulen (BASchulR), Fassung Juni 1976

2 Muster-Richtlinie der Fachkommission „Bauaufsicht" der ARGEBAU über bauaufsichtliche Anforderungen an Schulen (Muster-Schulbau-Richtlinie – MSchulbauR), Stand 10. Juli 1998

3 Gemeinsamer Erlaß der Ministerien der Finanzen, des Innern, für Bildung und Sport und für Umwelt [Saarland] über den Brandschutz in bestehenden Schulen vom 30. Oktober 1992

4 Wirth, H., Denkmalpflegerische Axiologie, in: Wissenschaftliche Zeitung der Hochschule für Architektur und Bauwesen, Weimar 41 (1995) 1/2, S. 83

5 Brandschutz bei Baudenkmälern [Baudenkmalen], hrsg. v. d. Vereinigung der Landesdenkmalpfleger in der Bundesrepublik Deutschland (Beratung Karl-Reinhard Seehausen, Marburg), Arbeitsblatt 13, Aachen 1997, S. 1

6 Zwez, W., Das Schulhaus und dessen innere Einrichtung, Weimar $1870^2$, S. 19 f.; Mit „Holzbau" sind hier sicherlich der Fachwerkbau und mit „Substructionen" Gründungen gemeint.

7 Musterbauordnung (MBO), Fassung November 2002, zuletzt geändert durch Beschluss der Bauministerkonferenz vom 21.09.2012

8 Ebd., § 26, (2)

9 Ebd., § 67

10 K. Schneider, Rechtsprechung in Streitfällen, in: Bestandsschutz und Brandschutz, vds [Verband der Sachversicherer] – Fachtagung am 23. November 2005 in Köln, o. S., Manuskripts. 3

11 Ebd.

12 Temme, H.-G., Geschützter oder nicht geschützter Bestand, in: Ebd., o. S., Manuskripts. 6

13 Geburtig, G., Bauen im Bestand, – Baurecht, Möglichkeiten und Grenzen, in: Bauen im Bestand – mit Holz, 4. Holzbauforum, Berlin 2004, S. 8–36, hier S. 11

14 Senatsverwaltung für Schule, Jugend und Sport Berlin, Referat Tageseinrichtungen für Kinder und Tagespflege (Hrsg.), Gratwanderung zwischen Brandsicherheit und Pädagogik – brandlastarme Gestaltung von Fluren und Eingangsbereichen von Kindertagesstätten, Berlin Februar 2000

15 Temme, H.-G., Geschützter ..., wie Anm. 12, Manuskripts. 4

16 Mehl, F., Bauaufsichtliche Akzeptanz von Ingenieurmethoden im Brandschutz. Anwendungsbereiche und Grenzen, Promat-Fachbeitrag, Ratingen 2003, S. 2

17 Oberverwaltungsgericht Nordrhein-Westfalen, Urteil vom 28. 8. 2001, Az.: 10 A 3051/99, Baurecht 2002, S. 763

18 Temme, H.-G., Bauordnungsrechtliche Forderungen bei der Modernisierung oder Umnutzung auch denkmalgeschützter Gebäude, in: Deutsches Architektenblatt, H. 11, Berlin November 1992, S. OST 463 – OST 470, hier S. 466

19 Hessischer Verwaltungsgerichtshof, Beschluss vom 18. 10. 1999 – 4 TG 3007/97; siehe auch: Die öffentliche Verwaltung, Bd. 53, H. 8, Stuttgart, April 2000, S. 338 f.

20 Verordnung über die Organisation und Durchführung der Gefahrenverhütungsschau (Gefahrenverhütungsschauverordnung – GVSVO) vom 28. Januar 2011

21 Ebd., Anlage

22 Hamburgisches Oberverwaltungsgericht, Beschluss vom 4. 1. 1996, Az.: BS II 61/95, DRsp Nr. 1998/3323

23 Schubert, R., Brandgefährdungsanalyse, Berlin 1988, S. 109–111

24 Verordnung über ..., wie Anm. 20

25 Rheinischer Gemeindeunfallversicherungsverband, Landesunfallkasse Nordrhein-Westfalen und Gemeindeunfallversicherungsverband Westfalen-Lippe (Hrsg.), Hilfestellungen zum Gestalten von sicheren Kindertagesstätten, Düsseldorf August 2004

26 Rheinischer Gemeindeunfallversicherungsverband (Hrsg.), Brandschutz- und Notfallkonzepte in Kindertageseinrichtungen, Düsseldorf August 2006

27 Hessisches Ministerium für Wirtschaft, Verkehr und Landesentwicklung (Hrsg.), Handlungsempfehlungen zum Vorbeugenden Brandschutz für den Bau und Betrieb von Tageseinrichtungen für Kinder (HE-Kita), Stand Mai 2012

28 Oberste Baubehörde im Bayerischen Staatsministerium des Innern (Hrsg.), Hinweise zu Brandschutzanforderungen an Tagesstätten für Kinder vom 18.08.2009, München 2009

29 Arbeitsstättenverordnung (ArbStättVO), BGBl. I Nr. 44 vom 24. 08. 2004, S. 2179

30 Musterbauordnung ..., wie Anm. 7, § 3 (1)

31 Richtlinie über elektrische Verriegelungssysteme von Türen in Rettungswegen (EltVTR), Fassung 1997-12

32 Musterbauordnung, ..., wie Anm. 7, § 36 (4), demnach sind Nutzungseinheiten $< 400\ m^2$ ohne notwendigen Flur zulässig, jedoch zunächst nur in Büro- oder Verwaltungseinheiten

33 Hunter Douglas Europe B. V. (Hrsg.), Montage- und Einstellanleitung Not-Raffstore, Stand 31.08.2009

34 BGR 133, Regeln für die Ausrüstung von Arbeitsstätten mit Feuerlöschern, Oktober 2004

35 DIN 14096, Brandschutzordnung

Teil 1:2000-01, Brandschutzordnung – Teil 1: Allgemeines und Teil A (Anhang; Regeln für das Erstellen und das Aushängen

Teil 2:2000-01, Brandschutzordnung – Teil 2: Teil B (für Personen ohne besondere Brandschutzaufgaben); Regeln für das Erstellen

Teil 3:2000-01, Brandschutzordnung – Teil 3: Teil C (für Personen mit besonderen Brandschutzaufgaben); Regeln für das Erstellen

36 Durch den Autor können zahlreiche Beispiele angeführt werden, bei denen sich das Erstellen einer Brandschutzordnung nach DIN 14096 über einen erheblich längeren Zeitraum erstreckte als geplant; zu offensichtlich waren die bisherigen Defizite um das Wissen über den organisatorischen Brandschutz oder die Missverständnisse über Verantwortlichkeiten der Betroffenen untereinander.

37 Schauer, F. u. U. Bahnsch, Schulbau in der Deutschen Demokratischen Republik, Berlin 1955, S. 40

38 LFV Bayern e.V. (Hrsg.), Brandschutzerziehung, -aufklärung der Feuerwehren auf Erfolgskurs?, www.feuerwehrverband-bayern.de/cms/fachthemen/brandschutzerziehung 28.07.2009, die angegeben Zahlen wurden einer Statistik der Landesbrandversicherungs AG entnommen

39 Zwez, W., Das Schulhaus ... wie Anm. 6, hier S. 166 f.

40 Muster über Bauaufsichtliche Richtlinien ..., wie Anm. 1

41 Muster-Richtlinie ..., wie Anm. 2

42 Muster-Richtlinie über bauaufsichtliche Anforderungen an Schulen (Muster-Schulbau-Richtlinie – MSchulbauR), Fassung April 2009, hier 3.1

43 Zwez, W., Das Schulhaus ... wie Anm. 6, Beilage III. zu S. 148

44 DIN 18040-1:2010-10, Barrierefreies Bauen – Planungsgrundlagen – Teil 1: Öffentlich zugängliche Gebäude

45 http://nullbarriere.de/din18040-rettungswege.htm: Barrierefreie Rettungswege und Selbstrettung – auch in DIN 18040/§ 33 MBO weiterhin ungelöst, hier: Ausblick und Lösungen im Sinne der Barrierefreiheit, 26.05.2013

46 DIN 18040-1 ..., wie Anm. 44, hier Pkt. 4.4

47 http://nullbarriere.de/thoms-personenrettungsschlauch.htm, 26.05.2013

48 http://evacusafe.de, 26.05.2013

49 DIN EN 179:2008-04, Schlösser und Baubeschläge – Notausgangsverschlüsse mit Drücker und Stoßplatte für Türen in Rettungswegen – Anforderungen und Prüfverfahren; Deutsche Fassung EN 179:2008

50 DIN EN 1125:2008-04, Schlösser und Baubeschläge – Paniktürverschlüsse mit horizontaler Betätigungsstange für Türen in Rettungswegen – Anforderungen und Prüfverfahren; Deutsche Fassung EN 1125:2008

51 Rundschreiben des Bayrischen Staatsministeriums für Unterricht und Kultus „Versammlungsstättenverordnung (VStättV), Veranstaltungen in Schulen" vom 29.03.2012

52 DIN 14096 ..., wie Anm. 35

53 Das belegen mehrere Statistiken der Bayrischen Landesbrandversicherung AG. http://www.feuerwehrverband-bayern.de/ems/fachthemen/brandschutzerziehung/kind..., 28.07.2009

54 DIN 14096 ..., wie Anm. 35

55 Sommer, T., Perspektiven der Brandschutzbemessung nach nach DIN 4102 Teil 4, Teil 22 und Eurocode, in: Braunschweiger Tage '07, 21. Fachtagung Brandschutz – Forschung und Praxis am 26. u. 27. September 2007 in Braunschweig, Tagungsband, hrsg. v. D., Hosser, H. 199, Braunschweig 2007, S. 75–88

56 H.-P. Leimer, Untersuchungen zur Bestimmung der Feuerwiderstandsdauer von Fachwerkwänden flossen in die Regeln des WTA-Merkblattes Fachwerkinstandsetzung nach WTA XII: Brandschutz bei Fachwerkgebäuden ein.

57 Nause, P., Forschungsbericht Brandschutztechnische Bewertung von historischen Konstruktionen, in: Veröffentlichung der MPA Braunschweig, 23.3.2004

58 Barrois, B., Brandschutz bei der Althofsanierung am Beispiel der Schwarzwaldhäuser, Dissertation, Karlsruhe 1993, S. 167 f.

59 Von R. Ahnert und K. H. Krause wurden inzwischen drei Bände vorgelegt, die auf der Grundlage der bauzeitlichen Vorschriften der Baupolizei oder der Empfehlungen anerkannter Fachleute der Errichtungszeit den Umgang mit der vorhandenen Bausubstanz erleichtern: „Typische Baukonstruktionen von 1860 bis 1960 – Zur Beurteilung der vorhandenen Bausubstanz", Bd. I: Gründungen, Abdichtungen, Tragende massive Wände, Gesimse, Hausschornsteine, tragende Wände aus Holz, Alte Maßeinheiten, Berlin 2000[6], Bd. II: Holzbalkendecken, Massivdecken, Deckenregister, Fußböden, Erker und Balkone, Verkehrslasten im Überblick, Berlin 2001[6], Bd III: Unterzüge und gemauerte Gurtbögen, Pfeiler und Stützen, Treppen, Dächer und Dachtragwerke, Dachaufbauten aus Holz, Lastannahmen zum Dach, Berlin 2002[7]

60 Erler, K., Alte Holzbauwerke – Beurteilen und Sanieren, Berlin 2004[3]

61 Mönck, W. u. W. Rug, Holzbau, Berlin 2008[15]

62 DIN 4102, z. B. Fassungen der Jahre 1934 und 1940, s. bei Geburtig (Anm. 65)

63 Baupolizeiliche Bestimmungen über Feuerschutz (feuerbeständige und feuerhemmende Bauweisen), Erlaß des Preußischen Ministers für Volkswohlfahrt, Berlin 12. März 1925

64 Metz, L., Holzschutz gegen Feuer, Berlin 1942[2], S. 20; Des. L. Metz, Herabsetzung der Brennbarkeit des Holzes, Mitteilungen des Fachausschusses für Holzfragen, H. 13, Berlin 1936

65 Geburtig. G., Baulicher Brandschutz im Bestand, Brandschutztechnische Beurteilung vorhandener Bausubstanz, Berlin 2010[2]

66 Zwez, W., Das Schulhaus ..., wie Anm. 6

67 Ebd, Beilage III. zu S. 148

68 Ministerium für Volksbildung der DDR (Hrsg.), Schulbau in der DDR, Autorenkollektiv unter Leitung von J. Grundmann, Berlin 1968

69 TGL 10734, Schulen. Bautechnische, hygienische und brandschutztechnische Forderungen, Berlin Dezember 1968, dieser wurde im Jahre 1985 durch den Nachfolgestandard Schulen. Allgemeinbildende Polytechnische Oberschulen und Berufsschulen ersetzt.

70 Geburtig, G., Baulicher Brandschutz ..., wie Anm. 56, hier wurde der TGL-Standard 10685/01 bis 13 in Gänze nachgedruckt

71 Das bestätigt u.a. ein Schreiben der TÜV SÜD Product Service GmbH, NL Hamburg, vom 02.04.2009 an die Atlantics GmbH in Döbeln. Dort wird ausgeführt: „Das bedeutet, das[s] Rutschen hergestellt nach DIN EN 1176-1:2008 und DIN EN 1176-3:2008 auch in Kindergärten und Schulen verwendet werden können (zusätzlich muss die GUV SI 8017 Mai 2005 beachtet werden)".

72 Die Wiedergabe erfolgt mit freundlicher Genehmigung der atlantics GmbH in Döbeln.

73 atlantics GmbH (Hrsg.), Rutschen, Döbeln o.D., 2. aktualisierte und erw. Auflage, S. 26 f.

74 Die Wiedergabe erfolgt ..., wie Anm. 72

75 Ebd.

76 S. Schreiben der TÜV SÜD Product GmbH ..., wie in Anm. 71

77 Die Wiedergabe erfolgt ..., wie Anm. 72

78 DIN EN 1176-1:2008-08, Spielplatzgeräte und Spielplatzböden, Teil 1: Allgemeine sicherheitstechnische Anforderungen und Prüfverfahren; Deutsche Fassung EN 1176-1:2008, 2008-08.

Berichtigung 1 zu DIN EN 1176-1:2008-08, 2008-10.

Berichtigung 2 zu DIN EN 1176-1:2008-08, 2008-12.

DIN EN 1176-3:2008-08, Spielplatzgeräte und Spielplatzböden, Teil 3: Zusätzliche besondere sicherheitstechnische Anforderungen und Prüfverfahren für Rutschen; Deutsche Fassung EN 1176-3:2008, 2008-08.

Berichtigung 1 zu DIN EN 1176-3:2008-08, 2008-12

79 S. dazu auch: Schreiben der Axel Thoms Lebensrettungseinrichtung GmbH vom 13.08.2009 an die Planungsgruppe Geburtig in Weimar, z. H. Herrn Dr. Ing. Gerd Geburtig.

80 Bundesvereinigung Fachplaner und Sachverständige für den vorbeugenden Brandschutz e.V., Schreiben des Vorsitzenden Peter Helgers vom 23.03.2009 „Rettungsschläuche".

81 Die Wiedergabe erfolgt mit freundlicher Genehmigung der Axel Thoms Lebensrettungseinrichtungen GmbH in Bad Bramstedt.

82 Ebd.

83 Ebd.

84 Ebd.

85 Axel Thoms Lebensrettungseinrichtungen GmbH (Hrsg.), Personenrettungsschlauch, Produktinformation

86 Meinken, M., „Das ganze Zimmer ist ein Instrument", in: crescendo 07/2006, S. 10–13

87 Planungsgruppe Geburtig, Brandschutznachweis für den Kindergarten „Kinderbude" in Niedergrunstedt, Weimar 2007, unveröffentlicht

88 Thüringer Bauordnung (ThürBO) vom 16. März 2004

89 Ebd.

90 www.traffgo-ht.com

91 DIN EN 179:2008-04, Schlösser und Baubeschläge – Notausgangsverschlüsse mit Drücker und Stoßplatte für Türen in Rettungswegen – Anforderungen und Prüfverfahren; Deutsche Fassung EN 179:2008, Berlin 2008-04

92 Landesbauordnung Mecklenburg-Vorpommern (LBauO M-V) vom 18. April 2006

93 Ebd.

94 Ebd.

95 Richtlinie über bauaufsichtliche Anforderungen an Schulen (BASchulR), erlassen vom Ministerium für Arbeit und Bau Mecklenburg-Vorpommern am 06. 04. 1999

96 Ebd., Abschnitt 3.1

97 Ebd., Abschnitt 3.4

98 Predtetschenski, W. M. u. a. Milinski, Personenströme in Gebäuden – Berechnungsmethoden für die Projektierung, Berlin 1971

99 Niedersächsische Bauordnung (NBauO) in der Neubekanntmachung vom 10. Februar 2003, mehrfach geändert durch Artikel 3 des Gesetzes vom 11.10.2010 i. V. m. der Allgemeinen Durchführungsverordnung zur Niedersächsischen Bauordnung (DVNBauO) vom 11. März 1987, mehrfach geändert durch Artikel 1 der Verordnung vom 22.07.2004

100 Richtlinie über bauaufsichtliche Anforderungen an Schulen (SchulbauR) vom 11. August 2000

101 Entwurf zur Niedersächsischen Bauordnung (NBauO) vom 28.06.2010

102 Muster-Richtlinie der Fachkommission „Bauaufsicht" der ARGEBAU über bauaufsichtliche Anforderungen an Schulen (Muster-Schulbau-Richtlinie – MSchulbauR), Fassung April 2009, hier Abschnitt 2.1

103 DIN EN 179 ..., wie Anm. 91

104 MLAR, Muster-Leitungsanlagen-Richtlinie (MLAR), Stand November 2005

105 M-LüAR, Muster-Lüftungsanlagen-Richtlinie (M-LüAR), Stand September 2005

106 DIN 14096, Brandschutzordnung, Berlin 01/2000

107 BGR 133, Regeln für die Ausrüstung von Arbeitsstätten mit Feuerlöschern, Oktober 2004

108 DIN 14095:2007-05, Feuerwehrpläne für bauliche Anlagen

# Stichwortverzeichnis